prépabac

Le mémo du bac

Français

1re toutes séries

Conseils pour réussir l'épreuve orale

IL NE FAUT PAS...	IL FAUT...
Préparation (30 minutes)	
Se lancer « tête baissée » et reproduire la lecture analytique faite en cours.	◆ Repérer les mots-clés de la question donnée. ◆ **Recomposer** le plan en utilisant pour chaque axe ces mots-clés.
Rédiger entièrement la lecture analytique.	◆ Présenter les notes sous forme de plan détaillé. ◆ Utiliser une feuille par axe et n'écrire que sur le recto, pour ne pas se perdre durant la présentation.
◆ Oublier de s'appuyer sur le texte. ◆ Citer sans commenter.	◆ Sélectionner une couleur pour chaque axe et **surligner dans le texte** les éléments qui se rapportent à chacun. ◆ Sélectionner des citations précises, ciblées, et respecter la structure d'un paragraphe de commentaire : I C Q → Idée, Citation, Qualification de la citation.
Oublier de préparer l'entretien.	◆ Anticiper les questions possibles selon l'objet d'étude concerné. ◆ Préparer une feuille-références, avec des exemples ou citations pour alimenter l'entretien.
Passage (lecture analytique : 10 minutes ; entretien : 10 minutes)	
Omettre des étapes-clés de la lecture analytique (notamment oublier la lecture...).	Bien respecter l'ordre attendu : **1.** Introduction : - amorce - présentation du texte : époque, auteur, œuvre, teneur (de quoi « parle » le texte ?) **2. Lecture** expressive du texte **3.** Reformulation de la question posée **4.** Annonce des axes **5.** Développement de la lecture analytique **6.** Conclusion
Donner une impression terne ou apeurée.	◆ Soigner **l'attitude** (se tenir droit, regarder l'examinateur, éviter les « tics » nerveux). ◆ Soigner **l'élocution** (parler distinctement). ◆ Soigner **l'expression** (langage courant et correct).
Oublier de dynamiser l'entretien.	◆ Montrer sa capacité à **réagir** aux questions et à faire progresser le dialogue. ◆ Prendre le temps de réfléchir, modaliser ses réponses en cas de doute (« Il me semble que... »). ◆ Mettre en valeur ses **connaissances**, développer et commenter ses exemples.

Méthode pour réussir l'écriture d'invention

AVANT DE SE LANCER (15 minutes)

- Repérer les contraintes formulées explicitement ou suggérées dans la consigne.
- Identifier si possible
  - le **genre**
  - le **thème**
  - le **type** (narratif, descriptif...)
  - la ou les **visée(s)**
  - le **registre** (comique, tragique...)
  - la **situation d'énonciation**
  - le **niveau de langue**

  du texte à produire.

AU BROUILLON (1 heure 15)

Déterminer la « formule » du texte

- À partir des éléments relevés dans la consigne, composer la « formule » du texte à produire : **genre + thème + type + visée(s) + registre + situation d'énonciation + niveau de langue**
- Si certains éléments de cette formule ne sont pas donnés dans la consigne, à vous d'opérer des **choix** pour que votre formule soit complète.

Élaborer un canevas

- Sous la « formule » du texte, répertorier les **faits d'écriture** liés aux différentes caractéristiques dégagées (genre, registre...).

  ex. : genre = lettre → faits d'écriture = formules d'ouverture et de clôture
  type = descriptif → faits d'écriture = adjectifs, figures d'analogie...
  situation d'énonciation → indices personnels, temps verbaux...

- Déterminer la trame du texte, la manière dont il va se développer.

  NB : pour un sujet à teneur argumentative, préciser la thèse à soutenir, lister les arguments et choisir des exemples précis.

SUR LA COPIE (1 heure 15)

- Rédiger en tenant compte des contraintes de la consigne et de vos choix.
- Suivre la trame élaborée au brouillon et utiliser les faits d'écriture répertoriés.

SE RELIRE (10 minutes)

- Vérifier l'orthographe, notamment les accords majeurs.
- Vérifier que les phrases soient complètes et supprimer les répétitions.
- Supprimer toute marque de familiarité.

Les questions à se poser pour analyser un extrait de théâtre

Analyser un extrait de théâtre

Quelle forme et quelle fonction dans la pièce ?

- Quelle forme prend la scène ? (dialogue, monologue, tirade)
- Quelle est la place de la scène dans la pièce et dans l'action ? (exposition, dénouement, scène d'action, pause...)
- Quel est l'intérêt dramatique de la scène ? (scène d'aveu, scène de conflit, coup de théâtre, quiproquo)

Qu'en est-il des personnages ?

- Correspondent-ils à des « types » traditionnels ou non ? (valet, ingénue, ou personnages de commedia dell'arte...)
- Quelles sont leurs relations ? (père/fils, maître/valet, couple d'amoureux...)
- Qu'apprend-on sur eux ? (émotions, caractère, intentions...)

D'où vient la « théâtralité » de la scène ?

- Que donnerait cette scène à la représentation ? (jeux de scène, décor, didascalies...)
- Comment l'auteur donne-t-il du rythme, de l'efficacité scénique ?
- Le public est-il impliqué ? (si oui, comment ?)

Quel(s) registre(s) ?

- **Comique** : quelles sont les sources du comique ? (gestes, situation, mots, répétition)
- **Tragique** : d'où vient le tragique de la scène ? (fatalité intérieure, divine, politique ? suspense ?)
- Mélange de registres ?

Quelles sont les intentions de l'auteur ?

- Y a-t-il un « message » ? (message social, politique, moral, existentiel...).

Méthode pour réussir la dissertation

AVANT DE SE LANCER (15 minutes)

- Repérer l'objet d'étude concerné.
- Faire la liste, par ordre chronologique, des **références** en rapport avec cet objet d'étude (vous devez en avoir au moins 8 ou 10).
- Repérer les **expressions-clés** et les présupposés (l'implicite du sujet).

AU BROUILLON (1 heure)

Dégager la problématique

- **Reformuler** la question posée avec ses propres mots.
- La subdiviser en plusieurs **sous-questions** en variant les mots interrogatifs.

Choisir et concevoir le plan

Repérer si le sujet implique :
- un plan **thématique** (définition de notion, thèse proposée à valider)
- un plan **dialectique** (jugement ou définition à discuter)
- un plan **comparatif** (deux thèses, définitions ou démarches à confronter)

Trouver des idées, des arguments et des exemples

- Répondre aux sous-questions formulées, à l'aide de vos connaissances de cours, des textes du corpus et de vos références listées précédemment.
- Varier la nature et la forme des exemples (citation, nom de personnage, mouvement littéraire, etc.)

SUR LA COPIE (1 heure 30)

Rédiger l'introduction

1. phrase d'amorce
2. reformulation du sujet
3. problématique
4. annonce du plan

Rédiger le développement

- Construire un paragraphe autour de chaque idée clé, selon cette formule :
  I E C → une **I**dée, un **E**xemple, le **C**ommentaire de l'exemple.
- Ménager des transitions entre les parties.
- Éviter les formulations lourdes (« on peut remarquer que... »).

Rédiger la conclusion

1. synthèse de la réflexion menée
2. élargissement/ouverture (référence à d'autres arts, citation qui inscrit le sujet dans un débat plus large, etc.)

SE RELIRE (10 minutes)

- Vérifier l'orthographe, notamment les accords majeurs.
- Vérifier que les phrases soient complètes et supprimer les répétitions.

Les questions à se poser pour analyser un extrait de roman

Analyser un extrait de roman

Quel type ? Quelle fonction dans le roman ?

- **Quel est le type de cet extrait ?** (description, portrait, passage argumentatif, dialogue...)
- **Quel est son rôle dans le roman ?** (exposition, dénouement, scène de rencontre, scène de conflit...)
- **Fait-il avancer l'action ?** (péripétie, pause, flash-back...)

Quel mode de narration ?

- **Quel est le statut du narrateur ?** (personnage, témoin, extérieur à l'histoire)
- **Quel est le point de vue adopté ? Varie-t-il ?** (externe, interne, omniscient)
- **Le narrateur est-il objectif ou subjectif ?** (marques de son implication éventuelle)

Qu'en est-il des personnages ?

- **Quels sont les personnages en présence ?** (protagoniste, héros, antihéros, personnages secondaires)
- **Quel est leur rôle dans le schéma actantiel ?** (sujet, objet d'une quête, adjuvant, opposant)
- **Qu'apprend-on sur eux ?** (relations, émotions, caractère...)
- **Quel est le rôle de l'extrait pour les personnages ?** (moment de bilan, initiation, échec, victoire...)

Quelles sont les intentions de l'auteur ?

- **Quelle vision de l'homme et du monde révèle l'extrait ?** (optimiste, pessimiste, réaliste, fantaisiste...)
- **S'agit-il d'un roman engagé ?** (les personnages incarnent-ils une classe sociale, une idée, un combat ?)

Méthode pour réussir le commentaire composé

AVANT DE SE LANCER (10 minutes)

- Observer le paratexte (auteur, date, informations en italiques).
- Lire attentivement le texte, ainsi que les notes.

AU BROUILLON (1 heure 10)

Trouver les axes (30 minutes)

- Déterminer les caractéristiques du texte, sa « formule » :
  - **genre** : roman, nouvelle, poésie, théâtre, biographie...
  - **mouvement**: humanisme, romantisme, réalisme...
  - **type(s)** : narratif, descriptif, argumentatif, dialogue...
  - **registre(s)** : comique, tragique, lyrique, épique, fantastique...
  - **adjectifs** pour qualifier le texte : émouvant, allégorique, scientifique...
  - **buts** de l'auteur : informer, émouvoir, convaincre...
- En déduire des axes de lecture, les **intérêts** du texte (et non ses thèmes).
- Vérifier la pertinence des axes trouvés avec la formule « je veux montrer que... »

Construire le plan (40 minutes)

- Surligner dans le texte les éléments qui étayent ces axes (une couleur par axe)
- Ordonner les axes retenus (du plus évident au moins évident)
- Structurer chaque partie en faisant apparaître les idées clés (2 ou 3 par partie)

SUR LA COPIE (1 heure 30)

Rédiger l'introduction

- Amorce : intégrer le texte dans un ensemble plus large (époque, mouvement).
- Mentionner l'auteur et l'œuvre.
- Situer l'extrait dans l'œuvre et le caractériser (thème(s), teneur...).
- Annoncer le plan avec élégance.

Rédiger le développement

- Construire un paragraphe autour de chaque idée clé, selon cette formule :
  I C Q → une **I**dée, une **C**itation, la **Q**ualification de la citation.
- Ménager des transitions entre les parties.

Rédiger la conclusion

- Faire une synthèse des conclusions auxquelles aboutit l'analyse.
- Émettre un jugement personnel sur le texte et son intérêt littéraire.
- Ouvrir, élargir (adaptations dans d'autres arts, postérité littéraire...).

SE RELIRE (10 minutes)

- Vérifier l'orthographe, notamment les accords majeurs.
- Vérifier que les phrases soient complètes et supprimer les répétitions.

Les questions à se poser pour analyser un poème

Analyser un poème

Quelle forme ? Quel(s) thème(s) ?

- Quel est le thème du poème ? (description, récit ou souvenir d'un événement, poème argumentatif, poème engagé, ...)
- Comment le poème est-il composé ? (type de strophes, type de vers, schéma de rimes...)

Quelle conception de la poésie ?

- Quelle définition de la poésie le poème exprime-t-il ou suggère-t-il ?
- S'agit-il de l'Art pour l'art ? (recherche de la perfection formelle et de la beauté pure)
- S'agit-il d'un poème engagé ? (si oui, pour quelle cause ?)
- Quelle est la part de tradition et de modernité du poème ?

Quel est le rôle des sensations ?

- Quelles sensations dominent ?
- En quoi est-ce un « tableau » ? Quelle est la nature et le rôle des images ?
- D'où vient la musicalité du poème ?

Quelle présence du poète ?

- Comment se manifeste la subjectivité du poète ?
- Quels sentiments sont exprimés ? Quelles idées ?

Quelle vision du monde ?

- Le poème rend-il compte de la réalité ? (si oui, de quelle réalité ?)
- Comment le poète transforme-t-il le monde ? Sur quel mode ? (visionnaire, épique, fantaisiste, onirique)
- Quel est le sens littéral ? le sens symbolique ? (et comment ces deux sens sont-ils mis en relation ?)

Les questions à se poser pour analyser un texte argumentatif

Analyser un texte argumentatif

Quelle forme ?

- L'argumentation est-elle directe/explicite ou indirecte/implicite ? Abstraite ou concrète ?
  directe : discours, essai, traité, lettre, dialogue
  indirecte : apologue, scène de théâtre, extrait de roman
- L'argumentation est-elle structurée (connecteurs logiques) ou peu rigoureuse ?

Quelle teneur ?

- Quels sont les thèmes de l'argumentation ?
  (social, politique, existentiel, moral...)
- Quelle est la thèse soutenue ?
- S'agit-il d'un éloge ? d'un blâme ? d'un réquisitoire ? d'une réfutation ?
  critique : quelle est la cible ? quels sont les griefs ?
  éloge : quels sont les avantages ou les qualités mis en avant ?
- L'argumentateur est-il objectif ou partial ?
- Quelle vision de l'homme et du monde révèle le texte ?

Quelle stratégie ? Quels moyens ?

- Quelle est la stratégie de l'argumentateur ?
  convaincre : il fait appel à la raison
  persuader : il fait appel aux émotions
- À quel type de raisonnement recourt l'auteur ?
  (par l'absurde, par analogie, par concession)
- Qu'apprend-on sur eux ?
  (relations, émotions, caractère...)
- Quels types d'arguments utilise-t-il ?
  (personnels, généraux, d'autorité, *ad hominem*)
- Quels types d'exemples sont employés ?
  (personnels, anecdotiques, littéraires, historiques, scientifiques...)
- Quel est le ton adopté ?
  (oratoire ou sobre, avec ou sans effets de style, ironique, passionné...)

Analyser un apologue

- Quelle est l'importance des circonstances du récit et du décor ?
- Quels types de personnages sont mis en scène ?
- Quelle est la part de réalisme ou d'idéalisme ? de fantaisie ? de vraisemblance ?
- Quelle est la part de tradition et de modernité ?
- Comment s'établit le lien entre le récit et la « leçon » (« morale », thèse) de l'apologue ?

Conseils pour réussir la question sur le corpus

IL NE FAUT PAS...	IL FAUT...

Avant de se lancer (15 minutes)

IL NE FAUT PAS...	IL FAUT...
Se lancer « tête baissée » en rédigeant tout de suite sa réponse.	◆ Lire d'abord la question, en dégager les mots importants ; puis lire attentivement le corpus en entier. ◆ Surligner en couleur dans les textes les expressions qui vous permettront de répondre.

Au brouillon (15 minutes)

IL NE FAUT PAS...

Étudier les textes séparément, juxtaposer les analyses des textes.

IL FAUT...

- ◆ Définir les textes à l'aide d'un tableau pour identifier les ressemblances et les différences :

	Texte A	Texte B	Texte C
Genre			
Mouvement			
Type			
Registre			
Adjectifs pour qualifier le texte			
Buts de l'auteur			

- ◆ Composer un plan autour d'idées, en confrontant les textes.

IL NE FAUT PAS...	IL FAUT...
Raconter les textes, les paraphraser.	◆ Lister les idées clés qui permettent de répondre de manière progressive à la question. ◆ Souligner à l'aide de couleurs différentes les mots des textes qui prouvent chaque idée. ◆ Proscrire les expressions comme : « L'auteur dit que... »

Sur la copie (30 minutes)

IL NE FAUT PAS...	IL FAUT...
Composer une introduction banale et une présentation du corpus passe-partout, maladroite.	◆ Présenter les textes du corpus en établissant des liens (chronologiques, thématiques...) ◆ Rappeler brièvement la question posée. ◆ Renvoyer aux textes par des expressions comme : « Molière, dans son portrait d'Arnolphe, ... », et non « Dans le document A... ».
Composer une réponse : ◆ trop brève, sans références précises aux textes ◆ trop longue, avec trop de citations.	Trouver un juste milieu (30 à 50 lignes) : ◆ en synthétisant en une phrase précise et claire l'idée clé de chaque paragraphe ◆ en se référant aux textes par des citations brèves et pertinentes.

prépabac

1re toutes séries

Français

Sylvie Dauvin
Professeur agrégée de lettres classiques
au lycée international à Saint Germain-en-Laye

Jacques Dauvin
Professeur agrégé de lettres classiques
au lycée international à Saint Germain-en-Laye

Le mot des auteurs

Pourquoi ce Prépabac ?

Pour vous aider à vous préparer à l'épreuve anticipée de Français, tout au long de l'année et lors de la phase de révision finale.
Sur chaque thème du programme, vous sont proposés des **fiches** de synthèse, un quiz pour faire un **bilan** rapide de vos connaissances et des **sujets de type bac corrigés** pas à pas. En tête d'ouvrage, vous trouverez un **aide-mémoire** détachable pour faciliter vos révisions dans la dernière ligne droite.

FICHES BILAN SUJETS CORRIGÉS

Quel a été notre objectif ?

Tous deux enseignants de lettres, nous avons travaillé avec le même objectif : vous proposer un **outil de travail complet et efficace**.

Et le site annabac.com, quels compléments offre-t-il ?

L'achat de ce Prépabac vous permet de bénéficier d'un **accès GRATUIT**[1] à toutes les **ressources d'annabac.com** : résumés audio, fiches de cours, quiz interactifs, sujets d'annales corrigés...

Pour profiter de cette offre, rendez-vous sur www.annabac.com, dans la rubrique « Vous avez acheté un ouvrage Hatier ? ».

[1] selon les conditions précisées sur le site.

ISBN 978-2-218-99541-5

SOMMAIRE

Notions générales (1) : énonciation, discours et texte

FICHES

Notions générales (2) : modes et temps, lexique, figures de style et registres

FICHES

Le texte théâtral et sa représentation

FICHES

Le roman et le personnage romanesque

FICHES

Écriture poétique et quête du sens

La question de l'homme dans les genres de l'argumentation

Vers un espace culturel et européen : Renaissance et humanisme (série L)

Les réécritures (série L)

Notions générales (1) : énonciation, discours et texte

Franquin, *Idées noires* (1981)

FICHES

BILAN

1 Analyser une situation d'énonciation

Qu'est-ce que l'énonciation ? En quoi les indices de l'énonciation permettent-ils de mieux comprendre un texte ?

I Qu'est-ce que l'énonciation ?

1. Les éléments de l'énonciation

- L'**énonciation** est le fait de produire un énoncé (écrit ou oral) destiné à un lecteur ou à un auditeur.
- Pour analyser l'énonciation dans un texte, on se pose **plusieurs questions** :

1. Qui communique avec qui ?
2. Dans quelles circonstances ?
3. Quelle est l'attitude du locuteur face au contenu de son énoncé (→ fiche 2) ?

Éléments de l'énonciation	Questions à se poser
Le **locuteur** ou émetteur : celui qui produit le message.	**Qui parle ?** Indices : marques de la 1re personne (*je, nous, me, mon, mes, le mien, la mienne...*).
Le **destinataire** ou récepteur : celui à qui le message est destiné.	**À qui ?** Indices : marques de la 2e personne (*tu, vous, te, tes, les tiennes...*), apostrophes.
Le **contexte** ou les circonstances : le **lieu** et le **temps** dans lesquels l'énoncé est produit.	**Où et quand est produit l'énoncé ?** Indices : certains CC de lieu (*ici, à ma gauche*) et de temps (*maintenant, aujourd'hui, demain...*), certains temps (présent d'énonciation, passé composé et futur).

2. Le locuteur

- Dans tout texte, celui qui parle ou écrit à la 1re personne est appelé le **locuteur**, l'**émetteur** ou l'**énonciateur**.
- Dans un **texte narratif** (→ fiche 5), le locuteur est aussi appelé le **narrateur** : c'est lui qui raconte l'histoire. Il ne faut pas le confondre avec l'**auteur**, la personne réelle qui a écrit le texte (Balzac, Maupassant...).

Au **théâtre**, ce sont les **personnages** qui sont les locuteurs, pas les acteurs.

Attention ! Dans une **autobiographie**, il y a identité entre l'auteur, le narrateur et le personnage principal (par exemple, dans *Les Confessions* de Rousseau).

3. Les variations dans l'énonciation

■ La situation d'énonciation peut changer dans un même texte : le locuteur initial donne la parole à un autre personnage qui devient le **nouveau locuteur.**

■ Il y a alors une situation d'énonciation première et une **nouvelle situation d'énonciation**, présentée le plus souvent entre guillemets.

Dans un **dialogue**, l'énonciation est complexe, puisqu'elle présente une **alternance de locuteurs**.

Sire, je vous confirme que ce prisonnier n'a jamais dit à son bourreau : « Je refuse d'obéir à la loi. »

Première situation d'énonciation : un homme (*je*) s'adresse au roi (*Sire*).
Nouvelle situation d'énonciation : le prisonnier (*je*) s'adresse au bourreau.

II Exploiter la notion d'énonciation

1. Dans l'analyse de texte

■ Analyser la situation d'énonciation permet de **mieux connaître le locuteur** (son identité, ses caractéristiques) et le **contexte** (temps et lieu) de production de son énoncé.

■ Les indices ne prennent sens que par rapport à la situation d'énonciation : le pronom *je* ou l'adverbe *ici*, par exemple, ne peuvent être compris du lecteur que s'il sait à quelle personne et à quel lieu ils renvoient.

2. Dans l'écriture d'invention

■ Dans les consignes des sujets d'invention, les **éléments** de la situation d'énonciation à respecter sont le plus souvent **indiqués**.

■ Avant de produire une écriture d'invention, vous devez donc être très **attentif aux mots de la consigne**. Demandez-vous : *Qui écrit/parle ? À qui ? Où et quand ?* Déduisez-en le type de marques personnelles et d'indicateurs de temps et de lieu à utiliser.

*Lors de la première répétition, un metteur en scène s'adresse à l'ensemble de son équipe pour définir ses choix d'interprétation d'*Antigone *d'Anouilh et leur donner ses directives. Vous rédigerez son intervention.*

Voici la situation d'énonciation à respecter.
– Qui parle ? Un *metteur en scène*, s'exprimant à la 1re personne dans votre texte.
– À qui ? L'*équipe*, que le metteur en scène vouvoie (ou tutoie s'il parle à une personne en particulier).
– Quand ? À la *première répétition* (vous pourrez tirer profit de cette précision).
– Où ? Sans doute dans la salle de spectacle ou sur le plateau.

2 Analyser des marques de la subjectivité

Quelles sont les marques de la subjectivité du locuteur ? Qu'est-ce que la modalisation ? À quoi sert de repérer les marques de subjectivité ?

I Objectivité et subjectivité dans un texte

- Quand le locuteur ou le narrateur exprime ses **sentiments**, ses **doutes**, un **jugement**..., on parle de **subjectivité** du texte.
- On parle d'**objectivité** du texte lorsque le narrateur ne donne pas de signe de sa présence.

La guerre est un conflit armé opposant au moins deux groupes militaires organisés.
La phrase a la forme d'une définition neutre et précise, sans terme appréciatif. On ne connaît pas l'opinion du locuteur sur la guerre, on ne sait pas s'il la condamne ou non.

II Les marques de subjectivité

1. Les marques des sentiments et des émotions

- Le vocabulaire affectif comprend des **verbes de sentiment** *(je me réjouis que, je crains/redoute que, je déteste que, j'aime que...)* et les **champs lexicaux** de la joie, de la haine, de l'amour, de la crainte...
- Les **phrases exclamatives** traduisent toute la gamme des émotions : enthousiasme, révolte, indignation, espoir, étonnement...

2. Les marques du jugement

- Le locuteur peut donner **explicitement** son opinion en utilisant des **verbes de déclaration ou d'opinion** *(je pense que, je juge que...)*.
- Il peut aussi exprimer un jugement **implicite** à travers ses choix lexicaux.

Les **mots mélioratifs** sont des mots élogieux, valorisants, qui donnent une idée ou une vision très positive de quelqu'un ou de quelque chose.

Pascal était un génie des mathématiques.

Pour donner une nuance appréciative à un mot, on peut recourir à des **préfixes** ou à des **suffixes mélioratifs** : *extra-, archi-, -issime...*

À l'inverse, les **mots péjoratifs** donnent une idée ou une vision très négative de quelqu'un ou de quelque chose.

Suffixes péjoratifs : *-âtre, -ard, -asse...*

« La guerre est un fruit de la dépravation des hommes ; c'est une maladie convulsive et violente du corps politique. (Damilaville)

3. La modalisation

Le locuteur peut exprimer son **degré de certitude** à l'égard de ce qu'il affirme. C'est ce qu'on appelle la modalisation.

	Certitude	Doute/Probabilité/Atténuation
Adverbes et locutions adverbiales	*sans aucun doute, assurément, à coup sûr, évidemment...*	*peut-être, probablement, apparemment, éventuellement...*
Expressions	*il est certain que...*	*selon certains, il est probable/possible que..., il n'est pas exclu que..., à ce qu'on dit..., selon toute vraisemblance*
Verbes ou expressions verbales	*affirmer, être sûr, penser, on ne peut nier...*	*admettre, prétendre, douter que, ne pas savoir, ignorer, s'imaginer, il (me) semble que, paraître...*
Auxiliaires modaux		*devoir* et *pouvoir* *Il a dû avoir un problème.* *Il a pu se tromper.*
Conditionnel		*Il y aurait trente victimes.*
Moyens typographiques		Les guillemets (le locuteur ne prend pas l'affirmation à son compte) et l'italique (le locuteur insiste sur un élément). *Ah vraiment, quel « exploit » !*

III Analyser et employer des marques de subjectivité

À l'oral comme à l'écrit, il est important de maîtriser l'emploi des marques de subjectivité.

- Vous pourrez ainsi discerner dans un texte les **intentions** et les **prises de position** du locuteur (dans un essai, une délibération...) et la **personnalité** de celui qui parle (l'orateur dans un discours, un personnage dans une œuvre narrative ou théâtrale...).
- Dans un devoir écrit ou un exposé oral, ces marques vous permettront de **nuancer votre discours**, afin de ménager la susceptibilité de votre lecteur/interlocuteur et de mieux le persuader.

3 Repérer l'implicite et ses procédés

Qu'est-ce que l'implicite ? Quels sont ses procédés ? Quel parti en tirer ?

I Qu'est-ce que l'implicite ? Pourquoi l'employer ?

1. Définition de l'implicite

- Un énoncé est implicite quand les **idées**, les **émotions** ou les **sentiments du locuteur** (ou du narrateur) sont **perceptibles**, mais ne sont pas directement exprimés.
- Le lecteur comprend le message, pourtant incomplètement formulé. L'implicite fait appel à son imagination, à sa capacité à «lire entre les lignes» les intentions de l'auteur. Il crée une **complicité** entre l'auteur et le lecteur.

Implicite est l'antonyme d'***explicite*** (qui désigne un énoncé clair, direct).

2. Pourquoi employer l'implicite ?

Un auteur recourt à l'implicite :

- par **discrétion** ou **bienséance** ;

Dans le poème «Demain dès l'aube», Hugo, désespéré, retient son émotion et ne précise pas que la tombe sur laquelle il va se recueillir est celle de sa fille.

- pour **critiquer** indirectement ;

« La fourmi n'est pas prêteuse.
C'est là son moindre défaut. (La Fontaine)
La fourmi a donc beaucoup d'autres défauts.

- pour donner un **ton ironique** ;
- pour échapper à la **censure**.

La **censure** est la limitation arbitraire de la liberté d'expression par une autorité qui interdit la publication d'un ouvrage.

II Les procédés de l'implicite

1. Le sous-entendu

- Le sous-entendu est une **allusion volontaire** qui donne au lecteur des indications pour comprendre le reste de l'idée dont il est question.

« Un esprit sain puise à la Cour le goût de la solitude et de la retraite. (La Bruyère)
La Cour est donc un lieu qu'il faut fuir.

■ Le **présupposé** est une hypothèse implicite, non formulée, considérée comme vraie avant d'entamer une discussion. À la différence du sous-entendu, il se déduit d'un mot ou d'une expression de l'énoncé.

Le mendiant avait cessé de croire en Dieu.
Le verbe *cesser* implique que le mendiant était croyant auparavant.

■ La **question rhétorique** est une fausse question qui impose une réponse sous-entendue.

« Est-il rien de plus inhumain que de réduire des villes en cendres ?
(M. de Scudéry)
Sous-entendu : *non*. Réduire des villes en cendres est donc ce qu'il y a de plus inhumain.

On peut nier un sous-entendu, mais pas un **présupposé**. « *Tu es de bonne humeur, aujourd'hui* » peut sous-entendre ou non : *D'habitude, tu n'es pas de bonne humeur*, mais *Tu as encore été insultant* a comme présupposé : *Tu as déjà été insultant auparavant.*

2. L'atténuation et l'exagération

■ La **litote** atténue l'expression de la pensée, dit moins pour suggérer plus.

« Va, je ne te hais point. (Corneille)
Chimène ne peut, par bienséance, exprimer explicitement son amour à Rodrigue, le meurtrier de son père.

■ L'**euphémisme** atténue une expression littérale trop choquante ou bien désagréable.

Il nous a quittés.
Il est donc mort.

■ L'**hyperbole** exagère pour faire semblant d'admirer une chose mais en souligne implicitement l'excès ou le ridicule.

« Il n'y a point de gens au monde qui tirent mieux parti de leur machine que les Français : ils courent, ils volent [...]. (Montesquieu)
Les Français sont donc toujours pressés.

3. L'opposition

L'implicite repose souvent sur des effets d'opposition ou de décalage, dont le lecteur doit comprendre l'absurdité.

■ L'implicite peut recourir à la forme condensée de l'**oxymore**, association de deux mots contradictoires.

« Cette boucherie héroïque [la guerre] (Voltaire)

« [La tortue] se hâte avec lenteur (La Fontaine)

■ Le **raisonnement par l'absurde** prouve la validité d'une idée :
- en montrant que la thèse adverse aboutit à des conclusions absurdes ; c'est le lecteur qui doit faire le raisonnement ;

Franquin, *Idées noires* (1981).

Si « toute personne qui en tuera volontairement une autre » doit être mise à mort, une seule mise à mort entraînera la mort de tous les bourreaux. La peine de mort est donc une absurdité. [Ce dessin de Franquin visait à soutenir l'abolition de la peine de mort débattue à l'Assemblée nationale et votée en 1981.]

- en reliant, de façon paradoxale, une cause et une conséquence sans rapport avec elle.

« [Les nègres] ont le nez si écrasé [considération physique] qu'il est presque impossible de les plaindre [considération morale et affective]. (Montesquieu)

Le lecteur révolté doit comprendre : le raisonnement raciste est un faux raisonnement, totalement absurde.

■ L'**antiphrase** dit le contraire de ce que l'on pense, semble approuver une opinion, une idée, à laquelle on n'adhère pas ou qui est en opposition évidente avec la réalité. Elle est le procédé essentiel de l'**ironie** : le lecteur doit alors comprendre qu'il faut inverser les affirmations de l'auteur.

L'**antiphrase** est parfois difficile à discerner et à manier : le lecteur risque de prendre les idées au premier degré. Il faut donc lui fournir des indices pour le mettre sur la voie.

« Rien n'était si beau, si leste, si brillant que le spectacle des deux armées. Les trompettes, les fifres, les hautbois, les tambours, les canons formaient une harmonie telle qu'il n'y en eut jamais en enfer [indice]. (Voltaire)

1er degré : La guerre est un beau spectacle avec une musique entraînante.

2e degré (implicite) : La guerre est une réalité horrible, qui débouche sur des massacres.

4 Reconnaître et analyser des paroles rapportées

Qu'est-ce que des paroles rapportées ? Quels sont les divers moyens de rapporter des paroles ? Quel est l'effet produit par chacun de ces moyens ?

I Qu'est-ce que des paroles rapportées ?

- Quelqu'un qui parle ou écrit peut rapporter les paroles que lui-même ou une autre personne a prononcées. Ce sont des paroles rapportées.
- Il y a trois façons de rapporter des paroles : le discours (ou style) **direct**, le discours **indirect**, le discours **indirect libre**. Chaque type de discours produit un effet spécifique.
- Quand le narrateur veut rendre globalement la teneur de paroles, sans les rapporter précisément, il recourt au **discours narrativisé**.

II Discours direct et discours indirect

1. Le discours direct

- Les paroles sont transcrites **telles qu'elles ont été prononcées**.

« Sire, dit le Renard, vous êtes trop bon roi (La Fontaine)

- Les propos rapportés sont introduits par un **verbe de parole** *(dire, rétorquer, s'exclamer...)*, parfois placé en incise *(dit-il, rétorqua-t-elle)*, et encadrés par des **guillemets**. Le discours direct se caractérise également par l'emploi d'une **ponctuation expressive** (points d'exclamation et d'interrogation).

Dans un dialogue, les **tirets** signalent les changements d'interlocuteur.

2. Le discours indirect

- Les paroles sont **transformées** et rapportées dans une **subordonnée** ou un groupe prépositionnel à l'infinitif.
- Les propos rapportés dépendent d'un **verbe de parole** *(jura)*. La ponctuation du discours direct (guillemets, tirets) disparaît, les temps verbaux, les pronoms et les indicateurs spatio-temporels peuvent être modifiés.

« [*« On ne m'y prendra plus ! » jura le Corbeau.*]

→ Le Corbeau [...] jura [...]
Qu'on ne l'y prendrait plus. (La Fontaine)

■ Attention aux changements de pronoms et de temps verbaux quand on passe du style direct au style indirect.

Du discours direct...	... au discours indirect
est-ce que ? *« Est-ce que tu as mal ? » « As-tu mal ? »*	**si** *Il demanda si j'avais mal.*
qu'est-ce qui/que ? *«Qu'est-ce qui bouge ? »*	**ce qui/que** *Dis-moi ce qui bouge.*
questions directes sans est-ce que *« Quand part-elle ? »*	**pas de sujet inversé** *Il demanda quand elle partait.*
impératif *Elle lui a dit : « Reviens ! »*	**groupe à l'infinitif prépositionnel** *Elle lui a dit de revenir.*

III Le discours indirect libre

Le **discours indirect libre** suit souvent un passage au discours indirect introduit par *que*, ou une remarque sur l'état d'âme du personnage.

■ Les paroles sont rapportées **comme au discours indirect**, mais le **verbe principal** et le **mot subordonnant** sont **supprimés**.

« Jamais il n'avait parlé si violemment. [...] N'était-ce pas effroyable ? un peuple d'hommes crevant au fond de père en fils [...] Oui ! le travail demanderait des comptes au capital, à ce dieu impersonnel, inconnu de l'ouvrier. (Zola)

■ Les temps verbaux et les pronoms sont ceux du discours indirect, mais la ponctuation est celle du discours direct (à l'exception des guillemets).

■ Il est parfois difficile de distinguer ce qui appartient au locuteur premier (le narrateur) et au locuteur second (dont les paroles sont rapportées).

■ Quand le narrateur rapporte les pensées intimes d'un personnage, on parle de **monologue intérieur**. Ce procédé est très fréquent dans le roman, à partir du XIXe siècle.

« Sa mère ! La connaissant comme il la connaissait, comment avait-il pu la suspecter ? [...] Et c'était lui, le fils, qui avait douté d'elle ! Oh ! s'il avait pu la prendre en ses bras en ce moment, comme il l'eût embrassée, caressée, comme il se fût agenouillé pour demander grâce ! (Maupassant)

IV Un exemple d'analyse de l'effet de chaque type de discours

« Après qu'il eut brouté, trotté, fait tous ses tours,
Janot Lapin retourne aux souterrains séjours.
La Belette avait mis le nez à la fenêtre.
« Ô Dieux hospitaliers, Que vois-je ici paraître ? »
5 Dit l'animal chassé du paternel logis :
« Ô là, Madame la Belette,
Que l'on déloge sans trompette,
Ou je vais avertir tous les Rats du pays. »
La Dame au nez pointu répondit que la terre
10 Était au premier occupant.
C'était un beau sujet de guerre
Qu'un logis où lui-même il n'entrait qu'en rampant.

La Fontaine, « Le Chat, la Belette et le petit Lapin »,
Fables.

- Dans un récit (interventions du narrateur), le discours direct introduit de la **variété** : ce n'est plus le narrateur qui parle mais un des personnages. Il donne de la vivacité au texte et a valeur de témoignage authentique.
- Le discours indirect **met à distance** le locuteur dont on rapporte les paroles.
- Le discours indirect libre garde une vivacité proche du discours direct tout en ne coupant pas brusquement la narration.

5 Distinguer les types de textes

Le type de texte s'identifie selon les intentions de son auteur, c'est-à-dire selon la visée de son énoncé : raconter (texte narratif), décrire (texte descriptif), expliquer (texte explicatif), argumenter (texte argumentatif) ou donner des consignes (texte injonctif). Un auteur peut avoir plusieurs visées et donc combiner différents types de textes dans une même œuvre.

I Le texte narratif

- Il **raconte** des événements et les situe dans le temps, comme un film.
- Il se caractérise par la présence d'un **narrateur**, de **personnages**, d'une action rythmée par des **péripéties** et d'un **point de vue** narratif.
- Il constitue la base des genres narratifs (roman, nouvelle, conte...).

Les marques du texte narratif		
Temps du récit : passé simple (à l'écrit), passé composé (à l'oral), présent de narration	**Repères chronologiques** : connecteurs temporels (*alors, ensuite, le lendemain, plus tard...*) et CC de temps.	**Vocabulaire** de l'action.

II Le texte descriptif

- Il **décrit**, **caractérise**, **qualifie** un objet, un lieu, une personne, une société...
- Il se caractérise par la présence implicite d'un observateur qui observe selon un **point de vue** et révèle sa **subjectivité**.

Dans les **récits**, le texte descriptif est combiné au texte narratif.

Les marques du texte descriptif		
Temps de la description : présent et imparfait (récit au passé).	**Repères spatiaux** : connecteurs spatiaux (*devant, derrière, au-dessus, en bas...*) et CC de lieu.	**Vocabulaire** : verbes d'état (*être, sembler...*), de perception (*voir, entendre, sentir...*), adjectifs, lexique des cinq sens.

III Le texte explicatif

- Il **définit**, **analyse**, **explique**... un phénomène ou un processus.
- Il soulève généralement des questions auxquelles il apporte des **réponses**. Il comporte souvent des définitions, des **exemples** qui servent de **preuves**.

- Le locuteur s'implique peu : il s'efforce d'être **objectif** et s'efface souvent derrière le pronom indéfini *on*.
- Il est fréquent dans les textes scientifiques, les documentaires et les essais.

Les marques du texte explicatif		
Voix passive ou pronominale (le fait est sujet). **Présent de l'indicatif** (souvent à valeur de vérité générale).	**Connecteurs logiques** de cause *(car, en effet, voici pourquoi, parce que)* et de conséquence *(si bien que, donc, par conséquent)*, présentatifs *(c'est, il s'agit de...)*.	**Vocabulaire** : termes techniques, génériques, simples et clairs, chiffres, dates...

IV Le texte argumentatif

- Il vise à **convaincre**, **persuader**, **délibérer** pour défendre une opinion.
- Il se caractérise par la présence d'une **thèse**, d'**arguments** et d'**exemples**.
- Le locuteur doit s'adapter à son destinataire : il peut s'impliquer fortement ou choisir l'objectivité pour masquer son intention.
- Le texte argumentatif est fréquent dans les genres de l'argumentation directe (→ fiche 42) mais présent aussi dans les genres narratifs.

Délibérer, c'est discuter, débattre avec d'autres ou en soi-même en vue de prendre une décision et d'agir : « Être ou ne pas être ? » (Shakespeare)

Les marques du texte argumentatif		
Présent de l'indicatif (valeurs de vérité générale, d'actualité...).	**Connecteurs logiques** pour articuler le raisonnement.	**Vocabulaire** : verbes d'opinion *(penser, croire)*, modalisateurs. **Procédés rhétoriques et figures de style** de la persuasion.

V Le texte injonctif

- Il donne des **consignes**, des **ordres** ou des **conseils**.
- Il est fréquent dans les règlements, les genres de l'argumentation directe et les textes engagés. Les personnages d'un roman peuvent y recourir.

Les marques du texte injonctif		
Impératif, infinitif, futur et subjonctif à valeur injonctive.	Forte **implication** de l'énonciateur et du destinataire.	**Vocabulaire** : verbes d'ordre *(ordonner)*, de conseil *(suggérer)*, de prière *(prier, supplier)*, d'obligation *(il faut que, on doit)*, d'interdiction *(défendre de)*.

6 Employer des connecteurs

Pour articuler les différents mouvements d'un texte (narratif, descriptif ou argumentatif), on recourt à des mots qui marquent son organisation et sa progression : les connecteurs.

I Les connecteurs temporels

- Ils établissent des **rapports chronologiques** entre différents événements.
- Ils prédominent dans les textes narratifs et descriptifs.
- Ils appartiennent à des classes grammaticales variées.

	Adverbes	**Conjonctions de subordination**	**Groupes prépositionnels**
Antériorité	*avant, hier, la veille, auparavant...*	*quand, depuis que, avant que* (+ subjonctif)...	*avant* (+ nom)
Simultanéité		*pendant que, comme, tandis que...*	*pendant* (+ nom)
Postériorité	*après, puis, ensuite, demain...*	*dès que, quand, après que* (+ indicatif)	*après* (+ nom)
Durée	*longtemps, vite...*	*pendant que*	*pendant* (+ nom)
Succession	*d'abord, puis, alors, enfin...*		
Rupture temporelle	*soudain, d'un seul coup, alors...*	*quand*	

Depuis une heure, il avançait ainsi, lorsque sur la gauche, à deux kilomètres de Montsou, il aperçut des feux rouges, trois brasiers brûlant au plein air, et comme suspendus. D'abord, il hésita, pris de crainte ; puis, il ne put résister au besoin douloureux de se chauffer un instant les mains.

Zola, *Germinal.*

II Les connecteurs spatiaux

- Les connecteurs spatiaux fournissent des **points de repère** dans une description. Ils permettent de suivre la progression du regard de l'observateur ou de guider le lecteur dans sa découverte des lieux.

- Ils prédominent dans les textes descriptifs (pour organiser l'espace) et les textes narratifs (pour situer les actions dans l'espace).
- Ils indiquent le lieu :

où l'on est	*ici, là, loin, près, dessus, dessous, devant, derrière, en face, çà et là, autour, partout, au fond...*
où l'on va	*ici, là, vers* (+ nom), *à* (+ nom), *en* (+ nom)...
d'où l'on vient	*d'ici, de là, de* (+ nom)...
par où l'on passe	*par ici, par là, par/à travers* (+ nom)...

Description statique

« Par sa fenêtre, une nuit, il avait contemplé le silencieux paysage qui se développe en descendant, jusqu'au pied d'un coteau sur le sommet duquel se dressent les batteries du bois de Verrières.
Dans l'obscurité, à gauche, à droite, des masses confuses s'étageaient, dominées,
5 au loin, par d'autres batteries et d'autres forts [...].

Huysmans, *À rebours.*

Le verbe *contempler* indique que le personnage qui regarde reste statique et que c'est son regard qui « balaie » le paysage ; ce n'est pas lui qui est le sujet de *en descendant* mais le *paysage* qu'il parcourt des yeux.

Description en mouvement

« Mais Étienne, quittant le chemin de Vandame, débouchait sur le pavé. À droite, il apercevait Montsou qui dévalait et se perdait. En face, il avait les décombres du Voreux, le trou maudit que trois pompes épuisaient sans relâche. Puis, c'étaient les autres fosses à l'horizon, la Victoire, Saint-Thomas, Feutry-
5 Cantel; tandis que, vers le nord, les tours élevées des hauts fourneaux et les batteries des fours à coke fumaient dans l'air transparent du matin. [...] Les camarades étaient tous là, il les entendait le suivre à chaque enjambée. N'était-ce pas la Maheude, sous cette pièce de betteraves, l'échine cassée [...] ? À gauche, à droite, plus loin, il croyait en reconnaître d'autres, sous les blés, les haies vives,
10 les jeunes arbres. [...] De toutes parts, des graines se gonflaient [...].

Zola, *Germinal.*

La description du pays minier à la fin de *Germinal* est structurée avec des connecteurs spatiaux qui suivent le regard du héros en mouvement : le lecteur a l'impression de le suivre dans ses déplacements et ses visions.

III Les connecteurs logiques

- Les connecteurs logiques relient les arguments ou les exemples les uns aux autres : ils indiquent les **phases d'une argumentation.**
- Lorsque vous rédigez un texte argumentatif (dissertation ou parfois écriture d'invention), articulez vos paragraphes avec des connecteurs logiques.

	Utilisation	Exemples
Addition	Ajoute un argument au précédent.	*et, en outre, de plus, par ailleurs, d'une part… d'autre part, également…*
Gradation	Ajoute un argument en soulignant une progression.	*d'abord, ensuite, puis, enfin, et même, bien plus…*
Comparaison/ Analogie	Rapproche deux exemples ou deux faits.	*de même, comme, ainsi que, tel…*
Opposition	Oppose deux arguments ou faits qui se mettent en valeur par contraste.	*mais, au contraire, alors que, tandis que, en revanche…*
Concession	Admet une objection pour mieux maintenir sa position.	*certes, malgré, sans doute, bien que, quoique, s'il est vrai que…*
Cause	Donne la raison, l'explication d'un fait.	*en effet, car, parce que, puisque, en raison de…*
Conséquence	Exprime le résultat, la suite logique d'un argument ou d'un fait.	*donc, c'est pourquoi, si bien que, de sorte que, par conséquent*
Synthèse/ Conclusion	Fait le point, conclut l'argumentation.	*donc, en somme, bref, en résumé*

« Vous avez deux choses à perdre : le vrai et le bien, et deux choses à engager : votre raison et votre volonté, votre connaissance et votre béatitude ; et votre nature a deux choses à fuir : l'erreur et la misère. Votre raison n'est pas plus blessée puisqu'il faut nécessairement choisir, en choisissant l'un que l'autre. 5 Voilà un point vidé. Mais votre béatitude ? Pesons le gain et la perte, en prenant croix[1] que Dieu est. Estimons ces deux cas : si vous gagnez, vous gagnez tout ; et si vous perdez, vous ne perdez rien. Gagez donc qu'il est, sans hésiter.

Pascal, *Pensées.*

1. **En prenant croix** : en pariant pile.

Le mathématicien, physicien et philosophe Pascal structure rigoureusement son raisonnement avec des connecteurs logiques pour persuader son lecteur qu'il a intérêt à parier sur l'existence de Dieu.

7 Employer des procédés de reprise

Lorsqu'on écrit un texte, on est amené à mentionner plusieurs fois la même personne, chose ou idée. Pour éviter les répétitions maladroites et assurer la cohérence d'un texte, on recourt généralement à des procédés de reprise. On distingue les reprises pronominales et les reprises lexicales.

I Les reprises pronominales

Un pronom peut remplacer un nom, un groupe de mots ou une proposition.

1. La reprise par un pronom personnel

« Gavroche, fusillé, taquinait la fusillade [...]. Les balles couraient après lui, il était plus leste qu'elles. (Hugo)

Les pronoms *lui* et *il* reprennent le nom *Gavroche* ; *elles* reprend *les balles*.

2. La reprise par un pronom démonstratif

- *Celui, celle(s), ceux* reprennent un groupe nominal. Ces pronoms sont généralement complétés par les adverbes *-ci* (qui renvoie au premier terme cité ou suggère la proximité) et *-là* (qui renvoie au deuxième terme cité ou suggère l'éloignement).

« *Béline, accommodant les oreillers qu'elle met autour d'Argan.*
Levez-vous, que je mette ceci sous vous. Mettons celui-ci pour vous appuyer, et celui-là de l'autre côté. (Molière)

Les pronoms *celui-ci* et *celui-là* désignent les oreillers.

- *Ce, ceci, cela* reprennent le plus souvent une idée déjà exprimée.

« Eh bien, manger moutons, canaille, sotte espèce,
Est-ce un péché ? (La Fontaine)

II Les reprises lexicales

On distingue les reprises lexicales par un groupe nominal des reprises lexicales par substitution, qui permettent fréquemment d'apporter des informations supplémentaires.

1. La reprise par un groupe nominal réduit (ou reprise fidèle)

Elle reprend un groupe nominal assez long (comprenant plusieurs expansions) en le réduisant.

« Madame Vauquer [...] tient à Paris une pension bourgeoise établie rue Neuve-Sainte-Geneviève, entre le quartier latin et le faubourg Saint-Marceau. Cette pension [...] admet également des hommes et des femmes. (Balzac)

Un **verbe** peut être repris par un nom (ou un groupe nominal) : « On avait volé, volé Madame Lefèvre ! [...] Le bruit du vol se répandit. » (Maupassant)

2. Le synonyme

Ce mot a le même sens que le mot qu'il reprend ou un sens très proche.

« Adieu, mon cher Paul, embrasse bien tendrement ton bon père pour moi [...]. Remercie ton papa de tous les détails de sa dernière lettre. (Hugo)

Père est repris par *papa* qui ajoute une nuance affective.

3. Le terme générique

- Ce mot englobe toute une catégorie d'êtres ou d'objets spécifiques.

« Et je pris la coccinelle [...]
– Fils, apprends comme on me nomme,
Dit l'insecte du ciel bleu (Hugo)

Le terme spécifique *coccinelle* est repris par le terme générique *insecte*.

- Le terme générique permet de résumer une énumération.

Cerises, abricots, pêches, coings, ces beaux fruits poussent là. (D'après B. Cendrars)

4. La périphrase

- Elle dit en plusieurs mots ce qu'on pourrait dire en un seul.
Elle exprime les qualités ou les attributs de la réalité désignée.
- Elle peut :
- être neutre : *les habitants de Paris* [les Parisiens] ;
- apporter une nuance positive ou négative et traduire un sentiment ou un jugement de valeur du locuteur : *celui-là qui conquit la Toison* [Du Bellay révèle son admiration pour Jason par une périphrase qui rappelle ses exploits] ;
- prendre une valeur argumentative :

La **périphrase** est un procédé de reprise fréquent en poésie car elle crée souvent une image : *le cristal des fontaines* pour désigner l'eau.

« Où vont tous ces enfants dont pas un seul ne rit ?
Ces doux êtres pensifs que la fièvre maigrit ?
Ces filles de huit ans qu'on voit cheminer seules ? (Hugo)

Par ces périphrases, Hugo souligne l'innocence et la fragilité des enfants et suscite la pitié pour mieux dénoncer le travail des enfants.

Quiz express

Vérifiez que vous avez bien retenu les points clés des **fiches 1 à 7**.

Quelques définitions

1 Associez le mot à sa définition.

1. destinataire
2. locuteur
3. l'auteur
4. le narrateur

a. celui qui raconte l'histoire
b. celui qui écrit l'histoire
c. celui qui produit le message
d. celui à qui s'adresse le message

2 Associez le mot à sa définition.

1. terme générique
2. monologue intérieur
3. connecteur
4. oxymore

a. Il associe deux mots contradictoires.
b. Il marque la progression.
c. Il englobe une catégorie d'éléments ayant un lien.
d. Il rapporte les pensées intimes d'un personnage.

Énonciation et modalisation

3 Vrai ou faux ?

1. Un mot mélioratif comporte une nuance négative.
2. *Sans doute* est un modalisateur.
3. Le suffixe *-âtre* est valorisant.
4. L'antiphrase est un procédé de l'implicite.

L'implicite

4 Vrai ou faux ?

1. Une question rhétorique impose une réponse sous-entendue.
2. *Il n'est pas vraiment stupide* est un euphémisme.
3. *Elle est un peu enveloppée* est un euphémisme.
4. *Il n'est pas laid* est une litote.

Quelques figures de style

5 Quelle(s) figure(s) de style comportent les expressions soulignées ?

1. « C'est une chose admirable que ce gouvernement […]. Los Padres y ont tout, et les peuples rien ; c'est le chef-d'œuvre de la raison et de la justice. » (Voltaire)
   ☐ a. une antiphrase ☐ b. une antithèse ☐ c. un oxymore ☐ d. une hyperbole
2. « Candide, qui tremblait comme un philosophe, se cacha du mieux qu'il put pendant cette boucherie héroïque. » (Voltaire)
   ☐ a. une antithèse ☐ b. une antiphrase ☐ c. une périphrase ☐ d. un oxymore
3. « […] mais nous nous en allons,
   Et tôt serons étendus sous la lame [pierre tombale] » (Ronsard)
   ☐ a. une litote ☐ b. un euphémisme ☐ c. une périphrase

Les paroles rapportées

6 Vrai ou faux ?

1. Au style indirect, les guillemets indiquent où commence le dialogue.
2. Au style indirect, si le verbe principal est au passé, le futur (des paroles prononcées) devient un conditionnel présent.
3. Le style indirect est plus vivant que le style indirect libre.
4. Le style indirect libre rapporte souvent les pensées de quelqu'un.

Les types de textes

7 Chassez les intrus.

1. informatif, explicatif, normatif, narratif, argumentatif
2. convaincre, délibérer, résoudre, argumenter, évoquer
3. thèse, point de vue, argument, focalisation, antithèse, argumentation

8 Vrai ou faux ?

1. Le roman combine des passages narratifs, descriptifs et argumentatifs.
2. Une argumentation ne comporte pas toujours de thèse.
3. Un texte descriptif implique un point de vue.
4. Un texte narratif est toujours au passé.

Les connecteurs

9 Associez le connecteur au rapport logique qu'il exprime.

1. *ensuite*
2. *tandis que*
3. *en somme*
4. *malgré*

a. opposition
b. concession
c. gradation
d. synthèse

CORRIGÉS

1. **1d** (à qui s'adresse : à qui est destiné), **2c** (racine *loc-* : parler), **3b**, **4a** (*narrer* : raconter) • **2.** **1c**, **2d**, **3b**, **4a** • **3.** **1** Faux : nuance positive. **2** Vrai. **3** Faux : nuance dévalorisante. **4** Vrai. • **4.** **1** Vrai. **2** Faux : c'est une litote (il est très intelligent), qui dit le moins pour faire entendre le plus. **3** Vrai : elle est grosse (atténue une idée désagréable). **4** Vrai : il est très beau. • **5.** **1d**, **2d**, **3b**. • **6.** **1** Faux : les guillemets n'apparaissent qu'au style direct. **2** Vrai : *Il dit qu'il partira* devient *Il a dit qu'il partirait*. **3** Faux : le style indirect libre garde par exemple les points d'exclamation. **4** Vrai : monologue intérieur. • **7.** **1** normatif **2** résoudre (ne fait pas partie des notions argumentatives) **3** focalisation (cette notion s'applique au récit) • **8.** **1** Vrai. **2** Faux : une argumentation soutient par définition une thèse. **3** Vrai : c'est le lieu d'où sont vus la personne, l'objet, l'endroit décrits. **4** Faux : il peut être au présent. • **9.** **1c**, **2a**, **3d**, **4b**.

Notions générales (2) : modes et temps, lexique, figures de style et registres

FICHES

BILAN

8 Connaître les valeurs des modes

Les modes verbaux indiquent de quelle façon est envisagé et présenté le fait (ou l'action) exprimé par le verbe. Connaître la valeur des modes permet de percevoir et de mieux comprendre les intentions de l'auteur.

I Les valeurs des modes personnels

Les modes personnels ont des temps qui se conjuguent.

1. L'indicatif

Il affirme la réalité du fait qu'il exprime.

« La Fourmi n'est pas prêteuse (La Fontaine)

2. Le subjonctif

- Il présente des faits interprétés (possibles, souhaités, éventuels...).
- Dans une **proposition indépendante**, il exprime l'ordre et la défense (« Que l'on déloge sans trompette » [La Fontaine]), le souhait *(Puisse-t-il réussir!)* ou l'indignation (« Moi, Héron, que je fasse une si pauvre chère! » [La Fontaine]).

Il porte la marque de la présence du locuteur (→ fiche 1) et traduit une pensée, un sentiment ou un désir.

- Dans une **proposition subordonnée conjonctive complétive**, il s'emploie après des verbes de volonté, de doute, de souhait et de sentiment.

« Je crains que vous ne vous fassiez illusion. (Laclos)

3. Le conditionnel

Il présente les faits comme éventuels, probables ou peu certains.

- Il exprime une **hypothèse** (une action dont la réalisation est soumise à une condition).

Si j'avais de l'argent, je ferais un grand voyage.

Le conditionnel a aussi une **valeur de temps** (→ fiche 9).

- Avec *pouvoir* ou *vouloir*, il formule une **demande plus nuancée et polie.**

Pourriez-vous me laisser passer?

- Il **modalise** une affirmation (→ fiche 2).

L'avalanche aurait fait trente victimes.

- Il exprime les **modalités** d'un jeu, d'un projet (expression de l'imaginaire).

Toi, tu serais un pirate, moi une fée.

4. L'impératif

Il exprime une volonté plus ou moins affirmée : ordre *(Sors ! Va voir ce film !)* ou défense *(Ne sors pas !)*, conseil *(Va voir ce film, il est intéressant)*, prière, désir…

À la 3e personne du singulier et du pluriel, le **subjonctif** remplace l'impératif.

II Les valeurs des modes impersonnels

1. L'infinitif

- S'il est l'équivalent d'un nom, il peut en prendre toutes les fonctions.

« Voyager, c'est naître et mourir à chaque instant. (Hugo)

- Verbe d'une proposition principale ou indépendante, il exprime :
- la **délibération** dans une interrogation : « Où *courir* ? » (Molière) ;
- un **ordre** formulé de façon impersonnelle : *Suivre les flèches* ;
- un sentiment vif comme l'**indignation** : « Moi, *renoncer* au monde avant que de vieillir […] ! » (Molière)
- ou un **désir très fort** : « *Fuir* ! là-bas *fuir* ! » (Mallarmé)

- L'**infinitif de narration** (ou infinitif historique) apporte de la vivacité au **récit**. Il équivaut à un présent de narration (→ fiche 9) ou à un passé simple.

L'**infinitif de narration** est toujours précédé de la préposition *de*.

« Ainsi dit le Renard, et flatteurs d'applaudir (La Fontaine)

- Il est employé dans une **proposition** subordonnée **infinitive**, après les verbes de sensation, et après *laisser* et *faire*.

« Je vois se dérouler des rivages heureux. (Baudelaire)

2. Le participe et le gérondif

- Si le **participe** est l'équivalent d'un adjectif, il peut en prendre toutes les fonctions.

Le **participe** n'a que trois temps : le présent, invariable, le passé, variable selon certaines règles, et le futur (*devant aimer*), peu usité.

« Alors lassé du monde et de ses vains discours,
Il faut lever les yeux aux voûtes sans nuages (Baudelaire)

S'il est le verbe d'une subordonnée, il a valeur circonstancielle. Il possède alors un sujet et peut avoir des compléments.

« Du palais d'un jeune lapin
Dame Belette un beau matin
S'empara : c'est une rusée !
Le maître étant absent, ce lui fut chose aisée. (La Fontaine)

- Le **gérondif** est invariable et a valeur de complément circonstanciel.

C'est en forgeant qu'on devient forgeron.

En forgeant est un CC de moyen du verbe *devenir*.

9 Analyser les temps du récit

Dans un récit, les temps verbaux organisent la chronologie des faits les uns par rapport aux autres, en indiquent l'importance, la fréquence et la durée. Les temps du récit sont le passé simple (ou le passé composé), l'imparfait, le plus-que-parfait, le passé antérieur et le conditionnel temps. Un récit comprend un premier plan (les actions, faits ou péripéties qui font avancer l'histoire) et un arrière-plan (les informations sur le cadre de l'histoire et les personnages).

I Passé simple et passé composé

1. Les valeurs du passé simple

- Le passé simple rapporte une action ou un **fait passé ponctuel** qui n'est pas envisagé dans sa durée et qui est terminé.
- Il rapporte des événements qui se détachent au **premier plan** sur un arrière-plan (décrit à l'imparfait).
- Il rapporte un **fait unique ou inhabituel**.

Le **passé simple** peut être remplacé par le **présent de narration** ou le **présent historique** (dans un récit historique), qui donne de la vivacité : *Napoléon décide alors de faire un coup d'État.*

2. Passé simple ou passé composé ?

Dans un récit au passé, le passé composé se substitue parfois au passé simple. Il y a cependant quelques nuances entre ces deux temps.

Passé simple	Passé composé
Les événements semblent ***éloignés*** du moment où on les raconte, rejetés dans le passé. *Ma mère mourut ce jour-là.*	Les événements semblent ***plus récents***, leur résultat est encore sensible dans le présent. *Ma mère est morte ce jour-là.* [et je le ressens encore]
Effet d'éloignement et de ***recul du narrateur***.	Effet de proximité et d'***implication du narrateur.***
Surtout utilisé à l'écrit, il donne au récit une ***tournure littéraire***.	Surtout utilisé à l'oral, il donne au récit une ***tournure familière***.

Le **passé composé** donne une **tonalité plus récente** au récit : il exprime souvent le résultat présent d'une action passée.

II Les valeurs de l'imparfait

▪ L'imparfait présente les **faits dans leur durée** (par opposition au passé simple).

Il travaillait depuis trois jours quand un événement étrange se produisit.

▪ Il a une **valeur descriptive** : il évoque les circonstances, les éléments secondaires, l'arrière-plan sur lequel se détachent les événements principaux. Il sert pour les portraits.

Il arriva sans crier gare. Il avait l'air farouche ; sa chevelure flottait au vent.

▪ Il indique qu'**un fait se répète** (imparfait de répétition ou d'habitude).

Chaque soir, il fermait la porte avec précaution.

EN BREF

Passé simple image en mouvement, comme un film	**Imparfait** arrêt sur image, comme une photographie
▶ Faits ponctuels. ▶ Faits qui se succèdent. ▶ Premier plan (faits qui font avancer l'action). ▶ Faits uniques.	▶ Faits qui durent. ▶ Faits simultanés. ▶ Arrière-plan (descriptions, éléments secondaires). ▶ Faits habituels, répétés.

III L'expression de l'antériorité et de la postériorité

1. L'antériorité

▪ Le **plus-que-parfait** exprime une action antérieure à un fait rapporté à l'imparfait, avec l'idée d'une répétition de cette séquence.

Quand il avait travaillé, il sortait dans les rues de Paris.

▪ Le **passé antérieur** exprime une action antérieure à un fait rapporté au passé simple.

Quand il eut reconstruit le château, il s'y installa.

2. La postériorité : le futur dans le passé

Le **conditionnel temps** (→ fiche 8), ou **futur dans le passé**, exprime une action postérieure à un fait raconté rapporté au passé.

Il affirma qu'il reviendrait. Il fit ce jour-là l'erreur fatale qui, un an plus tard, causerait sa ruine.

10 Exploiter un champ lexical

Observer et relever les mots d'un texte pour repérer les champs lexicaux dominants permet de saisir la cohésion du texte, de dégager le(s) thème(s) important(s) et de mieux cerner les intentions de l'auteur.

I Qu'est-ce qu'un champ lexical ?

Attention à l'orthographe de *champ* : *un champ, des champs* !

- C'est l'**ensemble de mots** qui désignent des réalités ou des idées appartenant au **même domaine**, à la même notion.
- Les mots d'un champ lexical peuvent appartenir à **différentes classes grammaticales**.
- Le champ lexical dominant renseigne sur le thème du texte.

Champ lexical de la maladie : *affection, mal, indisposition, pathologie, médecin, aide-soignant, symptôme, diagnostic, traitement, soins, infection, hôpital…*

II La combinaison de champs lexicaux

Analyser un champ lexical ne revient pas à extraire le thème du texte (champ lexical thématique) : il faut l'étudier dans ses rapports **avec les autres champs lexicaux** dans son originalité par rapport au reste du texte ou dans sa valeur symbolique.

1. Les types de combinaisons possibles

Plusieurs champs lexicaux s'associent généralement dans un texte : les différents thèmes s'éclairent mutuellement et donnent ainsi au texte toute sa richesse.

- La **succession** de plusieurs champs lexicaux donne des informations sur la structure du texte, l'évolution d'un personnage ou d'une situation.
- L'**association** de champs lexicaux rapproche, par un jeu sur les images, deux réalités distinctes et crée un nouvel univers.
- L'**opposition** entre plusieurs champs lexicaux crée un effet de contraste (parfois poétique) ou souligne une tension au cœur du texte.

2. Un exemple d'analyse de champs lexicaux

Le poème en prose ci-contre reprend un thème banal de la poésie : les fleurs. Deux champs lexicaux dominants en opposition apparaissent dès la première lecture : l'architecture et l'ornementation d'une part, la nature d'autre part.

Fleurs

D'un gradin d'or, – parmi les cordons de soie, les gazes grises, les velours verts et les disques de cristal qui noircissent comme du bronze au soleil, – je vois la digitale s'ouvrir sur un tapis de filigranes d'argent, d'yeux et de chevelures.

5 Des pièces d'or jaune semées sur l'agate, des piliers d'acajou supportant un dôme d'émeraudes, des bouquets de satin blanc et de fines verges de rubis entourent la rose d'eau.

Tels qu'un dieu aux énormes yeux bleus et aux formes de neige, la mer et le ciel attirent aux terrasses de marbre la foule des jeunes et 10 fortes roses.

Rimbaud, *Illuminations*.

monde végétal (thème principal)
monde minéral, pierres et métaux précieux (monde féerique)
les quatre éléments (monde cosmique)
architecture et ornementation (solidité et monde du théâtre)
couleurs

L'analyse de la combinaison de ces champs lexicaux révèle l'originalité du poème : Rimbaud ne propose pas une simple description de fleurs, ni la vision d'un théâtre, mais la **création d'un monde nouveau combinant divers aspects** : jaillissement naturel et esthétique plein de couleurs, caractère immuable et éternel de la fleur et référence au théâtre. La fleur est pour Rimbaud un élément féerique de beauté, de vie et d'éternité.

Cette analyse peut vous aider à établir un rapprochement avec les premiers vers de « Correspondances » de Baudelaire, où l'on trouve des mots de champs lexicaux identiques : « La nature est un temple où de vivants piliers / Laissent parfois sortir de confuses paroles ».

Il est inutile de relever un champ lexical dans un texte si vous ne dégagez pas l'**effet produit sur le lecteur** : création d'un registre (→ fiches 12-13), éclairage d'un personnage...

III Quatre champs lexicaux essentiels

Les cinq sens (vue, ouïe, goût, odorat, toucher)
Ils rendent sensibles une impression, un décor, les sensations (de l'auteur, d'un personnage...).

Émotions et sentiments (amour, haine, amitié, tristesse...)
Ils expriment un état d'âme, un caractère..., et créent le registre dominant (le lyrisme, le pathétique... → fiches 12-13).

Bien, mal, morale (vertus et vices)
Ils expriment le jugement moral de l'auteur, du personnage...

Les éléments naturels (eau, air, feu, terre)
Ils soulignent les rapports entre l'homme et la nature.

IV Qu'est-ce qu'un réseau lexical ?

Les **connotation**[s] d'un mot sont ses sens seconds, les réalités implicites auxquelles il peut faire penser, selon son contexte d'emploi : *rouge* connote l'interdiction, la colère, la révolution, le sang, la passion, le vin...

- Un réseau lexical est constitué d'un **champ lexical** et de **tous les mots** qui, en raison de certaines connotations et du contexte, renvoient aussi à ce domaine.

  Infection, guérison, médecin appartiennent au champ lexical de la maladie. *Pâleur, somnolence, chanceler...* ne font pas directement partie de ce champ lexical mais peuvent, dans un contexte précis, la suggérer. On obtient alors un réseau lexical.

- L'analyse du réseau lexical **complète** celle du champ lexical : elle permet de discerner plus en profondeur la richesse d'un texte, les échos entre les mots et les nuances à travers leur sens connoté, d'en dépasser le sens littéral, pour en discerner la poésie par exemple.

« Des ciels gris de cristal. Un bizarre dessin de ponts, ceux-ci droits, ceux-là bombés, d'autres descendant ou obliquant en angles sur les premiers, et ces figures se renouvelant dans les autres circuits éclairés du canal, mais tous tellement longs et légers que les rives, chargées de dômes, s'abaissent et
5 s'amoindrissent. Quelques-uns de ces ponts [...] soutiennent des mâts, des signaux, de frêles parapets. Des accords mineurs se croisent et filent, des cordes montent des berges. [...]

Rimbaud, *Illuminations.*

Les mots *gris, dessin, droits, angles, figures, circuits, longs* appartiennent au champ lexical du dessin, de la peinture.

Mais des mots qui peuvent avoir une connotation graphique s'ajoutent à ce champ lexical : *ciels* (terme de peinture, à côté de *cieux*, terme religieux), *cristal, bombés, descendant, obliquant, dômes, mâts* (qui suggère des lignes verticales), *parapets, se croisent, cordes* (lignes diagonales), *berges* (lignes horizontales).

Ce réseau lexical fait de cette description une peinture aux formes et lignes complexes qui rappelle les tableaux de Turner.

11 Analyser des figures de style

Les figures de style sont des procédés d'écriture littéraire qui créent des rapprochements significatifs – ce sont les images –, des effets de contraste, des raccourcis, ou intensifient et atténuent la force d'un énoncé. Les identifier permet de mieux comprendre un texte.

I Les figures d'analogie

Elles créent des rapprochements par des images.

1. La comparaison : comparé ≈ comparant

Elle **rapproche** deux réalités (le **comparant** et le **comparé**) au moyen d'un **outil grammatical de comparaison** - adverbes *(ainsi)*, conjonctions *(comme)*, adjectifs *(tel [que], semblable [à])*, verbes *(sembler, paraître...)*.

« Le monde [comparé] s'étire comme [outil] un accordéon [comparant]. (Cendrars)

Cendrars rapproche les deux réalités (*monde* et *accordéon*) en juxtaposant les deux images. Il rend ainsi compte des effets de vitesse et de ralentissement que ressent le voyageur qui, du train, voit le paysage défiler.

2. La métaphore : comparé = comparant

- Elle établit une **analogie**, une **assimilation totale** entre deux réalités, **sans outil** de comparaison.

« je me suis baigné dans le Poème de la Mer (Rimbaud)

Rimbaud superpose deux images : on « voit » un poème, qui se transforme en mer. La vision est plus surprenante qu'avec une comparaison.

Une métaphore devenue banale est un **cliché** : *avoir une faim de loup*.

- Cette assimilation aboutit parfois à la **disparition du comparé**.

« Mouche ton promontoire [ton nez]. (Hugo)

- Une métaphore développée sur plusieurs phrases est une **métaphore filée**.

« La bête souple du feu a bondi d'entre les bruyères [...] ; elle a poussé sa tête rouge à travers les bois et les landes ; son ventre de flammes suit ; sa queue derrière elle, bat les braises et les cendres. Elle rampe, elle saute, elle avance. (Giono)

3. La personnification

Elle prête à un animal, à une chose ou à une idée les **caractéristiques d'un être humain**, les représente sous la forme d'une personne.

« Vieil Océan, ô grand célibataire (Lautréamont)

4. L'animalisation

Elle prête à une personne, à une chose ou à une idée les **caractéristiques d'un animal**, les représente sous la forme d'un animal.

« le troupeau des ponts bêle ce matin (Apollinaire)

En assimilant les ponts de Paris à des moutons, Apollinaire souligne leur multiplicité et donne une image vivante et douce de la ville, proche de la campagne.

5. L'allégorie

Elle représente une réalité abstraite, **une idée de façon concrète**, sensible.

« vous voyez Calomnie se dresser, siffler, s'enfler, grandir à vue d'œil ; elle s'élance, étend son vol, tourbillonne (Beaumarchais)

II Les figures de substitution

Elles permettent des raccourcis frappants ou évitent les répétitions.

1. La métonymie

- La métonymie **remplace** un élément par un autre élément qui entretient une **relation logique** avec le premier.
- Elle met en relief un aspect de la réalité désignée.

Contenant et contenu	*boire un verre*
Cause et effet	*boire la mort* [du poison]
Matière et objet	*les cordes* [les instruments à cordes]
Auteur et œuvre	*un Picasso*
Lieu et personne	*le ministère* [le ministre] *a décidé...*
Lieu d'origine et produit	*du brie*

La **synecdoque** est une métonymie qui désigne le tout pa[r] la partie : *les voile[s]* (les bateaux), *la couronne* (la royauté).

2. La périphrase

- Elle **remplace** un mot par une **expression formée de plusieurs mots** de même sens. Elle développe une/des caractéristique(s) de la réalité désignée.

La **périphrase** cré[e] parfois l'**ironie** : des *appartements d'une extrême fraîcheur* désigne[nt] la prison, chez Voltaire (→ fiche

Mise en valeur d'un aspect particulier	*Celui de qui la tête au ciel était voisine* *Et dont les pieds touchaient à l'empire des morts* [le Chêne]
Atténuation d'une réalité trop crue	*Il s'en est allé.* [Il est mort.]
Valeur descriptive	*la dame au nez pointu* [la Belette]

III Les figures d'opposition

Elles créent la surprise, expriment des contrastes violents et provoquent des interrogations chez le lecteur.

- L'**antithèse oppose fortement** deux mots ou expressions. Elle crée un effet saisissant, met en relief des contradictions…

« Selon que vous serez puissant ou misérable,
Les jugements de cour vous rendront blanc ou noir (La Fontaine)

- Le **chiasme** dispose de façon symétrique **(en croix)** les termes d'une **double opposition**.

« La neige fait au nord ce qu'au sud fait le sable. (Hugo)
A B B' A'

- L'**oxymore** rapproche en une réunion surprenante, au sein d'une **même expression, deux mots contradictoires**.

« joli crime (Rimbaud), grand seigneur méchant homme (Molière)

- L'**antiphrase** dit le **contraire de ce que l'on pense**. Elle crée l'ironie (→ fiche 3).
- Le **paradoxe** avance une **idée contraire au bon sens**, à l'opinion commune (→ fiche 3).

« le pénible fardeau de n'avoir rien à faire (Boileau)

Attention ! Le mot ***antithèse*** a deux sens : dans l'argumentation, c'est la thèse qui s'oppose à celle qui vient d'être formulée.

IV Les figures par atténuation ou amplification

Elles renforcent ou diminuent la force de l'énoncé.

- L'**euphémisme** atténue une réalité désagréable ou déplaisante.

Elle n'est pas très belle. [Elle est donc laide.]

- La **litote** dit le moins pour suggérer le plus.

« Va, je ne te hais point. (Corneille)

- L'**anaphore** commence une série de vers, de propositions ou de phrases par le ou les mêmes mots : elle donne un rythme ample et crée l'emphase.

« Mon bras qu'avec respect toute l'Espagne admire,
Mon bras qui tant de fois défendit cet empire (Corneille)

- La **gradation** est une succession de mots d'intensité croissante ou bien décroissante.

« je me meurs, je suis mort, je suis enterré (Molière)

- L'**hyperbole** est une **très forte exagération**.

« Il plut du sang (La Fontaine)

Euphémisme et **litote** exigent du lecteur de savoir repérer et comprendre l'implicite (→ fiche 3).

12 Reconnaître les registres littéraires (1)

On identifie le registre d'un texte selon les réactions, les émotions qu'il provoque chez le lecteur. À chaque registre correspond un ensemble de faits d'écriture. Un certain nombre de registres font rire et sourire, d'autres au contraire suscitent des émotions dites sérieuses. Plusieurs registres peuvent se mêler dans un même texte.

I Rire et sourire

- Le comique a pour principal but de faire rire. C'est le registre dominant de la comédie (→ fiches 16 et 17).
- Il comporte plusieurs variantes et recourt à divers procédés. En effet, il n'y a pas de situation comique en soi : ce sont les procédés d'écriture qui rendent une situation comique ou tragique.
- Le **comique visuel**, notamment **de gestes** (coups, grimaces, chutes, costumes ridicules…) est fréquent dans la farce *(Le Médecin malgré lui)*.
- Le **comique de mots** joue sur les accents, les mots grossiers, les insultes, les répétitions, les calembours, les sonorités, les paroles à double sens…
- Le **comique de répétition** consiste à répéter plusieurs fois les mêmes mots, les mêmes gestes ou la même situation.

  Dans *Les Fourberies de Scapin* (II, 7) de Molière, le vieux Géronte répète six fois la même phrase : « Mais qu'allait-il donc faire dans cette galère ? » La répétition fait rire car elle transforme le vieillard en une sorte de mécanique enrayée.

- Le **comique de situation** repose sur le déguisement, le quiproquo (Orgon caché sous la table tandis que Tartuffe fait la cour à sa femme, dans *Tartuffe*), les coups de théâtre, les reconnaissances.
- Le **comique de caractère** caricature un défaut ou un vice *(L'Avare, Le Malade imaginaire)*.
- Le **comique de mœurs** fait la satire d'un comportement social, individuel ou collectif (« Les caprices de la mode », dans *Les Lettres persanes*).

Un texte **comique** fait rire, un texte **humoristique** fait sourire. L'**humour** traduit la capacité à jeter sur le monde un regard souriant, faussement naïf. L'**humour noir** fait rire de situations cruelles (mort, souffrance…) pour prendre du recul et dominer le malheur.

Selon le philosophe Bergson, le rire est provoqué par **« du mécanique plaqué sur du vivant »** *(Le Rire)*.

■ Le **comique de parodie** imite de façon caricaturale une œuvre, un style ou une personne sérieuse (c'est le cas de la fausse consultation médicale par Toinette, dans *Le Malade imaginaire*).

■ Le **comique de l'absurde** bouleverse les repères logiques, crée des effets de décalage... *(La Cantatrice chauve* de Ionesco*)*.

II Se moquer

1. Le registre ironique

■ Il **dit le contraire de ce que l'on pense** pour faire comprendre sa véritable opinion ; il a pour effet de **critiquer** des personnes ou des idées, de **discréditer** la thèse adverse en en soulignant l'absurdité ; il joue sur l'**implicite** (→ fiche 3).

■ Ses principaux procédés sont l'antiphrase, la litote, la périphrase, la juxtaposition de propositions contradictoires, la fausse naïveté, le faux compliment (→ fiche 11).

2. Le registre satirique

■ Un texte satirique **ridiculise** des individus, des groupes sociaux, des mœurs contemporaines de l'auteur.

■ Il se caractérise par une **critique** politique, sociale, religieuse ou idéologique.

■ Il recourt à la simplification (par la caricature), à l'exagération et à la dévalorisation, surtout par les images, comparaisons et métaphores (la satire des courtisans dans « Les Animaux malades de la peste » de La Fontaine).

Attention de ne pas confondre *satire* et *satyre* (divinité mythologique mi-homme mi-bouc) !

3. Le registre burlesque

■ Un texte burlesque parle en **termes grossiers, triviaux ou archaïques** de sujets sérieux et graves.

■ Il repose sur le principe du **décalage** entre le registre et le sujet traité, sur le grossissement.

■ Il prend parfois la forme de la parodie (→ fiche 52).

À l'inverse du burlesque, un **texte héroï-comique** donne à des personnages triviaux (bourgeois, peuple) des idées et un style nobles : « Les deux Coqs » de La Fontaine transforme un combat entre coqs en une véritable guerre de Troie.

FONCTIONS DES REGISTRES DU COMIQUE

- ▶ Faire rire ou sourire et divertir.
- ▶ Dédramatiser une situation angoissante.
- ▶ Critiquer, en mettant en évidence les défauts des hommes, de la société, d'un comportement pour les corriger [*castigat ridendo mores* → fiche 17].

13 Reconnaître les registres littéraires (2)

À la diversité des émotions humaines dites sérieuses – terreur, pitié, admiration, inquiétude… – répond la variété des registres littéraires.

I Les registres tragique, pathétique et lyrique

1. Comment définir ces registres ?

- Un texte **tragique** inspire la terreur, le désespoir sur le destin de l'homme et traduit le déchirement ou l'impuissance.

  L'aveu de Phèdre à Hippolyte dans *Phèdre* de Racine

- Un texte **pathétique** inspire pitié, tristesse, douleur.

  « Souvenir de la nuit du 4 » de Hugo

- Un texte **lyrique** fait partager les émotions, les sentiments intimes, les états d'âme et les traduit de façon poétique et exaltée.

  « Le Pont Mirabeau » d'Apollinaire

- Un texte **élégiaque** exprime la plainte, la mélancolie.

  « Demain dès l'aube » de Hugo

Pathétique vient du grec *pathos*, « souffrance, passion ».

Lyrique vient de *lyra*, instrument (attribut d'Orphée) qui accompagnait dans l'Antiquité les poésies sentimentales.

2. Comment créer ces registres ?

	Vocabulaire dominant	**Procédés d'écriture**
Registre tragique	Fatalité, enfermement, mort, disproportion, néant, devoir et impuissance.	▶ Antithèses, interjections, anaphores. ▶ Interrogations, exclamations. ▶ Ponctuation affective.
Registre pathétique	Émotions, sensations, affectivité, douleur et souffrance.	▶ Interjections. ▶ Hyperboles, exclamations et interrogations, rythmes amples ou heurtés. ▶ Apostrophes ou invocations (prières).
Registres lyrique et élégiaque	Sentiments, affectivité, souvenir, bonheur, malheur, sentiment religieux.	▶ Marques de la 1re personne. ▶ Interrogations oratoires et exclamations. ▶ Images poétiques. ▶ Musicalité dans les rythmes (amples, binaires, ternaires…) et les sonorités (allitérations, assonances).

II Les registres épique et fantastique

1. Comment définir ces registres ?

- Un texte **épique** provoque l'admiration pour les exploits héroïques parfois merveilleux d'un ou plusieurs héros.

L'*Iliade* et l'*Odyssée* d'Homère

« Une armée poussait des profondeurs des fosses, une moisson de citoyens dont la semence germait et faisait éclater la Terre, un jour de grand soleil.
(Zola, *Germinal*, IV, 7)

- Un texte **fantastique** trouble par des phénomènes inexplicables et inquiétants dans un univers familier.

« Le veston ensorcelé » de Buzzati
« La Vénus d'Ille » de Mérimée

« Oh ! non, je n'ose pas dire ce qui arriva, personne ne me croirait et l'on me prendrait pour fou. […] Les bougies s'allumèrent toutes seules ; le soufflet, sans qu'aucun être visible lui imprimât le mouvement, se prit à souffler le feu, en râlant comme un vieillard asthmatique […]. (Gautier, *La Cafetière*)

2. Comment créer ces registres ?

	Vocabulaire dominant	Procédés d'écriture
Registre épique	Surnaturel, symbole, combat, opposition entre le bien et le mal.	▶ Interrogations, antithèses, interjections, répétitions et anaphores. ▶ Figures de l'amplification (→ fiche 11) : énumérations, accumulations, effets de gradation, hyperboles, superlatifs… ▶ Images, personnifications…
Registre fantastique	Mystère, surnaturel, peur, étrange, folie. Perceptions et sensations. Doute.	▶ Modes et temps verbaux du potentiel, de l'irréel. ▶ Modalités de l'interrogation, de l'exclamation. ▶ Procédés de la modalisation (→ fiche 1) qui expriment l'incertitude.

III Les registres didactique et polémique

1. Comment définir ces registres ?

- Un texte **polémique** donne l'impression de violence contre un adversaire.

Polémique vient du grec *polemos*, « la guerre ».

Le discours du vieux Tahitien dans *Le supplément au voyage de Bougainville,* de Diderot

« Et c'est un crime encore que de s'être appuyé sur la presse immonde, que de s'être laissé défendre par toute la fripouille de Paris [...]. (Zola, *J'accuse*)

- Un texte **didactique** donne l'impression que l'on dispense un enseignement, que l'on donne une leçon.

Didactique vient du grec *didasco*, « enseigner ».

« J'accuse » de Zola

L'explication par Colin du fonctionnement du « pianocktail », dans *L'Écume des jours* de B. Vian

« Il vous faut manger les uns les autres comme des araignées dans un pot, attendu qu'il n'y a pas cinquante mille bonnes places. Savez-vous comment on fait son chemin ici ? [...] par l'adresse de la corruption. [...] L'honnêteté ne sert à rien. (Balzac, *Le Père Goriot*)

2. Comment créer ces registres ?

	Vocabulaire dominant	Procédés d'écriture
Registre polémique	Violence. Lexique dévalorisant, péjoratif. Injures.	▶ Figures de l'amplification : hyperboles, répétitions, anaphores... ▶ Fortes antithèses. ▶ Apostrophes violentes, exclamations. ▶ Questions rhétoriques. ▶ Ironie (antiphrase).
Registre didactique	Pensée, morale, devoir, mots abstraits. Argumentation (convaincre, persuader, délibérer), explication. Vocabulaire spécialisé, technique. Connecteurs logiques (→ fiche 6).	▶ Ordres, conseils, souhaits avec modes verbaux comme l'impératif et le subjonctif. ▶ Mode (indicatif) et temps (futur, présent de vérité générale) et temps verbaux de la certitude. ▶ Procédés de la généralisation. ▶ Citations.

14 Lire une image

L'image est un langage au même titre que le texte : elle transmet un message. On peut vous demander de comparer un document iconographique avec les textes du corpus, de repérer sa spécificité par rapport aux autres documents. Pour cela, vous devez savoir analyser une image.

I L'image se lit

Pour *lire* une image, il faut en repérer la nature, les composantes spécifiques, le point de vue. Elle prend plusieurs registres et remplit diverses fonctions.

1. La nature de l'image

S'agit-il d'un dessin ? d'un tableau (peinture) ? d'une photographie ? d'un extrait de bande dessinée ? de vignettes de film ? d'une image documentaire (photographie d'une mise en scène de théâtre) ?

2. Les composantes de l'image

La composition ou structure. Il faut repérer le cadrage (champ, hors-champ), les plans (premier plan, arrière-plan...), les lignes ou points de force, les lignes courbes, droites, horizontales (impression d'espace) ou verticales (impression d'enfermement).

Le **champ** désigne ce qui est *dans* le cadre, le **hors-champ** ce qui est *hors* du cadre et que le spectateur doit imaginer.

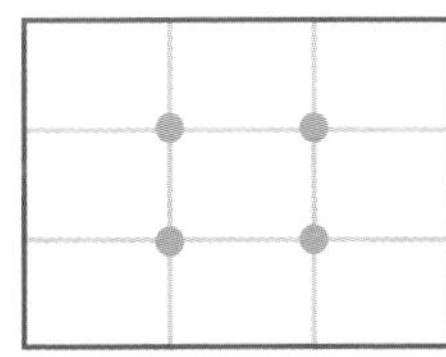

Les **lignes de force** divisent l'image en tiers. Les **points de force** se situent à l'intersection de ces lignes imaginaires.

L'œil est instinctivement attiré vers ces lignes et points de force.

Les couleurs. Elles sont chaudes ou froides, et associées à des jeux de lumière.

Divers procédés. Superposition, déformation, contraste, exagération du trait, de la couleur doivent être identifiés le cas échéant.

3. Le point de vue de l'image

L'image est-elle vue : comme de l'extérieur ? à travers un personnage ? en plongée (vue d'en haut) ? en contre-plongée (vue d'en bas) ?

4. Le registre de l'image

L'image est-elle : poétique ? comique ? dramatique ? épique ? polémique ?...

5. Les fonctions de l'image

Fonctions	Supports
raconter	bande dessinée, film, document historique...
décrire	tableau, photographie...
informer, expliquer	photographie, schéma, photographie de presse...
argumenter, convaincre, critiquer	publicité, dessin de presse...
traduire et provoquer des émotions	tous supports
faire rire	caricature, animalisation... sur tous supports
provoquer la peur ou l'admiration	tous supports

II L'image a un sens

- Elle **suggère** par le hors-champ et son implicite.
- Elle **interprète** la réalité et les textes par les choix qu'elle opère.
- Elle **métamorphose** la réalité et peut prendre une valeur métaphorique ou allégorique.
- Elle **s'interprète**. Son sens dépend de son contexte : contexte historique (une caricature d'homme politique prend une valeur polémique), inscription dans une succession d'images (bandes dessinées, documentaires historiques, films), rapports avec le texte qui l'accompagne (ils s'éclairent mutuellement).

III Exemple d'analyse d'image

Pablo Picasso, *Guernica* (1937).

1. Un tableau documentaire et narratif

Guernica de Picasso, composé en 1937 pendant la guerre civile espagnole, **raconte** le bombardement allemand qui a réduit un village basque au chaos.

- La **technique cubiste** disloque les êtres et les objets et les réduit à des **formes géométriques** déchirées.
- L'**absence de perspective** et la **dominante noire du fond** – ce qui lui donne l'authenticité troublante d'une photographie – racontent comment tout a été éclaté, fracassé et déformé.
- Cette image d'**épopée** funèbre évoque le Minotaure, la corrida et les statues antiques brisées.

2. L'expression de la douleur et de la révolte du peintre

- Dans les **visages** et les **attitudes**, on peut lire «l'injure de la souffrance imméritée» (Éluard).
- Le **format** très aplati de la toile donne une impression d'écrasement.
- Sa **composition** en lignes brisées intensifie l'atmosphère de violence.
- Tous les corps sont tournés vers la gauche (sens négatif dans une image).
- Les **couleurs froides** (noir, gris, blanc) rendent l'effroi de la nuit qu'apporte la guerre.

3. Une protestation et un message

Outre sa valeur de témoignage émouvant, ce tableau a un **sens** et prend une **valeur symbolique**.

- Le taureau représente l'**Espagne meurtrie**; la lumière blanche qui fait grimacer les têtes est l'image des bombes; l'épée médiévale brisée signifie la vanité de la résistance héroïque face à la puissance armée moderne; la mère portant son enfant mort – sorte de *pietà* – dénonce l'injustice du massacre; le cheval – qui représente le peuple blessé – rappelle la guerre de Troie, mais ses blessures consacrent la mort de l'épopée héroïque.
- Les cris sans échos des bouches torturées renversées comme en prière ou les bras levés au ciel indiquent l'**inutilité de tout appel au secours** adressé à un dieu dont le ciel noir marque l'absence.
- Pablo Picasso délivre un **message** de révolte auquel il confère une **valeur argumentative**: il semble avertir l'humanité des dangers qui la menacent et lui dire: «Plus jamais ça!» en un message de dénonciation de la guerre et d'espoir en la paix, symbolisé par la torche brandie par une main anonyme.

Par des moyens différents, ce tableau remplit les mêmes fonctions qu'un texte qui dénoncerait la guerre (article «guerre» de Voltaire, par exemple).

Quiz express

Vérifiez que vous avez bien retenu les points clés des **fiches 8 à 14**.

Les champs lexicaux

1 Chassez les intrus.

1. crainte, appréhension, turpitude, terroriser, frousse, craintif, confus, avoir des sueurs froides
2. déshonneur, humiliation, dégradant, convoiter, avilissant, envie, se cacher dans un trou de souris, penaud, turpitude
3. contestation, se révolter, s'insurger, minimiser, émeute, critique, déshonorer

Les figures de style

2 Associez chaque type d'image à sa citation.

1. « La terre est bleue comme une orange. » (Éluard)
2. « L'or du soir qui tombe » (Hugo)
3. « Vieil Océan, ô grand célibataire. » (Lautréamont)
4. « Un soir j'ai assis la Beauté sur mes genoux. – Et je l'ai « trouvée amère. – Et je l'ai insultée. » (Rimbaud)

a. personnification
b. métaphore
c. allégorie
d. comparaison

3 Associez chaque type d'image à sa citation.

1. « Je vis, je meurs » (L. Labé)
2. « Voilà un beau jeune vieillard pour quatre-vingt-dix ans » (Molière)
3. « Elle a vécu, la jeune Tarentine » (Chénier)
4. « Les voiles au loin descendant vers Harfleur » (Hugo)
5. « De l'horrible danger de la lecture » (Voltaire)
6. « C'est un roc !... c'est un pic... c'est un cap !
Qui dis-je, c'est un cap ?... c'est une péninsule ! » (Rostand)

a. antiphrase
b. gradation
c. oxymore
d. antithèse
e. métonymie
f. euphémisme

Modes et temps verbaux

4 Repérez les formulations correctes.

☐ 1. « Si j'aurais su, j'aurais pas venu. » (Pergaud)
☐ 2. Le général souhaitait que ses troupes battissent en retraite.
☐ 3. Il jura qu'on ne l'y reprendra plus.

5 Repérez les réponses exactes.

☐ **1.** Le présent peut servir à raconter des événements ponctuels et soudains dans un récit au passé.
☐ **2.** Le temps de la description dans un récit au passé est le plus-que-parfait.
☐ **3.** Le passé composé et le passé simple sont des temps équivalents.
☐ **4.** L'infinitif peut servir à donner un ordre.

Les registres

6 Associez chaque registre à sa définition.

1. satirique
2. élégiaque
3. pathétique
4. ironique
5. didactique

a. Dit le contraire de ce que l'on pense pour faire comprendre son opinion.
b. Critique en se moquant.
c. Emploie les procédés propres à instruire le destinataire.
d. Suscite la pitié et l'émotion du lecteur.
e. Exprime des sentiments de tristesse ou de mélancolie sur le mode de la plainte.

7 Associez chaque registre à sa définition.

1. parodique
2. polémique
3. comique
4. lyrique
5. humoristique

a. Fait rire.
b. Imite une œuvre ou un style pour s'en moquer.
c. Exprime son désaccord avec violence et s'en prend à la thèse opposée à la sienne.
d. Fait sourire.
e. Exprime des sentiments personnels de façon exaltée avec l'intention de les faire partager au lecteur.

CORRIGÉS

1. **1** *turpitude* et *confus* (champ lexical de la honte) **2** *convoiter* et *envie* (champ lexical de l'envie) **3** *minimiser* et *déshonorer* (les deux verbes appartiennent à deux champs lexicaux différents : celui de la réduction et celui de l'honneur) • 2. **1**d *(comme)*, **2**b (pas de mot de comparaison), **3**a, **4**c. • 3. **1**d, **2**c, **3**f, **4**e (*voiles* : bateaux), **5**a (d'où ironie), **6**b. • 4. **1** Incorrect : *Si j'**avais** su, **je ne serais** pas venu*. **2** Correct. **3** Incorrect : *Il jura qu'on ne l'y **reprendrait** plus*. • 5. **1** Vrai : présent de narration ou présent historique. **2** Faux : c'est l'imparfait. **3** Faux : passé simple, langue écrite ; passé composé, langue parlée. Mais ils désignent tous deux des actions ponctuelles dans le passé. **4** Vrai : *Ne pas cracher !* (infinitif) ou *Ne crachez pas !* (impératif) • 6. **1**b, **2**e, **3**d, **4**a, **5**c. • 7. **1**b, **2**c, **3**a, **4**e, **5**d.

Le texte théâtral et sa représentation

FICHES

BILAN

SUJETS CORRIGÉS

15 Le texte théâtral et sa représentation

Une pièce est constituée de deux éléments indissociables : le texte écrit par l'auteur et sa représentation devant un public. C'est une création collective en constant renouvellement.

I Les composantes du texte théâtral

Le texte théâtral est essentiellement composé des répliques des personnages, mais aussi de nombreuses indications complémentaires.

1. Les répliques des personnages

- Elles sont le plus souvent présentées sous forme de **dialogues**.
- La **tirade** est une longue réplique qu'un personnage prononce sans être interrompu. L'**aparté** est une brève réplique dite à l'écart des autres personnages et que seul le spectateur est censé entendre.
- Un **monologue** est une tirade où un personnage s'adresse à lui-même ou à un personnage absent (et au public).

On appelle **stichomythie** un dialogue dans lequel les personnages se répondent vers à vers.

2. Les indications complémentaires

- **Les didascalies**. Ces indications scéniques précisent les décors, les éclairages, les costumes, mais aussi les jeux de scène, les déplacements ou les tons de voix des acteurs.

Les **didascalies internes** figurent dans les répliques mêmes des personnages.

« Vous toussez fort, Madame. (Molière, *Tartuffe*)

La réplique de Tartuffe suppose qu'Elmire tousse (pour attirer l'attention de son mari Orgon).

- D'**autres informations** complètent le texte de théâtre : la liste générale des personnages, la mention des actes et des scènes, la liste des personnages présents sur scène avant chaque scène ou acte et, avant chaque réplique, le nom du personnage qui intervient.

II Qu'est-ce que « représenter » une pièce ?

Rendre visible pour les yeux. La pièce de théâtre est avant tout un spectacle à voir et à entendre. Le texte doit être *incarné* par des interprètes réels.

Figurer. Comme en peinture, *représenter* implique la notion d'**illusion** : le spectacle théâtral crée un effet de réel, une illusion de vérité. L'acteur *représente* un personnage, la scène *représente* le lieu de l'action (une colonne *représente* un palais), la lumière bleue *représente* la nuit, la musique *représente* un événement...

Théâtre vient du grec *théámai*, « je regarde ».

Représentation vient du latin *repraesentatio*, « action de mettre sous les yeux ».

Présenter à nouveau. La mise en scène *re-présente* ce que le lecteur ou le metteur en scène a en tête à la lecture de la pièce. Chaque mise en scène renouvelle donc le texte.

Donner une certaine vision du monde. Au-delà de la représentation sur scène, le texte théâtral lui-même donne une image du monde et des hommes propre à l'auteur : le théâtre de Molière *représente* le monde de la cour de Louis XIV, celui de Ionesco *représente* un monde absurde...

III Une œuvre collective et jamais terminée

1. Une œuvre collective : les créateurs et les intervenants

« L'éclosion de ce phénomène mystérieux qu'est l'œuvre théâtrale nécessite la collaboration triple de l'auteur, des interprètes et du public. (M. Descotes)

L'auteur (ou dramaturge). Il écrit le texte de la pièce.

La troupe. Le théâtre est le seul genre qui exige des intermédiaires entre l'auteur et le public. Le metteur en scène interprète le texte de l'auteur pour guider les acteurs, les techniciens et le scénographe. Le régisseur s'occupe de l'organisation matérielle de la représentation.

Le public. Sans lui, la pièce n'existe pas vraiment. Le spectateur de théâtre n'est jamais seul : la présence d'autres spectateurs transforme, y compris à son insu, ses goûts, ses habitudes.

2. Une œuvre en constant renouvellement

L'œuvre théâtrale est à la fois **figée** – car le texte demeure – et **jamais terminée** : elle attend toujours de nouvelles interprétations qui varient selon le contexte, la sensibilité, les goûts du public.

Elle renaît ainsi à chaque représentation : on parle du *Dom Juan* de Molière (l'auteur), mais aussi du *Dom Juan* de Bluwal (metteur en scène) ou du *Dom Juan* de Jouvet (acteur).

Attention à l'orthographe des mots *théâtre*, *personnage* et *public* ! Notez : *un spectacle public, une représentation publique.*

16 Le théâtre antique : naissance de la tragédie et de la comédie

Quelles sont les origines du théâtre ? Quelles sont les caractéristiques du théâtre antique ? Comment le genre théâtral a-t-il évolué dans l'Antiquité ?

I Origines religieuses du théâtre grec : le culte de Dionysos

1. Les origines de la tragédie

- La tragédie tire son origine de **célébrations religieuses** en l'honneur des divinités de la nature.
- Des hymnes (les dithyrambes) étaient notamment chantés lors des **fêtes de Dionysos**, dieu du vin et de la fécondité.
- Les chanteurs de dithyrambes étaient déguisés en **satyres**, créatures mi-hommes, mi-boucs.

Étymologie de **tragédie** : « hymne *(ôdê)* qui accompagnait le sacrifice d'un bouc *(tragos)* ».

2. Les origines de la comédie

- La comédie est issue des **réjouissances populaires** qui accompagnaient ces célébrations solennelles et majestueuses.
- Un cortège de danseurs – le *kômos* –, barbouillés de lie de vin, échangeait des plaisanteries avec le public, comme dans un joyeux carnaval.

Comédie signifie « chant *(ôdê)* du cortège *(kômos)* ».

II Conditions matérielles et composantes d'une pièce

1. Le lieu théâtral

- Le spectacle se déroule **en plein air**.
- Les gradins sont d'abord construits **en bois**, **adossés à une colline**, ce qui permet au public de mieux voir et entendre le spectacle.
- L'**orchestre** (la scène) est un espace **circulaire** au bas des gradins où se tiennent les spectateurs.

2. Les acteurs et le chœur

- Un personnage s'est progressivement détaché du groupe des célébrants (le chœur) pour prendre la parole entre les strophes entonnées par eux : c'est l'**ébauche du rôle d'acteur**.

Un **amphithéâtre** (du grec *theáomai*, «je regarde» et *amphi*, «des deux côtés») est un édifice antique de forme ovale ou ronde, constitué de gradins qui entourent une scène.

1. les ***parodos*** : entrées du théâtre
2. le ***koïlon*** ou ***théatron*** : gradins pour le public
3. l'***orchestra*** : aire circulaire où évolue le chœur
4. la ***thymélè*** : autel de Dionysos, dieu du théâtre
5. le ***proskénion*** : avant-scène où sont posés les décors et où évoluent les acteurs
6. la ***skénè*** : bâtiment des coulisses, sur lequel s'adossaient les décors

■ Il y eut d'abord un seul acteur, le **protagoniste**, qui interprétait les différents personnages, puis deux, puis trois...

■ Les **acteurs** – qui portent un masque – tantôt sont seuls en scène, tantôt échangent avec le chœur, mené par le **coryphée**.

■ Le **chœur**, composé d'une douzaine de personnages, intervient à des moments forts pour encourager le protagoniste, le conseiller, commenter la situation, tout en exécutant des danses rythmées dans l'orchestre.

3. Le début du dialogue théâtral

■ Les **parties parlées**, qui exposent des faits, alternent avec les **parties chantées** par le chœur, réservées aux lamentations, aux prières, aux fortes émotions.

■ Progressivement, disparaissent les parties bouffonnes qui se mêlaient à l'origine aux parties émouvantes de ces célébrations.

■ Grâce au talent de dramaturges exceptionnels, la tragédie a évolué plus rapidement que la comédie vers une forme littéraire reconnue et appréciée.

III Auteurs tragiques, auteurs comiques grecs

1. Les trois grands dramaturges grecs du Ve siècle avant J.-C.

- **Eschyle.** Ses tragédies reflètent l'esprit religieux et la fierté nationale d'Athènes. Elles mettent en scène des héros, des demi-dieux ou des dieux passionnés et soumis à une fatalité impitoyable.
- **Sophocle.** Ses personnages s'humanisent, même si les dieux et le destin leur imposent leur volonté.
- **Euripide.** Il peint l'amour et ses tourments et recherche un pathétique plus spectaculaire.

2. Le théoricien de la tragédie : Aristote

- **Aristote** (IVe siècle av. J.-C.) énonce les principes de la tragédie : celle-ci doit **imiter** le monde réel et susciter « **terreur et pitié** » des spectateurs.
- Le public se libère ainsi de ses angoisses et de ses sentiments inavouables en les vivant à travers les personnages des tragédies : c'est la ***catharsis*** (purgation des passions). Les écrivains du classicisme se référeront à cette notion pour affirmer la valeur morale et éducative de la tragédie.

3. La comédie grecque

- **La comédie ancienne.** Aristophane (Ve siècle av. J.-C.) met en scène des personnages contemporains – hommes politiques, écrivains, philosophes... – qu'il attaque violemment tout en les ridiculisant.
- **La comédie nouvelle.** Elle n'attaque plus des individus mais présente, en s'en moquant, les travers et les vices des hommes en général.

Ménandre (IVe siècle av. J.-C.) est l'ancêtre de la comédie latine et, par elle, d'une partie des comédies de Molière.

IV Les dramaturges latins, héritiers des Grecs

- Seul **Sénèque** (Ier siècle) a adapté en latin des tragédies grecques.
- **Plaute** (III-IIe siècles av. J.-C.), très populaire à Rome, a mis en scène, dans ses comédies au **rire franc** le petit **peuple romain**.
- **Térence** (IIe siècle av. J.-C.) pratique un comique plus fin dans des comédies plus **sentimentales** : il met en scène des personnages à la **psychologie fine**, pleins de bons sentiments.

Molière s'est insp de *L'Aulularia* (« La Marmite ») de Plaute pour écrire son *Avare* et du *Phormion* de Térence pour se *Fourberies de Scap*

17 Le théâtre aux XVIIe et XVIIIe siècles

Pourquoi le théâtre s'impose-t-il comme le genre majeur du XVIIe siècle ?
Quelles sont les particularités de la création dramatique au XVIIIe siècle ?

I Le théâtre du Moyen Âge au début du XVIIe siècle

- Au Moyen Âge, le théâtre conserve la **dimension religieuse** qu'il avait dans l'Antiquité (→ fiche 16) : les **mystères** (épisodes de la Bible ou de la vie des saints) se jouent dans ou devant les églises.
- Il existe aussi un **théâtre populaire comique** jouant des **farces** (*La Farce de Maître Pathelin*, 1464).
- La brutalité et l'anarchie qui règnent après les guerres de Religion se retrouvent dans la **violence** et la **démesure** du **théâtre baroque** (1600-1630) qui refuse toutes règles.

Cruauté et lyrisme caractérisaient déjà le théâtre de **Shakespeare** (1564-1616).

II L'équilibre classique

1. Le retour à l'ordre et à la raison (1630-1660)

- Louis XIV impose à partir de 1661 un **nouvel ordre politique et social** : la société, soumise à Dieu et au roi, est strictement hiérarchisée et le pouvoir centralisé.
- En réaction aux excès du baroque (1600-1630), les dramaturges recherchent le **naturel** et l'**harmonie** et une plus grande **unité de ton**.
- Les dramaturges classiques ont pour but, selon la formule du poète latin Horace, d'« **instruire et plaire** » par des peintures de mœurs et d'événements, terribles dans la tragédie, plaisants dans la comédie, pour corriger les vices et les travers des hommes.
- La tragédie et la comédie trouvent la faveur d'un public qui apprécie les divertissements sociaux.

2. Les règles de la tragédie classique

- Apparaît une **conception pessimiste de l'homme**, esclave de ses passions que la raison peine à maîtriser. Les héros de **Corneille** surmontent les conflits et accèdent à la maîtrise de soi par leur volonté *(Horace, Cinna)*; ceux de **Racine** essaient en vain d'échapper à leur destin *(Phèdre, Andromaque)*.
- En écho à cette vision de l'homme, les dramaturges s'imposent des **règles contraignantes** pour créer **l'illusion théâtrale**.

LES RÈGLES DU THÉÂTRE CLASSIQUE

- Imiter les écrivains antiques et reproduire la vérité de la nature humaine
- Écrire en vers alexandrins dans une langue soutenue, mais au vocabulaire volontairement limité
- Composer en cinq actes
- Mettre en scène des héros aristocratiques (mythiques ou historiques)
- Respecter la règle des trois unités de lieu (un seul lieu d'action), de temps (une journée, 24 heures maximum) et d'action (une seule intrigue)
- Respecter la bienséance : ni sang versé ni acte choquant sur scène
- Respecter la vraisemblance : on doit pouvoir considérer comme vraie une action, même exceptionnelle. « Le vrai peut quelquefois n'être pas vraisemblable. » (Boileau, *Art poétique*, 1674)

3. Molière : le triomphe de la comédie

- **Molière** s'inspire de la comédie antique (→ fiche 16), des farces médiévales et de la *commedia dell'arte*.
- Il pratique **toutes les formes de la comédie** : farce *(Le Médecin malgré lui)*, comédie d'intrigue *(Les Fourberies de Scapin)*, comédies de caractère *(L'Avare, Le Malade imaginaire)*, grandes comédies engagées en vers et en cinq actes *(Le Misanthrope, Tartuffe)*, comédie-ballet *(Le Bourgeois gentilhomme)*, ainsi qu'une comédie inclassable *(Dom Juan)*.
- Il donne parfois à ses pièces une **dimension satirique** engagée contre des vices de la société : fausse dévotion *(Tartuffe)*, hypocrisie de la cour *(Le Misanthrope)*...

La ***commedia dell'arte*** est un théâtre populaire italien né au XVIe siècle et qui privilégie l'improvisation à partir d'un canevas, repose sur des situations et des personnages types (Pantalon, Arlequin, Polichinelle...), le jeu des masques et un comique bouffon.

III Le théâtre au siècle des Lumières

1. Déclin de la tragédie, évolution de la comédie

- La **tragédie ne convient plus** à l'esprit des Lumières qui conteste les pouvoirs, les privilèges injustes, en même temps qu'il affirme la liberté des individus.
- Le théâtre devient une **tribune** et la comédie s'épanouit : **Marivaux** écrit un **théâtre du cœur**, mais aussi un théâtre plus engagé contre l'état de la société (domination injuste des privilégiés dans *L'Île des esclaves*, oppression des femmes dans *La Colonie*).
- **Beaumarchais** mêle comédie d'intrigue *(Le Barbier de Séville)*, comédie de mœurs et comédie sociale *(Le Mariage de Figaro)*

Le **marivaudage** est la recherche dans le langage d'une galanterie subtile pour exprimer son amour.

et renouvelle situations et personnages traditionnels : le vieillard amoureux d'une jeune fille (le docteur Bartholo est amoureux de la jeune Rosine, sa pupille, qui ne l'aime pas), le valet débrouillard (Figaro, d'abord complice de son ancien maître le Comte, devient son rival !).

- Ce théâtre, considéré comme subversif, est souvent **censuré** pour ses critiques contre le pouvoir.

2. Le drame bourgeois

- **Diderot** *invente* le **drame bourgeois**, comédie sérieuse qui met en scène des situations souvent **pathétiques** liées à la vie quotidienne, familiale ou professionnelle, familières au spectateur bourgeois, et exalte les **bons sentiments** : on crie, on pleure (dans *Le Fils naturel* de Diderot, *La Mère coupable* de Beaumarchais)...
- Le drame romantique du XIXe siècle se souviendra de cette tentative.

LES DEUX GRANDS GENRES DU THÉÂTRE

	Tragédie	**Comédie**
Type d'action	Extraordinaire, souvent éloignée dans le temps.	Ordinaire et contemporaine.
Personnages	Hors du commun, légendaires, historiques [rois, héros, guerriers].	Ordinaires, familiers [bourgeoisie, peuple, petite aristocratie].
Enjeu	Vie humaine, destin de l'homme.	Argent, ambition sociale, mariage...
Structure	5 actes, alexandrins.	1, 3 ou 5 actes, en prose ou en vers.
Langue	Soutenue.	Courante ou familière.
Règles	3 unités [temps, lieu, action], vraisemblance et bienséance.	Souplesse.
Ressort et progression	Fatalité. Mort, destin individuel et collectif. Dénouement malheureux.	Conflit d'intérêts humains dans une société donnée. Défauts humains. Dénouement heureux.
Registres	Tragique, pathétique, lyrique, épique...	Comique, humoristique, ironique, satirique...
Titre	Nom propre *[Andromaque, Phèdre, Horace...]*.	Nom commun ou personnage collectif *[L'Avare, Les Femmes savantes...]*.
Visée	Purgation des passions par l'émotion [*la catharsis* d'Aristote : « terreur et pitié »]	Corriger les mœurs par le rire [le *castigare ridendo mores* latin].

18 Le théâtre du XIXe siècle à nos jours

Comment l'art dramatique évolue-t-il au XIXe siècle ? En quoi le théâtre du XXe siècle reflète-t-il les bouleversements et les traumatismes du siècle ?

I Le XIXe siècle : du drame romantique au vaudeville

1. Le drame romantique : un cocktail au goût nouveau

- Au début du XIXe siècle, les romantiques, dont **Hugo** est le chef de file, jugent que les conventions du théâtre classique ne sont plus adaptées aux attentes d'un public après les bouleversements de la Révolution et de l'Empire.
- Ils s'inspirent des tentatives **de Diderot** (→ fiche 17) et leur modèle est **Shakespeare**.
- Ils veulent réconcilier tragédie et comédie, **mélangent les registres** – le **sublime** et le **grotesque** – et refusent les unités classiques.
- Ils proposent un théâtre **spectaculaire**, plein de rebondissements, dans un cadre historique pittoresque : *Lorenzaccio* (1834) de Musset se déroule dans la Renaissance italienne, *Hernani* (1830) et *Ruy Blas* (1838) de Hugo respectivement dans les XVIe et XVIIe siècles espagnols.
- Le drame romantique **disparaît** rapidement au profit du **roman et de la poésie**, mais Rostand le réinvente à la fin du XIXe siècle avec *Cyrano de Bergerac* (1897).

Les premières représentations d'*Hernani* donnent lieu à la **bataille d'*Hernani*** (février 1830), affrontement violent entre les classiques et les jeunes romantiques.

2. Vaudeville et farce à la fin du XIXe siècle

- Des dramaturges reprennent les recettes de la comédie dans le vaudeville : **action endiablée**, situations extravagantes (*Un chapeau de paille d'Italie* de Labiche) ou inextricables (Feydeau). L'esprit en est le plus souvent **satirique** : Courteline fait la satire grinçante de l'**humanité ordinaire** (paresse des employés de bureau, absurdité de la justice et de la police), mais les **bourgeois** – présentés par Feydeau comme médiocres, pleins de préjugés ou adultères – sont la cible principale.
- La **farce** (→ fiche 17) réapparaît sous une forme **provocatrice** qui rejette les conventions du théâtre : Jarry dans *Ubu roi* (1896) invente un comique de l'absurde fondé sur l'**humour noir**.

II La diversité du théâtre au XXe siècle

1. Une grandeur tragique

- Les auteurs reprennent les **grands thèmes** traités par la tragédie depuis l'Antiquité : l'homme face à la puissance divine, l'aspiration à la grandeur, les conflits entre les devoirs politiques et les sentiments personnels.
- **Claudel** (1868-1955) écrit des pièces fleuves où il exprime avec lyrisme sa foi religieuse *(Le Soulier de satin)*. Il mêle lyrisme, farce, tragique, grotesque et épique.
- **Montherlant** (1895-1972) met en scène des personnages aristocratiques qui s'opposent orgueilleusement à la médiocrité ordinaire *(La Reine morte)*. Il a une vison tragique - classique - de la grandeur humaine et de l'inutilité de l'action.

2. Les mythes antiques revisités : lucidité et humour

- Le XXe siècle s'est aussi beaucoup **réapproprié les mythes et personnages antiques** pour parler, à travers eux, de préoccupations à la fois contemporaines et éternelles : les menaces de la guerre, la recherche du bonheur...
- **Giraudoux** (1882-1944) se sert d'anachronismes et du merveilleux pour introduire humour et fantaisie dans une époque souvent sombre *(La guerre de Troie n'aura pas lieu, Électre, Ondine)*.
- Chez **Anouilh** (1910-1987), plus pessimiste, les anachronismes nous rapprochent des personnages et les rendent plus émouvants *(Antigone, L'Alouette)*. Même dans ses comédies *(Le Bal des voleurs)*, le ton est souvent grinçant. Pour lui, aspiration à l'idéal et recherche du bonheur sont vouées à l'échec.

3. Un théâtre d'idées

- Après la Seconde Guerre mondiale, les **philosophes** se servent du théâtre pour mettre à la portée d'un plus large public les **grands problèmes de leur temps**.
- Ils empruntent leurs personnages et les situations dramatiques aux mythes et tragédies antiques ou à l'histoire contemporaine.

Sartre, dans *Les Mouches* (1943), reprend le mythe des Atrides pour définir sa conception de la liberté.

4. Les « anti-pièces » (Ionesco) du théâtre de l'absurde

- Après les deux guerres mondiales, les dramaturges expriment l'**absurdité tragique de l'existence humaine**, privée de repères religieux ou des valeurs humanistes.
- Il n'y a plus de personnages identifiés, plus de dialogue logique, plus d'action cohérente : c'est le **comique de l'absurde**.

- Les personnages souvent anonymes d'**Ionesco** s'agitent dans un **univers déshumanisé**, menacé par l'uniformisation des comportements *(Rhinocéros)*, le délabrement des êtres et des choses voués à la mort *(Le roi se meurt)*.

En attendant Godot de Samuel Beckett, mise en scène de Luc Bondy (1999, théâtre de l'Odéon, Paris). Estragon : Roger Jendly ; Vladimir : Serge Merlin.

Dans *En attendant Godot* (1952) de Beckett, deux clochards remplissent leur attente vaine d'un personnage censé changer leur vie par un dialogue dérisoire, qui marque l'impossibilité de communiquer.

5. Le théâtre contemporain : un retour aux sources ?

- Le théâtre aujourd'hui revient aux ressorts élémentaires du théâtre.
- Les **personnages** sont **plus individualisés**, les dialogues plus consistants.
- L'**action** repose sur des **conflits**, violents chez Koltès (*Le Retour au désert*, 1988), insidieux chez Lagarce (*Juste la fin du monde*, 1990), plus souriants chez Schmitt qui fait vivre des personnages attachants dans des univers fantaisistes (*Oscar et la Dame rose*, 2002).

19 Les conventions théâtrales

Comme tout spectacle, le théâtre est soumis à des conventions. Certaines sont spécifiquement liées à l'énonciation.

I Les conventions de l'illusion

1. Le statut du spectateur

- Parmi les conventions théâtrales, certaines relèvent du statut de tout spectacle.
- Le spectateur décide de **se déplacer** et de recevoir l'œuvre **collectivement** (à la différence du roman ou de la poésie).
- La salle est plongée dans le noir, le public garde le **silence**.
- Le public sait qu'il ne doit pas intervenir dans l'action qui va être représentée : il oublie donc son identité.
- Le public décide d'***y croire***, tout en sachant que la pièce n'est que fiction : il se laisse émouvoir, rit, pleure, compatit...
- Les **applaudissements** (ou les sifflets) marquent une **rupture** de cette convention : le spectateur reprend son identité et juge l'acteur et non plus le personnage.

Une **convention** est un accord implicite par lequel on admet certains procédés indispensables pour produire l'effet voulu, même s'ils s'éloignent de la réalité et du bon sens.

2. Un lieu double et ouvert

- Il y a deux lieux au théâtre : le **lieu réel** (environ 200 m², salle et scène, qui perdent leur identité le temps de la représentation) et le **lieu fictif** (une forêt, un palais... qui n'existe que le temps de la représentation).
- Le spectateur admet l'**absence du *quatrième mur*** qui séparerait dans la réalité la scène et la salle : son absence permet au public d'entrer dans le monde de la pièce.
- Parfois, ces **conventions** sont **brisées** : par un effet de surprise, l'acteur personnage investit la salle et continue à jouer.
- Parfois, la pièce représente une **pièce dans la pièce** (*L'Illusion comique* de Corneille) et met en scène des personnages qui jouent le rôle d'acteurs. Le **lieu** est alors **triple** : la salle où je suis spectateur (et la scène réelle), le lieu de la pièce qui se déroule devant moi et, à l'intérieur de ce lieu fictif, un autre lieu fictif, celui de la scène que jouent les personnages de la pièce.

La **mise en abyme** représente une œuvre dans une œuvre de même type, par exemple une pièce dans une pièce.

- Le lieu caché des **coulisses** est **double** : les acteurs s'y habillent et maquillent, mais c'est aussi un espace qui prolonge le lieu fictif de la pièce – les scènes violentes, notamment les meurtres, s'y déroulent au XVIIe siècle.

3. Un temps ambivalent

- Le **temps** est lui aussi **double** : le **temps du spectacle** varie de 1 à 4 heures ; le **temps de la fiction**, lui, peut s'étendre sur plusieurs années (l'action de *Cyrano de Bergerac* s'étend sur dix ans), mais n'excédait pas 24 heures dans l'esthétique classique du XVIIe siècle.
- Le spectateur admet donc que 3 heures équivalent à une journée ou à plusieurs mois ou années.

II Les conventions de l'énonciation

1. L'énonciation théâtrale

- La convention de la **double énonciation** marque le discours théâtral : dans l'action représentée, les personnages parlent entre eux sur la scène (1er niveau d'énonciation). Mais les acteurs parlent aussi à l'intention du public (2e niveau d'énonciation).
- L'auteur, le metteur en scène, les acteurs adressent en outre un message indirect au public : Molière, dans *Le Misanthrope*, met ainsi en garde le public contre l'hypocrisie de la cour.

2. Rupture de la convention de l'énonciation théâtrale

- Au théâtre, une convention veut que les personnages sur scène ignorent le **spectateur** laissé dans l'ombre, **totalement séparé de la scène**.
- Mais le **monologue** et l'**aparté** (→ fiche 15) rompent avec cette convention : le personnage s'adresse alors au public ou à un personnage absent. Monologue et aparté permettent à l'auteur de créer une connivence entre le public et le personnage et de dévoiler les pensées intimes de ce dernier. Ils changent le statut du spectateur qui *entre* alors un peu dans la pièce.

La **distanciation** est une technique d'écriture théâtra[le] et de mise en scè[ne] qui consiste à détruire l'illusion théâtrale, pour inciter à réfléchir de façon critique sur le théâtre et ses convention[s]

20 Analyser la structure d'une pièce

Comment est construite une pièce de théâtre ? Comment l'action est-elle menée ? Que faut-il observer pour analyser la structure d'une pièce ?

I Les divisions traditionnelles d'une pièce

1. Actes et scènes

- Une pièce de théâtre est le plus souvent formée d'**un à cinq actes**, qui correspondent chacun à une étape importante de l'action. Dans la tragédie classique, le point culminant de l'action se trouve souvent au troisième acte.
- Ces actes sont divisés en **scènes** délimitées par l'entrée ou la sortie d'un ou de plusieurs personnages.

2. Entractes

À l'origine, les entractes – interruptions momentanées du spectacle – étaient liés aux nécessités du temps réel de la représentation : on les utilisait pour l'entretien des chandelles ou les changements de décor.

II La structure générale d'une pièce

1. Action, nœud dramatique et intrigue

- L'**action** est la suite des événements et des faits qui se succèdent dans une pièce.
- Elle repose sur des personnages : le **sujet** – héros ou personnage principal – est **en quête d'un objet** (personne aimée, pouvoir, argent…) ; il est secondé par des **adjuvants** et il affronte des **opposants**.
- Le **nœud dramatique** résulte d'un conflit de forces : c'est la clé de l'action.
- L'**intrigue** est la succession des incidents qui précipitent, compliquent ou retardent l'action. Elle se noue au fil des scènes, puis se dénoue à la fin de la pièce.

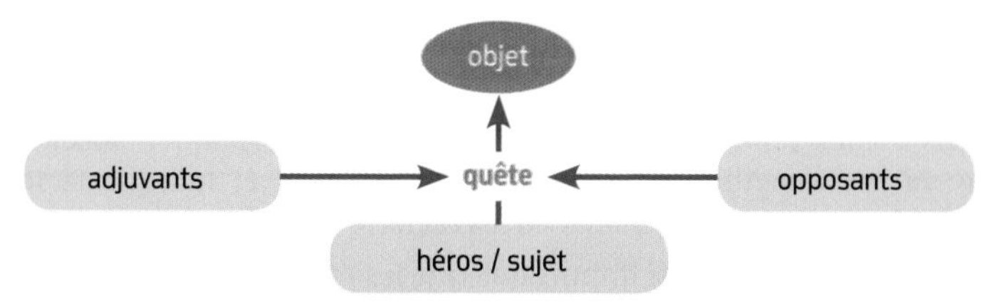

2. Moments clés d'une pièce de théâtre

- L'**exposition**. La première scène - quelquefois les premières scènes - fournit les éléments nécessaires à la compréhension de la situation, présente les personnages - identité, passé, relations - et les grandes lignes du conflit.
- Le **dénouement** apporte la résolution du nœud de l'action.

3. Deux cas particuliers de situations dramatiques

- Le **coup de théâtre** est une péripétie qui bouleverse de façon inattendue la situation ou le dénouement. Molière utilise souvent celui de la reconnaissance à la fin de ses pièces : un père retrouve par miracle sa fille perdue depuis longtemps *(L'École des femmes)*.
- Le **quiproquo** est un malentendu, une méprise qui fait du dialogue théâtral une sorte de dialogue de sourds : les personnages croient parler du même sujet et suivent en fait chacun leur idée. Ainsi, dans *L'Avare* (V, 3) de Molière, Harpagon parle de sa cassette pleine d'or alors que Valère, son intendant, parle de Marianne, la fille d'Harpagon dont il est amoureux.

III La recomposition du temps et le rythme d'une pièce

1. Comment condenser le temps ?

Pour faire admettre l'illusion que deux ou trois heures équivalent à 24 heures ou plusieurs mois, l'auteur a recours à plusieurs moyens.

- Il **limite l'action de la pièce** à un moment de crise et tente de faire coïncider le plus possible les deux temps du théâtre (→ fiche 19).
- Il **recompose le temps** : il laisse des ellipses - trous temporels dans le texte théâtral -, a recours à des répliques ou des récits qui résument des pans de temps.
- Il **tire parti des entractes** qui permettent au temps de la fiction de *passer*, à des événements secondaires d'avoir lieu en coulisses, aux personnages de continuer à agir (en des lieux non représentés).

> L'**ellipse** passe sous silence une période de temps. Elle produit un effet d'accélération ou dissimule une information au spectateur.

2. Comment rythmer la pièce ?

- La **longueur des scènes** (entrées et sorties plus ou moins fréquentes) et des répliques accélère ou ralentit le rythme.
- L'**enchaînement des répliques** prend plusieurs formes : la succession des questions et des réponses et les interruptions des répliques accélèrent le rythme ; la stichomythie (→ fiche 15) précipite l'action et marque la tension croissante du dialogue. Les tirades ou les récits le ralentissent.
- Les **silences**, souvent aussi importants que les mots, créent l'attente.

21 Étudier un extrait de théâtre

Pour apprécier un texte théâtral, il faut analyser la fonction de la scène dans la pièce, les personnages, l'effet sur le spectateur et l'intention de l'auteur. Voici une série de questions à vous poser pour atteindre cet objectif.

I L'intérêt dramatique de la scène dans la pièce

Une pièce est une construction (→ fiche 20). Tout extrait de pièce a donc une **fonction dans cette construction.**

1. Dans le cas d'une scène d'exposition

- La scène donne-t-elle des informations sur le **passé** ? Lesquelles ?
- Précise-t-elle l'**identité des personnages** ? leurs **relations** ?
- Quelle part d'**inconnu** ménage-t-elle ? Quelles sont les attentes du spectateur à la fin de cette scène ?

2. Dans le cas d'un dénouement

- L'action/Les action(s) de la pièce trouve(nt)-elle(s) leur **solution** ?
- Est-ce un dénouement **attendu** ? **surprenant** ? **fermé** ? Ouvre-t-il des **perspectives** ? Lesquelles ?

3. Dans le cas d'une scène d'action

- S'agit-il d'un **tournant dans l'action** ? d'une scène d'**épreuve** ? d'**aveu** ?...
- Est-ce une scène de **conflit**, de débat ? Quel est l'enjeu ? Qui sort victorieux ?
- S'agit-il d'un **coup de théâtre** ? d'un **quiproquo** ?
- Comment l'auteur donne-t-il du **rythme** à la scène ?

4. Dans le cas d'une pause dans l'action

- Quelle **forme** prend cette pause ? Est-ce un monologue ? une délibération intérieure ? un apparent apaisement du conflit ? un moment de poésie lyrique ?...
- Que **laisse attendre** ce moment de pause ?

II Les personnages

1. Le statut des personnages

- S'agit-il du/des protagoniste(s) ? d'un/de personnage(s) secondaire(s) ?
- Y a-t-il des figurants (acteurs au rôle muet qui créent l'atmosphère) ?

2. La peinture des personnages

- Que révèle la scène de leur **physique** ? de leur **statut** (familial, social...) ?
- Que révèle la scène de leurs **émotions** ? leurs **sentiments** ? leur **caractère** ?

3. Le statut littéraire des personnages

- Ces personnages sont-ils des **types** ? des personnages **traditionnels** ?
- Sont-ils des personnages **originaux**, inédits, en rupture avec leur époque ?

III L'effet sur le spectateur

1. Le registre de la scène

- **Dans le cas d'une farce, d'une comédie.** S'agit-il d'un comique visuel ? de situation ? de caractère ? de mots ? de répétition ? de l'absurde ?
- **Dans le cas d'une tragédie.** Sous quelle forme la **fatalité** se manifeste-t-elle : divine ? humaine ? sociale ? politique ? intérieure ? passions ? Comment l'auteur suscite-t-il « **terreur et pitié** » (→ fiche 16) ? S'agit-il d'une scène **violente** ? Comment l'auteur crée-t-il le **suspense** ?
- **Dans le cas d'un drame ou d'une pièce hybride.** Quels sont les différents registres de la scène ? Comment l'auteur mélange-t-il les registres ?

2. La théâtralité

- **L'implication du public.** Le public est-il impliqué dans cette scène ? Comment ? Quels sont les rapports entre les personnages et le public ?
- **Les éléments du texte qui permettent de le jouer.** Cette scène est-elle **spectaculaire** (au sens propre) ? Qu'est-ce qui donne au passage son **efficacité** sur le spectateur : jeux de scène, décor, didascalies ?
- Quelles **difficultés** présente cette scène pour les **interprètes** ?

« Les comédies *[pièces]* ne sont faites que pour être **jouées** et je ne conseille de lire celles-ci qu'aux personnes qui ont des yeux pour découvrir dans la lecture tout le jeu du théâtre » (Molière)

IV Le sens de la scène : l'intention de l'auteur

- **La présence et l'implication de l'auteur.** Sent-on la présence de l'auteur ? Comment se manifeste-t-elle ? Quel regard semble avoir l'auteur sur ses personnages ? Quels liens entretient-il avec eux ?
- **Le message de la scène.** Quels sont les enjeux de la scène ? Quelles sont les **intentions** de l'auteur ? Quel est le message (explicite ou implicite) de la scène ?

Pour éviter les contresens, soyez attentif au **paratexte** : auteur, titre, date de composition, notes...

22 Étudier une représentation théâtrale

Vous serez amené à exploiter à l'écrit ou à l'oral les mises en scène que vous avez vues. À quoi devez-vous donc être attentif lors d'une représentation ?

I Les éléments matériels

1. Le lieu et l'espace scéniques

- L'**environnement**. Il peut être en extérieur dans la rue, sous un chapiteau, dans une salle fermée.
- La **scène**. Elle est bornée par un mur de fond (et parfois par un rideau), rectangulaire, circulaire, semi-circulaire…
- Éventuellement les **coulisses**.

2. Décor, costumes et accessoires

- Le **décor** est réaliste ou minimaliste, souvent symbolique.
- Le **costume**. Outil de métamorphose, il ancre le spectacle dans une époque ou est intemporel. Chargé d'une signification forte, il peut typer un personnage (Arlequin, le valet…).
- Les **accessoires**. Ces objets créent l'illusion de la réalité ou au contraire un effet de distanciation. Ils ont souvent une valeur symbolique (dans *Le Cid*, l'épée de Rodrigue est l'image de son honneur) et sont parfois indispensables à l'action (la cassette d'Harpagon dans *L'Avare*).

Les pièces classiques étaient représentées au XVIIe siècle en habit de cour. Au XVIIIe siècle, pour plus de naturel, on revient à un **costume** plus vraisemblable et simple.

3. Sons et lumières

- La **bande-son**. La musique, les bruitages et les silences créent l'atmosphère et soulignent les moments de l'action.
- L'**éclairage** simule le jour ou la nuit, met en valeur ou dans l'ombre les personnages et les objets, peut prendre une valeur symbolique.
- Les **effets spéciaux** éventuels proposent des projections d'images, des animations (la statue du commandeur dans *Dom Juan*…).

4. La théâtralité de la pièce

- La **théâtralité** d'une scène désigne les éléments qui, dans le texte, permettent sa mise en scène et lui donnent son efficacité sur le spectateur lors de la représentation.

■ Ces éléments sont fournis par les **didascalies**, par les indications concrètes au sein des répliques (didascalies internes), mais aussi par le décor suggéré et le rythme des échanges entre les personnages.

II Les intervenants

1. Le metteur en scène

■ Jusqu'au XVIIIe siècle, il revenait à chaque acteur de régler son jeu (selon des conventions très figées : les jeux de scène étaient rares). Puis les auteurs eux-mêmes (voire les directeurs de théâtre) ont ébauché ce qu'on pourrait appeler la « **mise en scène** » ; ils étaient assistés du régisseur qui coordonnait les éléments techniques de la représentation.

■ Ce n'est qu'à la **fin du XIXe siècle** qu'est apparu le **metteur en scène**, au sens moderne du mot.

■ Le metteur en scène *interprète*, selon sa sensibilité et ses intentions, le texte qui n'est qu'un élément du spectacle. Il **choisit un des sens possibles du texte**. Ce n'est pas un simple exécutant mais l'**auteur du spectacle** (on parle ainsi du *Dom Juan* de Bluwal).

■ Il **dirige** et **coordonne** les acteurs.

Pour pouvoir parler d'une représentation, vous devez connaître le nom de son **metteur en scène** !

2. Les acteurs

■ Ils **incarnent** les personnages qu'ils **interprètent** : ils donnent une image du personnage qui leur est propre.

■ Leur **jeu** se construit à partir de leurs déplacements, gestes, mimiques, regard, voix (intonation, inflexions, débit).

3. Le scénographe et les techniciens

■ Le scénographe n'est pas un simple décorateur : il **organise techniquement** l'espace scénique et définit ainsi les rapports entre la scène et la salle.

■ Les techniciens (éclairagistes, ingénieurs du son…) participent à la scénographie.

La **scénographie** est l'art de l'organisation de l'espace scénique, grâce à la coordination des moyens techniques et artistiques.

III La comparaison de deux mises en scène

Voici deux mises en scène différentes de ***Dom Juan* de Molière**. Observez les deux couples du maître (Dom Juan) et son valet (Sganarelle)

Dom Juan, mise en scène de Benno Besson (1987, Theater am Schiffbauerdamm, Berlin).
Dom Juan : Philippe Avron ;
Sganarelle : Carlo Brandt.

Don Juan, mise en scène de Daniel Mesguich (2002, théâtre de l'Athénée, Paris).
Dom Juan : Daniel Mesguich ;
Sganarelle : Christian Hecq.

■ La première mise en scène souligne l'ancrage de la pièce dans le XVIIe siècle et établit clairement, par le contraste des costumes et le maintien des personnages, la supériorité du maître. Sganarelle semble craindre Dom Juan, qui lui impose de la main le silence.

■ La deuxième mise en scène, dans un contexte plus moderne, établit un équilibre entre les deux personnages, placés face à face (Sganarelle semble même défier Dom Juan du regard) tout en soulignant le côté comique du valet (costume). Elle souligne aussi le côté maléfique du maître, habillé en noir – couleur du mal –, opposé au comique du valet, en costume de clown.

Notez brièvement les **références** (metteur en scène, acteurs principaux, date…) de toute représentation à laquelle vous assistez (au théâtre ou à la télévision) pour pouvoir en parler de façon documentée à l'oral ou dans une dissertation.

Quiz express

Vérifiez que vous avez bien retenu les points clés des **fiches 15 à 22**.

Le genre théâtral

1 Qui est l'auteur d'une pièce ?

- ☐ **1.** le scénographe
- ☐ **2.** le dramaturge
- ☐ **3.** l'interprète

2 Quels sont les synonymes de *représentation théâtrale* ?

- ☐ **1.** mise en scène
- ☐ **2.** intrigue
- ☐ **3.** spectacle théâtral
- ☐ **4.** interprétation

3 Associez le mot et sa définition

1. tirade
2. quiproquo
3. monologue
4. scénographie
5. théâtralité

a. passage où un personnage parle seul sur scène
b. éléments du texte permettant sa mise en scène
c. malentendu, dialogue de sourds
d. longue réplique d'un personnage
e. art d'organiser l'espace scénique par des moyens techniques

4 Comment appelle-t-on le début d'une pièce de théâtre ?

- ☐ **1.** l'ouverture
- ☐ **2.** l'exposition
- ☐ **3.** le commencement
- ☐ **4.** la présentation

5 Associez le genre à ses éléments.

1. comédie
2. tragédie

a. action extraordinaire, souvent éloignée dans le temps
b. 1, 3 ou 5 actes, en prose ou en vers
c. registres pathétique, lyrique, épique…
d. purgation des passions par l'émotion
e. action ordinaire et contemporaine
f. fatalité, mort, destin individuel et collectif, dénouement malheureux
g. conflit d'intérêts humains dans une société donnée, dénouement heureux

L'histoire du théâtre

6 Chassez l'intrus.

- ☐ **1.** Sophocle
- ☐ **2.** Corneille
- ☐ **3.** Aristophane
- ☐ **4.** Eschyle

7 Quel philosophe grec a défini dans sa *Poétique* les règles et l'esthétique de la tragédie ?

- ☐ **1.** Socrate
- ☐ **2.** Platon
- ☐ **3.** Aristote
- ☐ **4.** Cicéron

8 Rendez son œuvre et son siècle à chaque auteur.

1. Molière	**a.** *Le Cid*	**1.** XVIIe siècle
2. Beckett	**b.** *Le Barbier de Séville*	**2.** XIXe siècle
3. Molière	**c.** *En attendant Godot*	**3.** XVIIe siècle
4. Hugo	**d.** *Phèdre*	**4.** XXe siècle
5. Anouilh	**e.** *Dom Juan*	**5.** XVIIIe siècle
6. Corneille	**f.** *Hernani*	**6.** XVIIe siècle
7. Racine	**g.** *L'Avare*	**7.** XVIIe siècle
8. Beaumarchais	**h.** *Antigone*	**8.** XXe siècle

9 Qu'est-ce qui caractérise les pièces de Courteline ?

- ☐ **1.** l'absurdité de la condition humaine
- ☐ **2.** l'inspiration mythologique
- ☐ **3.** la satire de la société
- ☐ **4.** la critique politique

La structure d'une pièce de théâtre

10 Repérez toutes les réponses exactes.

- ☐ **1.** Une scène comporte des actes.
- ☐ **2.** Un coup de théâtre est un événement inattendu qui bouleverse l'action.
- ☐ **3.** La stichomythie est un dialogue entre deux personnages.
- ☐ **4.** Les tragédies classiques comportent en général trois actes.
- ☐ **5.** Une des règles de la tragédie classique est la bienséance.

CORRIGÉS

1. Réponse **2**. 1 et 3 participent à la représentation. • **2.** Réponses **1** et **3**. 2 fait référence au texte et non à la représentation, 4 est une façon de comprendre le texte de la pièce. • **3.** **1**d, **2**c, **3**a, **4**e, **5**b. • **4.** Réponse **2**. 1 s'utilise pour une œuvre narrative ou musicale, 3 est beaucoup plus large, 4 se trouve plutôt dans les genres explicatifs ou alors ne fait pas partie de l'œuvre même. • **5.** **1**b, e, g. **2**a, c, d, f. • **6.** Corneille : il a vécu au XVIIe siècle. Les autres dramaturges ont vécu dans l'Antiquité grecque. • **7.** Réponse **3**. Socrate et Platon sont des philosophes grecs mais n'ont pas spécialement abordé le thème du théâtre, Cicéron est un orateur et homme politique romain. • **8.** **1**e1, **2**c4, **3**g3, **4**f2, **5**h8, **6**a6, **7**d7 **8**b5. • **9.** Réponse **3.** 1 fait référence au théâtre de l'absurde au XXe siècle, 2 à la tragédie (XVIIe et XXe siècles), 4 plutôt à la comédie du XXe siècle. • **10.** **1** Faux : ce sont les actes qui comportent des scènes. **2** Vrai. **3** Faux parce qu'incomplet : les personnages (pas forcément au nombre de deux) se répondent vers à vers. **4** Faux : cinq actes. **5** Vrai.

SUJET 1 | Les fonctions des didascalies

QUESTION SUR LE CORPUS

Dites quels types d'indications sont donnés par les didascalies externes dans ces trois textes. La photographie de la mise en scène (→ p. 77) **rend-elle compte des didascalies de la scène de Beckett ?**

DOCUMENTS

1. Beaumarchais, *Le Mariage de Figaro*, acte I, scène I (1784)
2. Jean Cocteau, *La Machine infernale*, acte III (1934)
3. Samuel Beckett, *Oh les beaux jours*, acte I (1961)
4. Photographie de la mise en scène de *Oh les beaux jours*

DÉMARRONS ENSEMBLE

- Vous devez analyser le rôle des didascalies dans un texte théâtral (→ fiche 15).
- Procédez méthodiquement : **surlignez** et répertoriez d'abord les didascalies des trois scènes ; puis **classez**-les selon leur nature (gestes/mouvements, attitudes, ton de voix, éléments sonores...) et indiquez leur **rôle** et leur **effet** (En quoi secondent-elles le texte ? En quoi soulignent-elles le registre des scènes ?...).
- **Confrontez la photographie** de mise en scène avec le **texte** de Beckett en repérant les éléments du texte que vous y retrouvez, et mesurez la fidélité – ou la liberté – du metteur en scène par rapport au texte.

Certains mots du corpus sont surlignés en couleur. Ce code est explicité p. 78-79.

DOCUMENT 1

« *Le théâtre représente une chambre à demi démeublée ; un grand fauteuil de malade est au milieu. Figaro, avec une toise, mesure le plancher. Suzanne attache à sa tête, devant une glace, le petit bouquet de fleurs d'orange, appelé chapeau de la mariée.*

Scène I
FIGARO, SUZANNE

5 FIGARO. – Dix-neuf pieds sur vingt-six.
SUZANNE. – Tiens, Figaro, voilà mon petit chapeau ; le trouves-tu mieux ainsi ?
FIGARO *lui prend les mains.* – Sans comparaison, ma charmante. Oh ! que ce

joli bouquet virginal, élevé sur la tête d'une belle fille, est doux, le matin des noces, à l'œil amoureux d'un époux !...

10 SUZANNE *se retire.* – Que mesures-tu donc là, mon fils ?

FIGARO. – Je regarde, ma petite Suzanne, si ce beau lit que Monseigneur nous donne aura bonne grâce ici.

SUZANNE. – Dans cette chambre ?

FIGARO. – Il nous la cède.

15 SUZANNE. – Et moi, je n'en veux point.

FIGARO. – Pourquoi ?

SUZANNE. – Je n'en veux point.

FIGARO. – Mais encore ?

SUZANNE. – Elle me déplaît.

20 FIGARO. – On dit une raison.

SUZANNE. – Si je n'en veux pas dire ?

FIGARO. – Oh ! quand elles sont sûres de nous !

SUZANNE. – Prouver que j'ai raison serait accorder que je puis avoir tort. Es-tu mon serviteur, ou non ?

25 FIGARO. – Tu prends de l'humeur contre la chambre du château la plus commode, et qui tient le milieu des deux appartements. La nuit, si Madame est incommodée, elle sonnera de son côté ; zeste, en deux pas tu es chez elle. Monseigneur veut-il quelque chose ? il n'a qu'à tinter du sien ; crac, en trois sauts me voilà rendu.

30 SUZANNE. – Fort bien ! Mais quand il aura tinté le matin, pour te donner quelque bonne et longue commission, zeste, en deux pas, il est à ma porte, et crac, en trois sauts...

FIGARO. – Qu'entendez-vous par ces paroles ?

SUZANNE. – Il faudrait m'écouter tranquillement.

35 FIGARO. – Eh, qu'est-ce qu'il y a ? bon Dieu !

SUZANNE. – Il y a, mon ami, que, las de courtiser les beautés des environs, monsieur le comte Almaviva veut rentrer au château, mais non pas chez sa femme ; c'est sur la tienne, entends-tu, qu'il a jeté ses vues, auxquelles il espère que ce logement ne nuira pas. Et c'est ce que le loyal Bazile, honnête

40 agent de ses plaisirs, et mon noble maître à chanter, me répète chaque jour, en me donnant leçon.

FIGARO. – Bazile ! ô mon mignon, si jamais volée de bois vert appliquée sur une échine a dûment redressé la moelle épinière à quelqu'un...

SUZANNE. – Tu croyais, bon garçon, que cette dot qu'on me donne était pour

45 les beaux yeux de ton mérite ?

FIGARO. – J'avais assez fait pour l'espérer.
SUZANNE. – Que les gens d'esprit sont bêtes !
FIGARO. – On le dit.
SUZANNE. – Mais c'est qu'on ne veut pas le croire.
50 FIGARO. – On a tort.
SUZANNE. – Apprends qu'il la destine à obtenir de moi secrètement certain quart d'heure, seul à seule, qu'un ancien droit du seigneur… Tu sais s'il était triste !
FIGARO. – Je le sais tellement, que si monsieur le Comte, en se mariant, n'eût
55 pas aboli ce droit honteux, jamais je ne t'eusse épousée dans ses domaines.
SUZANNE. – Eh bien, s'il l'a détruit, il s'en repent ; et c'est de ta fiancée qu'il veut le racheter en secret aujourd'hui.

Beaumarchais, *Le Mariage de Figaro* (1784), acte I, scène 1.

DOCUMENT 2

« *L'estrade représente la chambre de Jocaste, rouge comme une petite boucherie au milieu des architectures de la ville. Un large lit couvert de fourrures blanches. Au pied du lit, une peau de bête. À gauche du lit, un berceau.*

5 *Au premier plan gauche, une baie grillagée donne sur une place de Thèbes.*

Au premier plan à droite un miroir mobile de taille humaine.

Œdipe et Jocaste portent les costumes du couronnement. Dès le lever du rideau ils se meuvent dans le ralenti d'une extrême fatigue.

10 JOCASTE. – Ouf ! Je suis morte ! Tu es tellement actif ! J'ai peur que cette chambre te devienne une cage, une prison.
ŒDIPE. – Mon cher amour ! Une chambre de femme ! Une chambre qui embaume, ta chambre ! Après cette journée éreintante, après ces cortèges, ce cérémonial, cette foule qui continuait à nous acclamer sous nos fenêtres…
15 JOCASTE. – Pas à nous acclamer… à t'acclamer, toi.
ŒDIPE. – C'est pareil.
JOCASTE. – Il faut être véridique, petit vainqueur. Ils me détestent. Mes robes les agacent, mon accent les agace, mon noir aux yeux les agace, mon rouge aux lèvres les agace, ma vivacité les agace.
20 ŒDIPE. – Créon les agace ! Créon le sec, le dur, l'inhumain. Je relèverai ton prestige. Ah ! Jocaste, quel beau programme !

JOCASTE. – Il était temps que tu viennes, je n'en peux plus.

ŒDIPE. – Ta chambre, une prison ; ta chambre… et notre lit.

JOCASTE. – Veux-tu que j'ôte le berceau ? Depuis la mort de l'enfant, il me
25 le fallait près de moi, je ne pouvais pas dormir… j'étais trop seule… Mais maintenant…

ŒDIPE. *d'une voix confuse.* – Mais maintenant…

JOCASTE. – Que dis-tu ?

ŒDIPE. – Je dis… je dis… que c'est lui… lui… le chien… je veux dire… le
30 chien qui refuse le chien… le chien fontaine…

Sa tête tombe.

JOCASTE. – Œdipe ! Œdipe !

ŒDIPE. *réveillé en sursaut.* – Hein ?

JOCASTE. – Tu t'endormais !

35 ŒDIPE. – Moi ? pas du tout.

JOCASTE. – Si. Tu me parlais d'un chien, de chien qui refuse, de chien fontaine ; et moi je t'écoutais.

Elle rit et semble, elle-même, tomber dans le vague.

ŒDIPE. – C'est absurde !

40 JOCASTE. – Je te demande si tu veux que j'ôte le berceau, s'il te gêne…

ŒDIPE. – Suis-je un gamin pour craindre ce joli fantôme de mousseline ? Au contraire, il sera le berceau de ma chance. Ma chance y grandira près de notre premier amour, jusqu'à ce qu'il serve à notre premier fils. Alors !…

JOCASTE. – Mon pauvre adoré… Tu meurs de fatigue et nous restons là…
45 debout *(même jeu qu'Œdipe)*, debout sur ce mur…

ŒDIPE. – Quel mur ?

JOCASTE. – Ce mur de ronde. *(Elle sursaute.)* Un mur… Hein ? Je… je…
Hagarde.) Qu'y a-t-il ?

ŒDIPE. *riant.* – Eh bien, cette fois, c'est toi qui rêves. Nous dormons debout,
50 ma pauvre chérie.

JOCASTE. – J'ai dormi ? J'ai parlé ?

ŒDIPE. – Je te parle de chien de fontaine, tu me parles de mur de ronde : voilà notre nuit de noces. Écoute, Jocaste, je te supplie (tu m'écoutes ?) s'il m'arrive de m'endormir encore, je te supplie de me réveiller, de me secouer, et
55 si tu t'endors, je ferai de même. Il ne faut pas que cette nuit unique sombre dans le sommeil. Ce serait trop triste.

Jean Cocteau, *La Machine infernale* (1934), acte III, « La nuit de noces ».

DOCUMENT 3

« *Étendue d'herbe brûlée s'enflant au centre en petit mamelon. Pentes douces à gauche et à droite et côté avant-scène. Derrière, une chute plus abrupte au niveau de la scène. Maximum de simplicité et de symétrie.*

Lumière aveuglante.

5 *Une toile de fond en trompe-l'œil très pompier représente la fuite et la rencontre au loin d'un ciel sans nuages et d'une plaine dénudée.*

Enterrée jusqu'au-dessus de la taille dans le mamelon, au centre précis de celui-ci, WINNIE. *La cinquantaine, de beaux restes, blonde de préférence, grassouillette, bras et épaules nus, corsage très décolleté, poitrine plantureuse,*
10 *collier de perles. Elle dort, les bras sur le mamelon, la tête sur les bras. À côté d'elle, à sa gauche, un grand sac noir, genre cabas, et à sa droite une ombrelle à manche rentrant (et rentré) dont on ne voit que la poignée en bec-de-cane.*

À sa droite et derrière elle, allongé par terre, endormi, caché par le mamelon, WILLIE.

15 *Un temps long. Une sonnerie perçante se déclenche, cinq secondes, s'arrête. Winnie ne bouge pas. Sonnerie plus perçante, trois secondes. Winnie se réveille. La sonnerie s'arrête. Elle lève la tête, regarde devant elle. Un temps long. Elle se redresse, pose les mains à plat sur le mamelon, rejette la tête en arrière et fixe le zénith. Un temps long.*

20 WINNIE. – *(Fixant le zénith.)* Encore une journée divine. *(Un temps. Elle ramène la tête à la verticale, regarde devant elle. Un temps. Elle joint les mains, les lève devant sa poitrine, ferme les yeux. Une prière inaudible remue ses lèvres, cinq secondes. Les lèvres s'immobilisent, les mains restent jointes. Bas.)* Jésus-Christ Amen. *(Les yeux s'ouvrent, les mains se disjoignent, reprennent leur place sur le mamelon. Un temps.*
25 *Elle joint de nouveau les mains, les lève de nouveau devant sa poitrine. Une arrière-prière inaudible remue de nouveau ses lèvres, trois secondes. Bas.)* Siècle des siècles Amen. *(Les yeux s'ouvrent, les mains se disjoignent, reprennent leur place sur le mamelon. Un temps.)* Commence, Winnie, *(Un temps.)* Commence ta journée, Winnie. *(Un temps. Elle se tourne vers le sac, farfouille dedans sans le déplacer,*
30 *en sort une brosse à dents, farfouille de nouveau, sort un tube de dentifrice aplati, revient de face, dévisse le capuchon du tube, dépose le capuchon sur le mamelon, exprime non sans mal un peu de pâte sur la brosse, garde le tube dans une main et se brosse les dents de l'autre. Elle se détourne pudiquement, en se renversant en arrière et à sa droite, pour cracher derrière le mamelon. Elle a ainsi Willie sous les*
35 *yeux. Elle crache, puis se renverse un peu plus.)* Hou-ou ! *(Un temps. Plus fort.)* Hou-ou ! *(Un temps. Elle a un tendre sourire tout en revenant de face. Elle dépose*

la brosse.) Pauvre Willie – *(elle examine le tube, fin du sourire)* – plus pour longtemps – *(elle cherche le capuchon)* – enfin – *(elle ramasse le capuchon)* – rien à faire – *(elle revisse le capuchon)* – petit malheur – *(elle dépose le tube)* –
40 encore un – *(elle se tourne vers le sac)* – sans remède *(elle farfouille dans le sac)* – aucun remède *(elle sort une petite glace, revient de face)* hé oui – *(elle s'inspecte les dents dans la glace)* – pauvre cher Willie – *(elle éprouve avec le pouce ses incisives supérieures, voix indistincte)* – bon sang ! – *(elle soulève la lèvre supérieure afin d'inspecter les gencives, de même)* – bon Dieu ! – *(elle tire sur un coin de*
45 *la bouche, bouche ouverte, de même)* – enfin – *(l'autre coin, de même)* – pas pis – *(elle abandonne l'inspection, voix normale)* – pas mieux, pas pis – *(elle dépose la glace)* – pas de changement – *(elle s'essuie les doigts sur l'herbe)* – pas de douleur – *(elle cherche la brosse à dents)* – presque pas *(elle ramasse la brosse)* – ça qui est merveilleux – *(elle examine le manche de la brosse)* – rien de tel *(elle*
50 *examine le manche, lit)* – pure… quoi – *(un temps)* – quoi ?

Samuel Beckett, *Oh les beaux jours* (1961), acte I.

DOCUMENT 4

Oh les beaux jours, mise en scène Yves Borrini (2008, compagnie Le bruit des hommes).

CORRIGÉ

CORRIGÉ RÉDIGÉ

POINT MÉTHODE

Par où commencer ?

- **Lisez calmement toutes les consignes**, puis **tous les documents** – pour identifier le/les **objet(s) d'étude** en jeu et repérer des **échos entre les consignes.**
- **Approfondissez** l'analyse : analysez le **paratexte** (auteur, date de composition, phrases d'introduction…) et identifiez **l'unité du corpus** (thèmes, buts, genre, registre, stratégie argumentative…), les **différences** entre les documents et la **spécificité** de chacun, ainsi que la progression générale dans le corpus.
- **Identifiez le type de consigne** en en repérant les **mots clés**.

Types de consigne

- justifier le **regroupement** des documents
- repérer **points communs** et **différences**
- rattacher les documents à leur **contexte**
- rattacher les documents à l'**objet d'étude**
- identifier ou comparer le **genre**, le **registre**, la **situation d'énonciation**, les **niveaux de langue**, les **types de textes**
- observer une **progression** dans les documents
- identifier ou comparer les **thèses** ou les **stratégies argumentatives**
- analyser un **champ lexical**
- repérer des **figures de style** ou des **procédés rhétoriques** récurrents
- repérer le **rôle d'un document iconographique** dans le corpus

[PHRASE D'INTRODUCTION ET PRÉSENTATION DU CORPUS]

Les didascalies externes, qui font partie du texte théâtral écrit, donnent de précieuses indications pour la représentation. Relativement peu nombreuses dans *Le Mariage de Figaro* de Beaumarchais, elles prennent plus de poids dans les pièces du XXe siècle – *La Machine infernale* de Cocteau par exemple –, au point d'envahir presque tout le texte théâtral dans *Oh les beaux jours* de Beckett. Ces didascalies remplissent des fonctions diverses.

Surlignez dès la première lecture les éléments permettant de répondre à la question. Nous avons ainsi surligné des exemples de didascalies dans le corpus.

[RÉPONSE]

- **Le cadre, le décor et les renseignements sur l'action en cours.** Dans *Le Mariage de Figaro*, il s'agit d'un déménagement chez un seigneur du XVIIIe siècle ; dans *La Machine infernale*, c'est un palais à « Thèbes » (Antiquité grecque) ; dans *Oh les beaux jours*, une sorte de désert intemporel, un décor nu et neutre est propice à la réflexion sur la condition humaine. Le miroir (documents 1 et 3) aura de l'importance dans l'action : les personnages vont se regarder eux-mêmes, pour se mirer ou s'inspecter.

Répondez de façon **synthétique** (ne traitez pas les textes séparément), en donnant à chaque remarque des exemples précis tirés des textes.

- Les costumes et les accessoires nécessaires à l'action éclairent le statut et le caractère des personnages. Le chapeau et la toise de Suzanne et Figaro renvoient au mariage et à l'emménagement prochains ; le « rouge » de la chambre d'Œdipe et Jocaste donne une note inquiétante et majestueuse ; la répétition de gestes quotidiens et coquets de Winnie est accompagnée de petits accessoires.

- Les déplacements et les gestes des personnages renseignent sur leur état psychologique : gaieté amoureuse de Figaro ; état presque hypnotique d'Œdipe et de Jocaste ; manège de Winnie autour de son sac (son rituel de la prière quotidienne, ainsi que ses gestes dérisoires dénotent une vie vide de sens ; la répétition de ces gestes crée un comique de scène).

- Les indications sur les personnages sont physiques (Winnie est précisément décrite) ou psychologiques (elles dévoilent l'état d'esprit des personnages : rire, puis état hagard pour Jocaste et Œdipe ; « sourire » pour Winnie).

- Les didascalies « sonores » des scènes du théâtre contemporain (documents 2 et 3) dramatisent la situation : « voix confuse » d'Œdipe, crescendo du ton de la voix de Winnie.

Chez Beckett, la bande sonore est complexe, diverse (bruits et silences). Elle signale un lent écoulement du temps et une atmosphère angoissante qui doivent se retrouver dans la représentation.

- Document 4. La mise en scène est plutôt fidèle au texte de Beckett, si l'on se réfère aux indications données en ouverture (décor, accessoires, personnage de Winnie). Il y a cependant une différence importante : Willie n'est pas « allongé endormi ». Mais l'essentiel est gardé : il n'y a pas de communication possible entre les deux personnages.

[PHRASE DE CONCLUSION]

Les didascalies sont précieuses pour les acteurs et le metteur en scène, mais aussi pour le spectateur : elles le plongent dans l'atmosphère de la pièce et lui permettent de mieux saisir la psychologie des personnages.

SUJET 2 | Une scène d'exposition du siècle des Lumières

COMMENTAIRE
SÉRIES TECHNOLOGIQUES

Vous commenterez le texte de Beaumarchais (→ document 1, p. 72)**.**

1. Vous analyserez notamment les informations données par cette scène, compte tenu du fait qu'il s'agit de l'exposition de la pièce.

2. Vous montrerez également comment l'enchaînement des répliques met en valeur les deux personnages et témoigne des relations qui les unissent.

DÉMARRONS ENSEMBLE

- Les **termes essentiels** de la première piste sont *l'exposition de la pièce* : il s'agit de montrer que cette scène joue son rôle de **scène d'ouverture**.
Les expressions clés de la deuxième piste sont *met en valeur les deux personnages* et *relations qui les unissent* : vous êtes invité à analyser ce que révèle la scène des **personnages** et de leurs **relations**.
- La lecture des pistes soulève de **nouvelles questions** : que révèle la scène sur les personnages présents ou absents (Qui sont-ils ? Quels clans se forment ?), sur la situation et l'intrigue (quoi ? où ? quand ?), sur le registre (quel effet sur le spectateur ?) ? Comment les personnages s'expriment-ils ? Quels types de relations entretiennent-ils entre eux et avec les autres personnages ? Qui mène la discussion ? Tenez compte du contexte (siècle des Lumières).

CORRIGÉ

PLAN DÉTAILLÉ

POINT MÉTHODE

Exploiter les pistes de la consigne

- Les pistes de lecture fournissent les axes et aident à construire votre plan.
- **Dégagez les mots importants** de ces pistes et veillez à bien en comprendre le sens (aidez-vous du contexte et du sens général du texte).
- **Reformulez les pistes** avec vos propres mots, pour en saisir clairement le contenu. Cela vous servira également lorsque vous évoquerez ces axes dans votre commentaire (introduction, transitions, conclusion).
- **Subdivisez** les questions des pistes en sous-questions, en cherchant les notions que suggèrent les mots essentiels (par exemple, *comique* renvoie à *comique de gestes, de situation, de caractère, de l'absurde...*).

Surlignez de couleurs différentes – une par axe – les mots du texte qui vous permettent de répondre.
N. B. Vous pouvez intervertir l'ordre des pistes lorsqu'il ne vous paraît pas logique, et diviser en deux axes une des pistes proposées.

[INTRODUCTION RÉDIGÉE]

[AMORCE] Le siècle des Lumières trouve dans le théâtre le genre idéal pour mettre les questions sociales à la portée d'un large public tout en le faisant rire. Dans *Le Mariage de Figaro*, Beaumarchais met en scène le Figaro de sa première comédie, *Le Barbier de Séville*. [PRÉSENTATION DU TEXTE] C'est lui, accompagné de la servante Suzanne, qui ouvre la pièce. Le rideau se lève alors que Figaro est en train de prendre les dimensions d'une chambre « à demi démeublée ». [ANNONCE DU PLAN] Le dialogue de cette scène d'exposition donne au public les informations essentielles de l'intrigue en le plongeant immédiatement dans l'action et lui permet de découvrir les traits des deux serviteurs.

Dans l'introduction d'un commentaire, vous devez fournir les **informations nécessaires** pour qu'un lecteur qui ne connaît pas l'œuvre comprenne de quoi il retourne.

I Une véritable scène d'exposition

1. Le cadre spatio-temporel

Cette première scène situe l'action « le matin des noces », dans le château d'un seigneur.

Un emménagement

Deux serviteurs fiancés (didascalies internes : « la chambre du château [...] qui tient le milieu des deux appartements » de « Madame » et de « Monseigneur ») s'installent dans l'appartement (didascalies : « une chambre », une « toise ») qui marque l'éloignement physique et affectif entre les deux maîtres déjà mariés.

Le bouleversement des repères traditionnels de la comédie

Le couple du valet « amoureux » - futur « époux » - et de sa « fiancée » évolue parmi des symboles du désir amoureux (« beau lit », « bouquet de fleur d'orange », « chapeau de la mariée »). Le mariage de valets en ouverture de la pièce dénote une comédie d'un genre nouveau.

D'ordinaire, une pièce de théâtre tourne autour du **mariage des maîtres**, qui marque le **dénouement** de la pièce.

2. La présentation des personnages essentiels

Autour du personnage absent : l'action se noue

« **Monseigneur** », homme de « plaisirs », est un obstacle redoutable au bonheur du couple (il « courtise » Suzanne). Même absent, il ternit la gaieté ambiante.

Les autres personnages : les clans se forment

On distingue les **victimes** (Figaro, Suzanne et la comtesse) et les **opposants** (le Comte, qui représente le pouvoir et l'immoralité, et Bazile, son « agent »). Il y a inégalité des forces (deux contre trois) entre le camp de la puissance, de l'hypocrisie, et celui de la naïveté, du bonheur simple.

3. Une scène de comédie qui annonce la tonalité de la pièce

Un comique de gestes

Il règne sur la scène une joyeuse **animation** : Suzanne fait la coquette, Figaro effectue des acrobaties pour mesurer la pièce, les gestes d'amour sont simples (« lui prend les mains »), mimiques ou sauts accompagnent les onomatopées (« zeste », « crac »).

Un comique de langage

Le **dialogue** est enlevé : les répliques rebondissent les unes sur les autres, avec des effets d'écho (« zeste [...] crac, en trois sauts me voilà rendu » ; « tinter »/« tinté »), le vocabulaire est familier, les apostrophes ironiques sont prononcées sur un ton emphatique (« ô mon mignon »).

[TRANSITION] La scène dépasse la simple fonction informative ; elle donne à ce couple de serviteurs un relief nouveau, une épaisseur psychologique plus marquée que chez les valets du XVIIe siècle.

II L'éclairage sur le couple de serviteurs

1. Les marques du discours amoureux

- Les deux valets se tutoient. Parfois, l'emploi de la troisième personne introduit une solennité presque courtoise : « la tête d'une belle jeune fille », « l'œil amoureux d'un époux » ; « ta fiancée » à la place de « moi ».
- Une métonymie précieuse : « l'œil amoureux » désigne Figaro.
- Des termes affectueux (« ma charmante ») imitent le discours précieux.

La **préciosité**, mouvement culturel et littéraire du XVIIe siècle, se distingue par son souci de l'élégance et la correction des mœurs, ainsi que par la recherche d'un langage raffiné, galant et pudique, notamment dans le discours amoureux.

2. Un valet de comédie peu révolutionnaire

Figaro a gardé les traits du **valet de comédie du XVIIe siècle**. En aucun cas il ne mène la scène.

- Il est **dévoué** à son maître («me voilà rendu»), peut-être par peur, autre trait traditionnel du valet.
- Il a une conception **traditionnelle** du couple («Oh! quand elles [les femmes] sont sûres de nous [les hommes]!...»).
- Il est **naïf**: il n'a pas compris les intentions de son maître.
- Sa **bonne humeur** est indéfectible, c'est un «bon garçon».

Le **valet** est un personnage traditionnel de la comédie depuis l'Antiquité (Plaute), en passant par le XVIIe siècle *(Les Fourberies de Scapin)* et le XVIIIe siècle *(Le Barbier de Séville)*. On le retrouve dans les pièces au comique grinçant du XXe siècle siècle (*Les Bonnes* de Genet).

3. Une servante lucide et spirituelle

Suzanne est une **jeune femme vive et en harmonie avec son siècle**. Le lecteur pressent qu'elle saura mener à bien ses affaires, comme elle mène le dialogue.

- Même si elle possède des traits de la servante traditionnelle (pudeur face aux questions de Figaro: «Si je n'en veux pas dire?»), elle est **émancipée**: elle tient tête avec obstination à son futur mari (répétition de «vouloir») et multiplie les reproches voilés mais clairs («Que les gens d'esprit sont bêtes!»).
- Elle **mène la scène**: elle emploie le ton didactique du maître qui rappelle à l'ordre son élève («Il faudrait m'écouter») et lui enseigne son savoir («apprends que...»), et oblige ainsi Figaro à faire face à la réalité.
- Elle emploie **humour** et **ironie**, ton caractéristique du XVIIIe siècle: elle reprend des mots de Figaro pour se moquer de lui («zeste, en deux pas, il est à ma porte, et crac, en trois sauts...») et utilise des apostrophes irrespectueuses («mon fils», «mon ami», «bon garçon», équivalents de *pauvre niais*).

[CONCLUSION RÉDIGÉE]

Cette scène d'exposition, emportée par un élan joyeux, met le spectateur au courant de la situation, tout en peignant les caractères des personnages principaux. Le couple qui ouvre la pièce ne bouleverse pas fondamentalement l'image du valet de théâtre; ce n'est que plus tard dans la pièce que Figaro se révélera un serviteur contestataire porte-parole du peuple contre un maître qui s'est «donné la peine de naître, et rien de plus».

SUJET 3 | Une scène du théâtre de l'absurde

COMMENTAIRE

Vous commentez le texte de Beckett (→ document 3, p. 76).

DÉMARRONS ENSEMBLE

- La scène est un peu **déroutante**. Pour trouver des idées de commentaire, partez de ce qui surprend le lecteur et le spectateur.
- Cherchez en quoi la scène diffère du théâtre traditionnel. Analysez la proportion des **composantes du texte de théâtre** (répliques et didascalies), l'originalité de la **situation d'énonciation** et l'**aspect théâtral** de la scène.
- Pensez aux difficultés que peuvent rencontrer un metteur en scène et une actrice pour **interpréter** cette scène.
- Rappelez-vous les principes et les visées du **théâtre de l'absurde** (→ fiche 18). Essayez de définir les buts de Beckett dans cette scène.

CORRIGÉ

PLAN DÉTAILLÉ

POINT MÉTHODE

Trouver des idées directrices de commentaire

- Partez de votre impression ressentie à la lecture et du schéma suivant pour **élaborer une « définition »** du texte.

Genre + (éventuel mouvement littéraire +) type + thème(s) du texte + registre(s) + qualification du texte par des adjectifs + buts de l'auteur.

La « définition » du texte de Beckett est donc : *monologue de théâtre* [genre] *du théâtre de l'absurde* [mouvement], *qui argumente sur* [type] *l'existence humaine* [thème], *et traite d'un désir (celui de manger), du temps qui passe et de l'existence humaine dans ses aspects les plus prosaïques* [thèmes], *comique et tragique* [registres], *répétitif, étrange, proche du mime* [adjectifs], *qui vise à rendre compte de la condition humaine et à souligner les conventions théâtrales* [buts].

- À partir des termes essentiels de la définition, posez des **questions simples** et variées pour **dégager les axes de lecture**.
- Choisissez **une couleur** par axe trouvé et **surlignez** dans le texte les mots répondant à chaque question.

N. B. Si vous trouvez peu de mots répondant à une question, intégrez-la dans un axe plus large.

[INTRODUCTION]

[AMORCE] Dans la seconde moitié du XXe siècle, pour rendre compte de l'absurdité de la vie humaine, certains dramaturges prennent le contre-pied du théâtre traditionnel. Beckett, après *En attendant Godot* (1952), écrit *Oh les beaux jours* (1962). [PRÉSENTATION DU TEXTE] La scène est composée d'une longue didascalie (deux personnages – un couple – sont visibles) et d'un long monologue de Winnie, sans réelle consistance. [ANNONCE DU PLAN] [1] Cette scène rejette les conventions du théâtre et ne prend sa vraie mesure qu'à la représentation. [2] Elle comporte également une réflexion existentielle teintée d'ironie.

Après la Seconde Guerre mondiale, le **théâtre de l'absurde** vise à rendre sensible l'absurdité de la condition humaine. Ionesco et Beckett inventent un langage lui-même absurde qui marque l'impossibilité de communiquer.

I Une exposition étrange

1. Un monologue étonnant

- Les didascalies, les sons, les silences du texte très peu fourni, prédominent mais donnent paradoxalement de l'importance aux mots et aux intonations.
- La situation d'énonciation est étrange : le second personnage reste muet. C'est donc un faux monologue.

2. Une scène d'exposition déroutante

- Elle ne donne aucune indication précise sur l'intrigue présente et à venir : rien ne se passe, elle n'ouvre aucune attente.
- Sans contexte spatio-temporel, la situation échappe au temps.
- Le registre de la pièce n'est pas défini : comique ? tragique ?

3. La théâtralité de la scène

- Les quelques indications spatio-temporelles créent une situation étrange : lieu désertique, lumière aveuglante.
- Le décor est stylisé et volontairement artificiel : « Maximum de simplicité et de symétrie », « toile de fond en trompe-l'œil ».
- Les rôles sont difficiles à interpréter : Winnie est enterrée (d'où l'importance donnée aux mimiques) et Willie, présent et absent, ne semble pas vivant.
- Une attention démesurée est accordée aux objets et aux bruitages, par rapport aux répliques et aux actions.

[TRANSITION] Beckett brise la convention de l'illusion théâtrale pour mieux inciter le lecteur à réfléchir.

II Une réflexion sur la condition humaine

1. Une image de la décrépitude

- Le temps qui passe est matérialisé par les « sonnerie(s) ». Les gestes et les paroles de Winnie sont répétitifs et mécaniques. Le « mamelon » suggère un milieu mou où l'existence s'englue.
- De nombreux éléments figurent la mort : Winnie « enterrée », son sac « noir », Willie « allongé par terre, endormi » et presque muet, nombreuses négations (« plus pour longtemps », « rien à faire », « pas de changement »).

2. Le paradoxe du langage

- La seule consolation de l'homme est dans le langage, qui lui donne la sensation d'exister et d'oublier sa misère.
- Mais les silences soulignent l'impossibilité de communiquer, et donc l'enfermement psychologique et la solitude de Winnie.

3. L'absence de Dieu

- Winnie prie (« fixant le zénith » ; « journée divine » ; rituel de la prière consciencieusement effectué), mais cette prière semble vaine (« inaudible »).
- Les longs silences suggèrent que le dialogue est rompu avec un hypothétique dieu (signe de la dégradation de l'être en marche vers le néant ?).

4. L'ironie et l'humour noir

- Le message métaphysique de Beckett est toutefois proposé avec distanciation : l'humour noir se mêle au pathétique.
- Beckett souligne avec ironie l'inconscience de Winnie, qui s'enfonce dans la terre mais reste optimiste (préoccupations simples, babioles, « journée divine »).
- La répétition mécanique des gestes et des paroles révèle ce qui est grotesque (comique de répétition) et atroce - donc pitoyable - dans l'existence.

L'**humour noir** traite de situations macabres, dramatiques, sur un ton plaisant ou comique pour amorcer, implicitement, une réflexion existentielle de fo[nd] sur la réalité.

[CONCLUSION]

L'efficacité de la scène (et du théâtre de l'absurde) tient à son étrangeté. Mais la scène dépasse le simple divertissement et incite à la réflexion en donnant une dimension philosophique et métaphysique au théâtre.

SUJET 4 | L'importance de la représentation

DISSERTATION

Les scènes que vous venez de lire sont destinées à être représentées. Dites ce que le jeu des personnages et les choix de mise en scène apportent selon vous au texte théâtral (discours des personnages et didascalies). Vous vous appuierez sur les textes du corpus (→ documents 1 à 3, p. 72-77) **ainsi que sur vos lectures personnelles et les œuvres étudiées au cours de l'année.**

DÉMARRONS ENSEMBLE

■ *Représentées*, *jeu des personnages*, *choix de mise en scène* font référence à la représentation, par opposition au *texte théâtral* écrit et seulement lu. Le sujet traite donc du **passage du texte à la représentation**.

■ *Ce qu'apportent* est général. Cela peut signifier *ce qu'apportent pour mieux comprendre* (saisir l'intrigue mais aussi le message de l'auteur) et/ou *pour apprécier* (réfléchir à l'intérêt ou au plaisir pris lors de la représentation).

■ La **problématique** peut être reformulée ainsi : *Peut-on trouver du plaisir à lire une pièce sans assister à sa représentation ?* ou *Le texte théâtral suffit-il pour comprendre et apprécier une pièce de théâtre ?*

■ Réfléchissez au rôle des différents intervenants (metteur en scène, acteurs...). Quels choix peuvent-ils opérer par rapport aux **éléments matériels du spectacle** (décor, costumes, lumières, rythme de la pièce...) ? N'oubliez pas le rôle du public !

CORRIGÉ

PLAN DÉTAILLÉ

POINT MÉTHODE

Analyser le sujet et dégager la problématique d'une dissertation

■ Surlignez de deux **couleurs différentes** :

– les mots autour du **thème**, de la notion à traiter ;

– les indices de la **perspective à adopter** pour ce sujet et de la **forme** à donner à votre devoir *(Dans quelle mesure... ? En quoi... ? Quels aspects... ? Analysez..., Pensez-vous ? Comparez... ?)*

■ Si le sujet est très long, **réduisez son intitulé** pour cerner la question (ôtez tout ce qui n'est pas primordial pour elle) et trouver la problématique.

■ **Analysez et définissez les mots clés du sujet** pour bien en saisir toutes les nuances et élargissez le sens de ce dernier pour en voir toutes les implications.

■ **Formulez la problématique avec vos propres mots**, de façon à vous l'approprier.

[INTRODUCTION]

Le texte de théâtre est double: texte à lire, texte à jouer. Cependant, certains auteurs ont écrit des pièces destinées à être lues (*Spectacle dans un fauteuil* de Musset, par exemple). Or « tout le monde sait que les comédies ne sont faites que pour être jouées » (Molière). La représentation est-elle indispensable pour apprécier et saisir le sens d'une pièce de théâtre ?

Musset, après l'échec en 1830 de sa première comédie en prose *La Nuit vénitienne* imagine le principe du **théâtre dans un fauteuil**, destiné à être lu et non pas représenté sur scène (ses pièces sont malgré cela souvent jouées).

I Le plaisir de la lecture

1. Le texte fournit l'essentiel

- Le **texte** (répliques et certaines didascalies internes) permet de comprendre et de saisir la dynamique de la pièce (l'intrigue et ses rebondissements) et d'imaginer les personnages (caractère et physique). [+ EXEMPLES PERSONNELS]
- Les **didascalies**, externes et internes, permettent d'imaginer les décors, les mouvements et les gestes des personnages, leurs mimiques et les intonations. [+ EXEMPLES PERSONNELS]

2. Un espace de liberté laissé au lecteur

- Le lecteur peut **fragmenter sa lecture**: pas de contraintes de temps ni de lieu; il peut revenir en arrière ou relire un passage qu'il n'a pas saisi.
- Il se représente les personnages librement, selon son **interprétation personnelle**. [+ EXEMPLES PERSONNELS]

3. Une participation active demandée au lecteur

- Le lecteur peut se mettre dans la peau de l'interprète ou du metteur en scène.
- Il prend alors plaisir à **imaginer lui-même** la mise en scène, à **participer** à la création de la pièce: concevoir des décors, des costumes, etc.
- Il peut imaginer **plusieurs interprétations** possibles de la pièce et, par conséquent, en saisir la multiplicité de sens. [+ EXEMPLES PERSONNELS]

[TRANSITION] La lecture laisse la pièce intacte, dans un devenir multiple, alors que la représentation fige la pièce et peut décevoir les attentes du lecteur. Mais le texte théâtral suffit-il ?

II Le plaisir de la représentation

1. Le spectacle : un art vivant

- La représentation est une fête pour les sens : décors, costumes et éclairages créent une atmosphère.
- Le théâtre se vit, il ne se pense pas. L'illusion théâtrale a une grande force émotive ; elle permet de représenter un spectacle plus vrai que le réel, grâce à l'impression d'un rythme (ralentissements générateurs de suspense, temps forts) et aux acteurs qui incarnent des personnages et leur donnent une voix, des gestes, une présence (« Il n'y a pas de théâtre sans incarnation », Mauriac).
- La pièce de théâtre n'est jamais la même, elle est chaque jour réinterprétée : parce qu'elle est imprévisible comme la vie, elle est source d'émotion.

« Il y a des cœurs humains sur la scène, des cœurs humains dans la coulisse, des cœurs humains dans la salle. » (Hugo)

2. La présence d'un public, personnage collectif

- Le spectateur éprouve la satisfaction de participer à la création du spectacle.
- Ionesco compare le spectacle de théâtre à un match, dans lequel la réception est collective : les réactions sont amplifiées par la présence d'un public. [+ EXEMPLES PERSONNELS]

3. La position privilégiée du spectateur, génératrice d'émotion

- Le spectateur sait tout, voit tout – plus que les personnages eux-mêmes – et pourtant, il ne peut intervenir.
- Il vit en direct et de l'intérieur les émotions et sentiments.
- Parfois le spectateur est pris à partie par un personnage et intégré, presque comme un personnage, dans la représentation (c'est le cas des apartés et monologues, qui ne produisent vraiment leur effet qu'à la représentation). [+ EXEMPLES PERSONNELS]

[TRANSITION] Le spectacle ne se borne pas à *représenter* le texte : la mise en scène est *interprétation*, elle procure du plaisir mais elle permet aussi de mieux comprendre le texte, de lui donner une nouvelle dimension.

III La représentation comme interprétation

1. Mieux comprendre

- La représentation peut faire **découvrir des aspects** que l'on n'avait pas saisis à la lecture: les décors permettent d'imaginer l'époque, des gestes et des objets symboliques peuvent aider à mieux comprendre un personnage. [+ EXEMPLES PERSONNELS]
- Elle est indispensable surtout quand le texte théâtral est réduit au minimum (didascalies plus nombreuses que les répliques, chez Beckett par exemple). [DOCUMENT 3]

2. Comprendre différemment

Le texte est unique, la représentation est multiple (chaque metteur en scène a une vision personnelle). Les choix du metteur en scène peuvent ainsi donner lieu à des adaptations inattendues ouvrant de **nouvelles perspectives** pour la pièce.

- Le metteur en scène peut changer des paramètres du texte: l'âge (un Sganarelle très jeune) ou le sexe d'un personnage (un valet devient une servante), par exemple.
- Certains metteurs en scène transposent l'action dans un autre cadre (*Les Fourberies de Scapin* dans un espace de cirque, à la Comédie-Française en 1990) ou à une autre époque (Ariane Mnouchkine fit en 1995 de Tartuffe un intégriste musulman).
- D'autres jouent sur le **registre de la pièce**, qui change alors de sens. *Dom Juan*, par exemple, a pu être interprété comme une tragédie (le téléfilm de Marcel Bluwal en 1965) ou de façon comique (la mise en scène de Daniel Mesguich en 2001).

[CONCLUSION]

Lire une pièce sans la voir représentée présente un intérêt certain; c'est toutefois ne pas respecter le principe du théâtre: seule la conjonction du texte lu et du spectacle construit véritablement la pièce.

Gardez une trace précise des **représentations théâtrales** auxquelles vous avez assisté: vou[s] devrez pouvoir e[n] préciser le mette[ur] en scène et la da[te] approximative et définir les choix [de] mise en scène.

SUJET 5 | La « tyrannie » du dramaturge

ÉCRITURE D'INVENTION

Pendant une répétition, l'actrice qui incarne Winnie dans *Oh les beaux jours* (→ document 3, p. 76) cesse soudain de jouer. Elle s'adresse au metteur en scène et exprime à quel point le texte de Samuel Beckett réduit sa liberté d'interprétation.
Vous rédigerez ce dialogue à deux voix sous forme de scène de théâtre, sachant que le mettur en scène soutient, pour sa part, les choix de l'auteur de théâtre.

DÉMARRONS ENSEMBLE

- Élaborez la « **définition** » du texte (→ sujet 3) à produire : *Scène de théâtre* [genre] *sous forme de dialogue argumentatif* [type], *sur la marge de liberté à laisser à l'acteur par un auteur* [thème], ? [registre], *pour défendre sa part dans la création théâtrale* [buts].
- Vous pouvez choisir un registre **polémique** (*pour sa part* indique une opposition) ou **didactique** (le metteur en scène impose sa conception, *dirige* les acteurs). Veillez à ce que le dialogue suive un **fil conducteur dynamique**.
- Les **thèses** sont celles de l'**actrice** (*L'auteur de théâtre qui multiplie les didascalies bride les acteurs dans leur liberté d'assurer leur fonction d'interprète ; ils ont leur part dans la création d'une pièce*) et du **metteur en scène** (*L'auteur de théâtre a le droit d'imposer aux acteurs leur interprétation ; il est le créateur de la pièce*). La **problématique** est : Faut-il suivre les directives de l'auteur d'une pièce ?
- Le dialogue doit avoir une **valeur argumentative** (arguments, exemples).
- Tirez des **exemples** de la scène jouée par l'actrice, d'autres pièces et mises en scène. Comparez des pièces classiques (peu de didascalies) et plus modernes. Qu'en concluez-vous sur le rôle de l'auteur, du metteur en scène et de l'acteur ?

CORRIGÉ

EXTRAIT RÉDIGÉ

POINT MÉTHODE

Définir le texte à produire dans une écriture d'invention

- Lisez attentivement le sujet : repérez les **contraintes** et les **choix** à faire.
- Extrayez de la consigne la « **définition** » du texte. Elle vous permet d'éviter le hors-sujet ou l'oubli de contraintes et de lister les faits d'écriture à utiliser.
- Précisez la **situation d'énonciation**, le **niveau de langue** et la **problématique** (d'un texte argumentatif).

ARIANE MONSALVAT. – Encore une journée divine... *Divine*! Vraiment! Drôle de divinité… Non, là, j'arrête… Je n'en peux plus… J'abandonne! Toutes ces indications scéniques qui étouffent le texte et me brident m'empêchent de *créer* vraiment le personnage… D'ailleurs, ce personnage qui n'est qu'un buste, qui ne peut jouer de son corps… C'est insupportable!

RAPHAËL LEDUIT. – Mais je ne comprends pas… Au contraire, tout vous est fourni, vous n'avez qu'à vous laisser porter par le texte, c'est réglé comme du papier à musique, l'auteur vous tient par la main.

ARIANE MONSALVAT. – Cela veut dire que je ne suis qu'une sorte de réceptacle sans âme, de haut-parleur… Alors, il suffirait de lire une pièce de théâtre! À quoi servons-nous?

RAPHAËL LEDUIT. – Mais non! Vous êtes obnubilée par les didascalies… Mais il y a le texte; chaque mot pèse et l'intonation que vous y mettez fait toute la différence. Je vous assure, il vous reste une marge considérable. Tenez, prenez ce simple «Hou-ou»… Il figure deux fois dans votre scène, mais il y a mille façons de le dire…

ARIANE MONSALVAT, *désabusée*. – Bien mince, comme latitude… Vous oubliez qu'une pièce de théâtre, c'est comme une partition… C'est l'interprète qui lui donne son rythme, son goût, son atmosphère… Nous sommes une matière vivante, pas un magnétophone désincarné…

RAPHAËL LEDUIT. – Oui, mais ce que vous devez faire, vous comédiens, c'est vous couler dans le texte et les indications les plus minimes…

ARIANE MONSALVAT. – Mais moi, je voudrais qu'on puisse dire: «J'ai vu la Winnie d'Ariane Monsalvat en 2005» comme on a pu dire: «J'ai vu la Phèdre de Sarah Bernhardt…» Je veux vraiment contribuer à la création d'un personnage que j'aurai marqué de mon empreinte… Une fois écrite, une pièce n'appartient plus à son auteur… J'ai vu en vidéo ce que Beckett a fait à Berlin, quand il y supervisait les répétitions d'une de ses pièces. Il réglait tout comme du papier à musique, comme vous dites… Presque un rituel. La mise en scène pour lui, c'était de verrouiller ce qu'il voulait avoir mis dans le texte. Il ne se préoccupait pas trop de la position de l'acteur. […]

Ne donnez pas à vos personnages des **noms** trop banals (M. Mart… composés d'initiales (M. X… ou de jeux de m… douteux (Jean Tran-Sen pour u… acteur). Il faut que l'on croie à vos personnages le nom est un élément importa… pour créer cette illusion.

Améliorez votr… style en repéra… la singularité et les faits d'écritu… des **genres et registres** (→ fiches 12 et 1… dans les explications de l'année. **Imitez-**les dans de cour… textes écrits régulièrement.

SUJET 6 | Un mythe moderne

ÉPREUVE ORALE

Texte : *La Machine infernale,* de J. Cocteau (→ document 2, p. 74).

Question : D'où vient l'étrangeté de cette scène de nuit de noces reprise d'un mythe antique que l'auteur a modernisé ?

DÉMARRONS ENSEMBLE

- Les mots essentiels de la question sont *étrangeté, mythe antique, modernisé*. Ils fournissent des pistes pour vos axes.
- Distinguez et relevez ce qui rappelle le **mythe d'Œdipe** et les **éléments qui actualisent** cette scène (anachronismes, expressions modernes...).
- Cherchez d'où vient l'**atmosphère angoissante** qui crée le malaise chez le spectateur.
- **Ordonnez** vos axes de façon logique (vous n'êtes pas obligé de suivre l'ordre de la question) : allez du plus évident au plus complexe. Veillez à ce que la longueur des axes soit équilibrée.

N. B. Les expressions du plan détaillé suivant sont surlignées selon le code ci-dessus.

CORRIGÉ

PLAN DÉTAILLÉ

POINT MÉTHODE

Tenir compte de la question posée

- Vous devez analyser précisément la **question posée**, qui oriente votre lecture (et non pas restituer telle quelle l'explication faite en classe) pour recomposer autour d'elle votre lecture analytique de l'année. À chaque question correspond un plan différent.
- Pour éviter le hors-sujet, intégrez au moins un **mot important de la question dans l'intitulé de chaque axe de lecture**.

  Pour la question : *Quels sont les registres de cette scène ?* on peut avoir comme plan : *1. Une scène au registre lyrique. 2. Une scène au registre tragique.*
- Une question large doit être scindée en plusieurs sous-questions.

  À quoi tient l'originalité de cette scène ? se scinde en : *Qu'a d'original cette scène : 1. du point de vue des personnages ? 2. de l'action ? 3. de son sens ?*

N. B. N'hésitez pas à demander des éclaircissements à l'examinateur avant de préparer votre lecture (*Vous me demandez bien de... ?*).

[INTRODUCTION]

Les reprises de mythes antiques sont fréquentes dans le théâtre du XXe siècle (→ fiche 18). Ces réécritures s'accompagnent d'une modernisation qui traduit une nouvelle conception de la condition humaine. Dans *La Machine infernale,* Cocteau revisite le mythe d'Œdipe, exploité par la psychanalyse (le complexe d'Œdipe). À l'acte III, les prédictions des oracles se sont réalisées : Œdipe, héritier du trône de Thèbes, a (sans le savoir) tué son père, il a répondu aux questions du Sphinx : il a ainsi le droit d'épouser la reine veuve Jocaste (en fait, sa mère). [LECTURE DU TEXTE] [REFORMULATION DE LA QUESTION] Qu'est-ce qui donne à cette réécriture moderne du mythe d'Œdipe son originalité ? [ANNONCE DES AXES]

Soignez la **lecture du texte** : elle doit être claire, intelligible et expressive. Pour cela, entraînez-vous tout au long de l'année. Pour un texte de théâtre, demandez à votre examinateur avant de commencer s'il souhaite que vous lisiez les didascalies.

I Un mythe antique modernisé

1. Les éléments du mythe antique

- **Le lieu et le décor**. « Thèbes », « architectures de la ville », le « mur de ronde ».
- **Les accessoires**. Le « berceau », le « lit », « costumes du couronnement ».
- **Les personnages**. Ils sont sur scène (Jocaste et Œdipe, roi et reine) ou seulement mentionnés : Créon, « le sec, le dur, l'inhumain », est présenté sous son aspect traditionnel ; Laïos, le premier mari de Jocaste, tué par Œdipe, est évoqué par le « mur de ronde » où il est apparu dans l'acte I.
- Les **événements** sont **passés** (« la mort de l'enfant » ; « le chien fontaine » – peut-être Anubis, qui refuse que le Sphinx change le cours du destin d'Œdipe ?) et **présents** (la nuit de noces qui marque la consommation de l'inceste).

2. La modernisation du mythe

Il s'agit d'une scène de nuit de noces banalisée.

- La chambre comporte des **éléments d'un goût douteux** : « large lit », « fourrures blanches », « peau de bête ».
- Le **dialogue** est **banal** : apostrophes amoureuses un peu mièvres, ordinaires (« petit vainqueur », « mon cher amour », « mon pauvre adoré », « ma pauvre chérie », « notre premier amour ») et niveau de langue courant voire familier (tutoiement inhabituel dans la tragédie, onomatopée familière [« ouf »], vocabulaire courant [« gamin », « me secouer »].

- Cocteau introduit des réalités modernes (anachronismes) comme le « rouge aux lèvres ».

[TRANSITION] La réécriture n'est cependant pas imitation : Cocteau compose ici une scène de tragédie d'un nouveau genre, angoissante et étrange.

II Une atmosphère et des personnages étranges

1. Le lieu et le décor : l'enfermement du destin

- La chambre, lieu à l'atmosphère étouffante, crée l'angoisse à travers les métaphores de la « prison » (répété) et de la « cage » et les notations symboliques (le rouge symbolise l'amour, mais aussi la mort : celle, passée, de l'enfant et le suicide à venir). La comparaison avec une « boucherie » en fait un espace réaliste de mort et d'horreur, métaphore du destin.

- Le décor présente des objets inquiétants et étranges. Le berceau n'a pas sa place dans une nuit de noces : il rappelle ici le « fantôme » de l'enfant perdu (objet fétiche de la maternité, qui a accompagné la solitude de Jocaste) et représente le désir d'enfant d'Œdipe (« berceau de ma chance »). Pour le spectateur qui connaît le mythe, ce berceau fatal rappelle le destin. Les « fourrures » et la « peau de bête » suggèrent la sauvagerie et la sensualité de Jocaste.

2. Des personnages ambigus aux attitudes étranges

- Œdipe est à la fois amant et fils (« gamin, enfant ») de Jocaste.

- Leur « fatigue » (« tête tombe », « tomber dans le vague ») et leur confusion (« voix confuse », « hagarde ») produisent une curieuse alternance d'une part d'endormissement (créant un effet de ralenti) et de réveil (« réveillé en sursaut », « sursaute »), d'autre part de lucidité apparente et de moments de rêve.

[TRANSITION] Ces personnages de souverains ne sont pas maîtres de la situation.

Vous ne pouvez pas réciter l'explication faite en classe : il faut **répondre à la question posée**. Analysez précisément la question pour « recomposer » autour d'elle votre lecture analytique de l'année. Chaque question implique un plan différent.

III Un dialogue et une fatalité étranges

1. Un dialogue absurde

- Les personnages eux-mêmes signalent l'absurdité du dialogue qui ne fonctionne plus : « Je te parle de chien fontaine, tu me parles de mur de ronde [...] tu m'écoutes ? ».
- Certaines phrases sont incomplètes (points de suspension) ou se résument à des balbutiements.
- Des questions hallucinées (« J'ai dormi ? ») et les répétitions (« je dis... je dis... que... », « ce mur [...] Ce mur de ronde ») révèlent la perte de conscience logique.
- Les mots affectifs sont ambigus : amants ou mère et enfant ?

2. La position du spectateur : l'ironie du sort

Pour le spectateur qui connaît le sort du personnage d'Œdipe, les mots prononcés inconsciemment par les personnages prennent une valeur prémonitoire et se chargent d'ironie tragique.

- Les éléments du rêve énigmatique, manifestation évidente de l'inconscient, annoncent la destinée funeste d'Œdipe. Le spectateur comprend que le « chien fontaine » représente Anubis (qui exige à l'acte II que s'accomplisse le destin) et que le « mur » rappelle Laïos et le parricide qui précède l'inceste annoncé.
- Le couple utilise des mots prémonitoires à double sens :
  - « je suis *morte* » et « tu *meurs* (de fatigue) » sont employés au sens figuré, mais le spectateur les prend au sens propre ;
  - « il sera le berceau de ma chance » : le spectateur sait que ce sera le contraire ;
  - pour Œdipe la « nuit » est « unique » et ne doit pas « sombre[r] dans le sommeil » (synonyme ici d'oubli) parce que c'est celle de ses noces ; elle deviendra effectivement une nuit mémorable mais par son tragique, au point de devenir un mythe.

Ne limitez pas vos connaissance[s] à la littérature française ; faites-vous un stock de **références artistiques** ou d'**œuvres littéraires étrangères** variées en liaison avec vos textes d'oral. Elles vous servir[ont] pour l'ouverture de vos lectures analytiques et pour l'entretien.

[CONCLUSION]

[SYNTHÈSE] Dans sa réécriture d'un mythe pourtant souvent repris par la littérature, Jean Cocteau crée une atmosphère et des personnages originaux par leur étrangeté et lui donne un nouveau sens. [OUVERTURE] La richesse des mythes antiques ne se manifeste pas seulement dans la littérature ; ils ont aussi inspiré de nombreux peintres et musiciens (l'opéra *Elektra* de R. Strauss).

Le roman et le personnage romanesque

FICHES

BILAN

SUJETS CORRIGÉS

23 Le roman, genre multiforme et complexe

Le roman est un genre littéraire original qui revêt des formes multiples, emprunte à tous les genres en même temps qu'il s'en démarque et comporte des composantes complexes.

I Définition du mot *roman*

Au **Moyen Âge**, le mot ***roman*** désignait la langue populaire (par opposition au latin) et, comme genre littéraire, une histoire d'aventures amoureuses en prose.

Le mot *roman* désigne une **œuvre narrative** de fiction en prose, relativement longue, qui crée un monde et donne vie à des **personnages imaginaires**, les fait évoluer dans un milieu ou des situations diverses en rapport avec la réalité, et donne l'illusion de la vie.

II La diversité du roman

1. Un genre aux formes multiples

Considéré d'abord comme un genre mineur, le roman s'est développé librement en dehors de toute règle.

- Le **roman historique** est fortement ancré dans la réalité historique, reconstituée plus ou moins fidèlement. Il dépayse le lecteur ; certains de ses personnages sont des figures historiques réelles (Danton, Mirabeau, Robespierre...).

  Quatrevingt-treize (1874) de Hugo

- Le **roman picaresque** donne une vision du monde par les tribulations de son héros populaire, aventurier, parfois voleur ou vagabond (un picaro), qui traverse les milieux sociaux.

  Gil Blas de Santillane (1715-1735) de Lesage

- Le **roman d'aventures** multiplie les péripéties sentimentales, scientifiques (notamment dans la science-fiction)

  Le Capitaine Fracasse (1863) de Gautier
  Voyage au centre de la Terre (1864) de Verne

- Le **roman d'apprentissage** retrace l'« éducation » du héros dans son parcours affectif, social ou moral.

  L'Éducation sentimentale (1845) de Flaubert

- Le **roman d'analyse** privilégie la peinture psychologique, analyse les mouvements de l'âme et de l'affectivité.

  La Princesse de Clèves (1678) de Mme de Lafayette
  Un amour de Swann (1913) de Proust

- Le **roman de mœurs** donne l'image d'une société : ses personnages sont intimement mêlés au contexte social et politique.

  Germinal (1885) de Zola

- Le **roman policier** propose une énigme, privilégie le mystère et le suspense, suscite la peur et défie la sagacité et les qualités de raisonnement du lecteur. Il comporte un certain nombre de personnages types, comme le criminel, le détective…

  Les aventures d'Hercule Poirot par Agatha Christie

- Le **roman épistolaire** est un roman sans narrateur, constitué uniquement des lettres de correspondants fictifs et multiples, parfois éloignés dans l'espace – ce qui permet l'exotisme et la confrontation des cultures. La perception naïve de la réalité par les correspondants met en valeur les travers d'une époque.

  Les Lettres persanes (1721) de Montesquieu

> Au XVIIIe siècle, le **roman épistolaire** est le support idéal pour rendre compte d'une société aux réseaux multiples (*Les Liaisons dangereuses* de Laclos, 1782).

- Le **roman autobiographique** voit un écrivain déguiser en fiction le récit de sa vie (à la première, voire à la troisième personne).

  René (1802) de Chateaubriand
  Le Grand Meaulnes (1913) d'Alain-Fournier

- Certains romans sont **à la croisée de ces formes.**

  Le Meilleur des mondes (1932) de Huxley est un roman d'aventures – de science-fiction – et de mœurs.

2. À la croisée de tous les genres : points communs et différences

- **Roman et poésie.** À la différence de la poésie, le roman a une trame narrative, donne vie à des personnages que l'on suit dans leur cheminement.
  Mais il comprend parfois des passages – notamment des descriptions – lyriques ou surréalistes proches de la poésie.

- **Roman et théâtre.** À la différence du théâtre, le roman comporte un narrateur, s'inscrit dans la durée, analyse les personnages de l'extérieur et s'adresse à un lecteur individuel et non à un public.
  Mais il retrace des conflits, des crises et retranscrit parfois des dialogues (au style direct) qui pourraient constituer de véritables scènes de théâtre (en particulier dans la représentation de conflits).

Roman et histoire. À la différence de l'histoire, le roman ne prétend pas être une science, il n'exprime pas la réalité.
Mais il peint aussi l'homme dans la durée, reconstitue une époque.

« Le roman est l'histoire du présent, tandis que l'histoire est le roman du passé.
(G. Duhamel)

Roman et cinéma. Le roman n'est pas un art visuel, il sollicite l'imagination du lecteur et s'adresse à l'individu et non à un public.
Mais il raconte aussi une histoire, fait vivre des personnages. Certains termes sont communs *(focalisation, flash-back, accroche...)*, certaines techniques très proches (la *voix off* équivaut aux interventions du narrateur ou au monologue intérieur des personnages). De nombreux romans sont adaptés au cinéma.

Roman et essai. À la différence de l'essai, le roman raconte une histoire.
Mais il fait parfois partager des idées (sociales, politiques) ou comprend des passages où les personnages argumentent sur des questions relevant de la littérature d'idées.

Roman et apologue. À la différence de l'apologue, le roman est ample et n'a pas de morale explicite.
Mais il propose parfois une vision de la vie et du monde et incite le lecteur à tirer une leçon de sa lecture.

Le Petit Prince (1943) de Saint-Exupéry
L'Alchimiste (1995) de Coelho

III Les composantes du roman

1. Auteur, narrateur et personnage

L'auteur (ou romancier) est la personne réelle qui a écrit le roman (Balzac, Zola, Malraux...).
Le **narrateur** est celui qui raconte l'histoire, qui présente faits et personnages. Il existe plusieurs modes de narration (→ p. 101): le narrateur peut s'effacer complètement ou manifester sa présence. S'il est dans l'histoire, on parle de *narrateur personnage*; il peut alors être le personnage principal, un personnage secondaire ou un simple témoin.

Définir le **statut du narrateur**, c'est déterminer l'identité et la position de celui qui raconte.

Le personnage est la créature imaginaire du romancier. Bien qu'il puisse sembler réel, il n'existe que par l'imagination de l'auteur et du lecteur (Mme de Clèves est la création de Mme de Lafayette, Eugénie Grandet celle de Balzac, Tchen celle de Malraux...).

2. Qui voit ? Les trois points de vue

Définir le **point de vue** ou la **focalisation**, c'est déterminer qui voit et quelle est la manière de voir du narrateur, sa position.

	Caractéristiques et effets produits	Faits d'écriture
Point de vue externe	▶ Le narrateur voit, sait et raconte uniquement **comme une caméra**, avec un **angle de perception limité** (décor partiel, faits, gestes et paroles des personnages). Il se limite à l'aspect extérieur. ▶ **Neutralité**, authenticité, proche du documentaire.	Verbes d'état, phrases déclaratives, présentatifs, paroles rapportées au style direct.
Point de vue interne	▶ Le narrateur voit, sait et raconte uniquement **comme un personnage**, avec un **angle de perception limité** dans le temps et dans l'espace. ▶ Mode de vision restreint et **subjectif**.	Lexique des émotions et des sentiments, termes appréciatifs, phrases exclamatives et interrogatives, paroles rapportées au style indirect libre.
Point de vue omniscient ou focalisation zéro	▶ Le narrateur **voit, sait et peut raconter tout dans le temps et l'espace**. Il connaît tous les personnages, retranscrit leurs pensées, en sait souvent plus qu'eux. ▶ Permet une compréhension complète et claire de la narration et des personnages et crée une illusion réaliste.	Variations dans les lieux et le temps (retours en arrière…), commentaires et analyses sur les personnages.

3. Les différents types de textes dans le roman (→ fiche 5)

- **La narration**. Le roman comporte essentiellement du récit, parce qu'il s'inscrit dans le temps (diverses époques de la vie des personnages) et dans une durée (variable). La suite d'épisodes racontés constitue l'**intrigue**.
- **La description**. Le roman comporte des descriptions, qui sont autant de pauses, d'**arrêts sur image**. La description d'un personnage constitue un **portrait**.
- **L'argumentation**. Les personnages peuvent être amenés à argumenter, notamment lorsqu'ils dialoguent ou réfléchissent.
- Faits d'écriture de ces types de textes : → fiche 5.

24 Le roman aux XVIIe et XVIIIe siècles

Le roman trouve ses origines dans les divers genres de l'Antiquité, puis devient un genre à part entière, baroque et classique au XVIIe siècle, contestataire et sentimental au XVIIIe siècle.

I Les origines du roman

▪ On peut faire remonter les **origines du roman** aux genres littéraires de l'**Antiquité**: épopée (*Iliade* et *Odyssée* d'Homère), ouvrages historiques et poésie pastorale. Au Ier siècle av. J.-C., le « roman » grec et latin naît du mélange de ces genres : il comporte déjà une intrigue fictive mais souvent vraisemblable, aux péripéties multiples et aux personnages plus réalistes, moins caricaturaux que ceux de la comédie antique.

▪ Au **Moyen Âge** et à la **Renaissance**, épopée et roman étaient confondus : on peut déjà considérer les parodies d'épopée *Pantagruel* (1532) et *Gargantua* (1535) de Rabelais (→ fiche 50) comme des romans d'aventures.

Le ***Satiricon*** (Ier siècle) de Pétrone raconte les aventures de deux étudiants grecs dans la Rome décadente de Néron. ***L'Âne d'or*** d'Apulée (IIe siècle), au héros transformé en âne, mêle péripéties amoureuses, crimes et magie.

II Le XVIIe siècle : entre baroque et classicisme

Les contrastes du XVIIe siècle, tiraillé entre baroque et classicisme (→ fiche 45), se reflètent dans le genre romanesque.

1. Les romans baroques et précieux

Le roman apparaît comme un espace de liberté marqué par le spectaculaire. Il se construit souvent sur des histoires épiques. Dans le contexte baroque, il oscille entre **deux tendances**.

▪ **Merveilleux et idéalisme de la littérature précieuse.** Cette première tendance idéalise l'homme, épris d'absolu, à la recherche d'un amour spirituel.

Le **roman pastoral et sentimental** connaît un grand succès, notamment *L'Astrée* (1607-1619) d'Honoré d'Urfé.

Le **roman pastoral** raconte les aventures romanesques de bergers et bergères dans un cadre campagnard peuplé aussi de nymphes.

Les **romans héroïques** racontent les aventures de personnages aristocratiques dont ils décrivent les mœurs et le caractère passionné : Madeleine de Scudéry écrit *Le Grand Cyrus* (1649-1653) et *Clélie* (1654-1660), romans fleuves **précieux**.

Ce sont les **romans héroïques** qui « tournent la tête » des précieuses ridicules de Molière.

- **Réalisme et burlesque souvent comique.** La seconde tendance du baroque décrit les **réalités quotidiennes** les plus crues et insiste sur l'importance du corps et les défauts de l'homme, dans des récits d'aventures souvent burlesques. Les personnages réalistes sont de petits bourgeois et des gens du peuple.

Les romanciers rendent aussi compte de la **diversité de l'homme**, de ses contradictions, et introduisent une dimension comique par l'exagération.

La Vraie Histoire comique de Francion (1623) de Sorel est la première grande œuvre de la littérature bourgeoise : immortalité de l'âme, hiérarchie sociale, culte de l'argent et de la puissance y sont dénoncés dans un langage populaire et coloré.
Le Roman bourgeois (1666) de Furetière peint avec réalisme et humour la bourgeoisie de l'époque.
Le Roman comique (1651-1657) de Scarron raconte la vie itinérante de comédiens sous Louis XIII et peint les mœurs provinciales de façon burlesque.

Don Quichotte (1605-1614) de l'Espagnol Cervantès sert de modèle aux romanciers français Sorel ou Scarron : un petit noble de province vit dans l'illusion des aventures héroïques des romans de chevalerie qui lui ont tourné la tête.

2. Le roman classique

En réaction à ces excès, et fortement marqués par une vision théâtrale du monde, les romans classiques sont peu nombreux.

- Souvent historiques, ils visent la **concision** et la **vraisemblance**. Ils mettent en scène des héros nobles, aux valeurs aristocratiques.
- Le roman classique privilégie l'**analyse psychologique** des personnages, présente une **portée morale** et propose une vision pessimiste et austère de la vie et du monde ; il se rapproche par là de la tragédie.
- ***La Princesse de Clèves*** (1678) de Mme de Lafayette est considéré comme le **premier véritable roman français** : c'est un roman historique (il se déroule au XVIe siècle dans la cour d'Henri II), d'analyse (il décrit avec minutie les étapes du sentiment amoureux) à portée morale (il raconte la lutte de la jeune Mme de Clèves pour ne pas trahir les valeurs morales inculquées par sa mère et sa fidélité jurée à son mari).

III Le XVIIIe siècle : variété et liberté des Lumières

Genre jusqu'alors mineur et associé au merveilleux, le roman rend désormais compte des aspirations du siècle et de l'évolution de la pensée et de la société.

1. Le roman des Lumières

Le roman des Lumières se fait le reflet de la société de l'époque et le champ de la contestation des écrivains.

- Le **roman d'apprentissage** montre un être humain qui se construit à partir de ses expériences. Il rend compte de l'**ascension sociale** des personnages : même d'origine modeste, l'individu s'impose par son mérite personnel face à une aristocratie accrochée à ses privilèges.

  Gil Blas de Santillane (1715-1735) de Lesage

- Le **roman de mœurs** peint la société, les vices moraux de l'aristocratie sans scrupule et prend une portée morale. Les romanciers y décrivent, en **toile de fond**, la **société** que les philosophes veulent transformer.

- Le **roman philosophique** confronte le héros à des personnages qui soutiennent des thèses philosophiques autour des problèmes du siècle.

  Les Lettres persanes (1721) de Montesquieu
  Le Paysan parvenu (1735) de Marivaux
  Jacques le Fataliste et son maître (1778) et *Le Neveu de Rameau* (1762-1777) de Diderot

Le roman épistolaire ***Les Liaisons dangereuses*** de Laclos (1782) peint les milieux libertins où règnent la dépravation morale et la recherche effrén[ée] du plaisir.

2. Un avant-goût du XIXe siècle

Le **roman sentimental des Lumières** exprime une sensibilité qui se fait l'**écho du cœur et de l'âme** (« Exister pour nous, c'est sentir », Rousseau). Dans son roman épistolaire *La Nouvelle Héloïse* (1756), Rousseau peint avec lyrisme des « êtres selon [s]on cœur » (amoureux, tourmentés, généreux). Comme Bernardin de Saint-Pierre (1737-1814) avec *Paul et Virginie*, il annonce des thèmes chers aux romantiques : **amour, nature, exotisme.**

25 Le roman du XIXe siècle à nos jours

C'est au XIXe siècle que le roman est reconnu comme un genre prépondérant capable de rendre compte de la société, de l'homme et du monde. Le XXe siècle remet ensuite en cause la tradition et la notion de héros romanesque.

I Le XIXe siècle, siècle du roman

1. 1800-1830 : des débuts difficiles

- Considéré comme écrit par et pour les femmes, le roman reste **en marge de la littérature** et n'est pas encore reconnu comme un genre à part entière.
- Le **roman du XIXe siècle** va naître de diverses tendances du XVIIIe siècle : **roman psychologique**, **roman historique** (Walter Scott, *Ivanhoé*, 1819), **roman d'aventures** (Chateaubriand, *Atala*, 1801).

En Allemagne, *Les Souffrances du jeune Werther* (1774) de Goethe marque le début du culte du moi, du goût pour la **psychologie**.

2. 1830-1850 : reconnaissance et promotion

- C'est après 1830 que le roman fait son entrée dans la littérature dite sérieuse.
- Le roman quitte le merveilleux pour s'ancrer dans **un réel proche du lecteur**. Les personnages, souvent représentatifs de **types humains**, sont fortement ancrés dans leur milieu qui bride leurs aspirations. Le conflit qui les oppose à la société les engage dans un processus d'apprentissage.

  Les héros de *Le Rouge et le Noir* (1830) de Stendhal

- Parallèlement, le **roman-feuilleton** passionne un lectorat de plus en plus populaire.

  Les Trois Mousquetaires (1844) et Le *Comte de Monte-Cristo* (1845-1846) de Dumas

- Le **héros romantique** est un être hors du commun, par sa sensibilité, sa grandeur d'âme ou au contraire son abjection. Il est la proie de passions violentes.

  Les Misérables (1843-1862) de Hugo

« Faire concurrence à l'état civil » : c'est l'ambition de Balzac dans sa *Comédie humaine*.

Pour Stendhal, un roman est « un miroir qui se promène sur une grande route ».

3. 1850-1900 : les romans réaliste et naturaliste

Dans la seconde moitié du XIXe siècle, le **héros** est **désacralisé** : le roman se peuple de **personnages ordinaires** et parfois **collectifs**.

- **Le roman réaliste.** Après avoir été tenté par le romantisme, **Flaubert**, désireux de « fouill(er) le vrai », se tourne vers le réalisme : né d'un créateur pessimiste, le personnage n'est plus un héros mais fait partie de l'humanité moyenne, souvent voué à l'échec.

  Madame Bovary (1857) et *L'Éducation sentimentale* (1869) de Flaubert

- **Le roman naturaliste.** Inspirés de la génétique et des **sciences expérimentales**, **Zola** et **Maupassant** font du personnage un champ d'étude et d'expérience presque scientifique et soulignent l'importance du milieu dans la formation des êtres. C'est aussi l'apparition de personnages collectifs (les mineurs de *Germinal*).

  Les Rougon-Macquart de Zola

« Le **roman naturaliste** [est] simplement une enquête sur la nature, les êtres et les choses. […] L'œuvre devient un procès-verbal, rien de plus. » (Zola)

II Le XXe siècle : fluctuations du personnage et roman en crise

1. L'intrusion dans l'univers mental du personnage

- **La peinture d'un univers intérieur.** Influencés par les écrivains anglo-saxons, les romanciers peignent de moins en moins les êtres de l'extérieur : ils tentent de pénétrer leur univers intérieur et de donner une **vision subjective du monde** à travers leurs personnages.

  À la recherche du temps perdu (1913-1927) de Proust
  L'Immoraliste (1902) de Gide
  Thérèse Desqueyroux (1927) de Mauriac

- **Le héros témoin.** Les deux guerres mondiales et les profonds bouleversements historiques servent de toile de fond à des **romans qui s'interrogent sur le sens de l'existence**, à travers les réactions et les réflexions de personnages acteurs ou spectateurs de ces secousses de l'histoire.

  Voyage au bout de la nuit (1932) de Céline
  La Condition humaine (1933) et *L'Espoir* (1937) de Malraux
  Un roi sans divertissement (1948) de Giono

- **De grandes fresques humaines.** Certains romanciers perpétuent le principe des suites romanesques qui suivent le destin de familles entières.

  Les Thibault (1920-1940) de Roger Martin du Gard
  Les Hommes de bonne volonté (1932-1946) de Jules Romains

2. Le personnage mis à mal

La seconde moitié du XXe siècle conteste le modèle romanesque.

- **Les romanciers surréalistes.** Adversaires de tout réalisme, ils désarticulent le personnage au gré de leur imagination libérée.

  Nadja (1928) de Breton

- **Le nouveau roman.** Il conteste la tradition romanesque et le personnage qui « appartient bel et bien au passé » (Alain Robbe-Grillet et les auteurs du nouveau roman : *Le Planétarium* [1959] de Sarraute, Beckett...).

- Quand il n'est pas détruit, le personnage devient un **antihéros** insipide, médiocre et banal (*L'Étranger* [1942] de Camus) ou englué dans la société de consommation (*Les Choses* [1965] de Perec).

« Nous en a-t-on assez parlé du "**personnage**" ! Et ça ne semble, hélas, pas près de finir. Cinquante années de maladie, le constat de son décès enregistré à maintes reprises [...]. C'est une momie à présent [...]. » (Robbe-Grillet)

3. Le retour du personnage

- **Le personnage a survécu** et fait preuve de vitalité, notamment dans les littératures étrangères – indienne d'expression anglaise (Naipaul, Vikram Seth), sud-américaines (Garcia Marquez), francophones (Tahar Ben Jelloun).

- **En France**, P. Modiano ou J. M. G. Le Clézio confient à des personnages attachants leur propre **quête d'identité et de bonheur**.

- Confronté à la civilisation moderne, le personnage renvoie au lecteur une **image de la modernité** et du monde qui l'environne, de ses crises et de ses voies nouvelles.

EN BREF : DES ROMANS À CONNAÎTRE

- Mme de Lafayette, *La Princesse de Clèves*, 1678
- Choderlos de Laclos, *Les Liaisons dangereuses*, 1782
- Stendhal, *Le Rouge et le Noir*, 1830
- Honoré de Balzac, *Le Père Goriot*, 1835
- Gustave Flaubert, *Madame Bovary*, 1857
- Victor Hugo, *Les Misérables*, 1843-1862
- Émile Zola, *Germinal*, 1885
- André Gide, *La Symphonie pastorale*, 1919
- François Mauriac, *Thérèse Desqueyroux*, 1927
- Louis-Ferdinand Céline, *Voyage au bout de la nuit*, 1932
- André Malraux, *La Condition humaine*, 1933
- Albert Camus, *L'Étranger*, 1942
- Georges Perec, *Les Choses*, 1965

26 La construction d'un personnage romanesque

Le personnage romanesque est un être fictif qui devient vivant pour le lecteur. Né de l'imagination créatrice de son auteur, il se construit au fil de la lecture à travers un faisceau d'éléments matériels et humains et une évolution. Étudier un personnage de roman, c'est analyser ce qui le fait exister, repérer son statut et son parcours dans le roman.

I La création du personnage

1. La fiche d'identité

- Le **nom** identifie et place le personnage dans un **milieu**, un **pays** (l'anarchiste russe Souvarine dans *Germinal*). On trouve parfois une « certaine harmonie entre la personne et le nom » (Balzac), qui peut être symbolique : Sancho Pança (la panse) dans *Don Quichotte* est surtout préoccupé par la nourriture ; le nom de Gobseck (gobe sec) chez Balzac peint symboliquement l'usurier qui « avale tout sans que cela le rende plus gras ».
- Le nom révèle souvent l'**origine sociale** : Julien Sorel est fils de charpentier ; Mathilde de La Mole est fille de marquis.
- Il marque aussi la **fonction dans un groupe social ou familial** : M. Homais est le pharmacien de Yonville *(Madame Bovary)*.

Un **personnage éponyme** donne son nom au titre de l'œuvre où il apparaît *(Le Père Goriot)*.

Le personnage peut aussi avoir un **surnom évocateur** : Bel-Ami de Maupassant ; Folcoche, la marâtre, dans *Vipère au poing*.

2. Le portrait

- Le **portrait physique** révèle traditionnellement le caractère. Il peut être statique ou en action.
- Le **portrait moral** analyse le personnage psychologiquement et donne l'impression de le connaître en profondeur et de pouvoir anticiper sa conduite.
- Le **portrait en paroles** renseigne sur le niveau social et culturel, l'origine géographique, l'âge, les émotions et la personnalité du personnage (le père Bonnemort, vieux mineur qui converse avec Étienne dans *Germinal*).
- Le narrateur dispose de plusieurs façons de rapporter ces paroles (→ fiche 4).

3. Le milieu, les objets, les autres personnages

- Le **milieu**, le **décor** définissent le personnage historiquement, socialement… Les naturalistes insistent sur l'interaction entre le milieu et le personnage.

- Certains **lieux** ou **objets** à valeur sentimentale ou symbolique éclairent le personnage (la casquette de Charles Bovary), révèlent son univers mental (Thérèse Desqueyroux et la forêt des Landes).
- Les personnages s'éclairent mutuellement : des couples se créent, par **ressemblance**, **complémentarité** (Rieux et Tarrou dans *La Peste*) ou **contraste** (Don Quichotte et Sancho Pança). Certains personnages sont l'**initiateur** d'un autre qu'ils révèlent à lui-même et au lecteur (Vautrin pour Rastignac) ou sa **victime** (Cosette souffre-douleur des Thénardier).

II La nature et le statut du personnage

1. Nature du personnage romanesque

- Le personnage est **totalement fictif** ou **historiquement réel** (Napoléon dans *Guerre et Paix*).
- Ce peut être un **individu** (Étienne Lantier dans *Germinal*) ou un **personnage collectif** (une foule, un groupe social), notamment à partir du XIXe siècle (les mineurs de *Germinal*).
- C'est un **héros** qui accomplit des faits hors du commun et qui cristallise l'admiration par sa force de caractère (Jean Valjean dans *les Misérables*) ou un **antihéros**, notamment au XXe siècle, qui représente l'humanité ordinaire (Meursault dans *L'Étranger*).

Un **animal**, un **objet**, un **lieu** peuvent devenir un personnage : l'alambic de *L'Assommoir*, le puits de mine Le Voreux de *Germinal*, la ville d'Oran de *La Peste*...

2. Importance et statut du personnage dans le roman

- Le **personnage principal** domine le roman et l'action tourne autour de lui.
- Les **personnages secondaires** gravitent autour de ce dernier, le font réagir et l'éclairent.
- Les « **figurants** » n'ont pas d'épaisseur psychologique, mais évoluent en toile de fond et aident à recréer un monde autour du personnage principal.

Rôle du personnage dans l'intrigue : il mène l'action (**sujet**), est un obstacle pour un autre personnage (**opposant**) ou le seconde (**adjuvant**).

- Le **parcours général** est particulièrement mouvementé dans les romans d'initiation *(Le Rouge et le Noir)* et d'aventures, moins agité, essentiellement psychologique, dans les romans d'analyse *(Thérèse Desqueyroux)*.
- Certains **moments clés** sont très formateurs : scènes d'initiation, de rencontre, d'action, de rupture, de choix, de crise. Certaines scènes se font écho (rencontre de Julien avec Mme de Rênal, puis avec Mathilde, dans *Le Rouge et le Noir*).
- Des **retours en arrière** et des **prospectives** permettent au romancier de rendre compte de cette évolution (→ fiche 28).

27 Personnage, narrateur, auteur et lecteur

Le personnage est au centre du roman : il entretient des relations étroites et complexes avec le narrateur, le lecteur et l'auteur. Son histoire révèle une vision de l'homme et du monde et confère au roman des fonctions multiples.

I Le personnage romanesque et son narrateur

Le personnage est **dépendant du narrateur** : la vision que le lecteur en a, l'image qu'il s'en construit passent en effet par les **choix** du narrateur.

- Le narrateur intervient et **marque son jugement** directement par des commentaires ou indirectement par des indices de subjectivité (→ fiche 2) ou des sous-entendus (→ fiche 3).
- Le narrateur **joue des différents points de vue** (→ fiche 28).

II Le personnage romanesque et son lecteur

Le roman est destiné à la lecture individuelle. Son ressort fondamental est le **lien entre le lecteur et le(s) personnage(s)**.

- Le lecteur retrouve dans le personnage ses **aspirations profondes**, soit que le personnage incarne un **idéal** du lecteur (Rieux dans *La Peste* de Camus se dévoue à une cause humaine), soit qu'il permette une ***catharsis***, une purgation des passions.
- Il peut y avoir identification du lecteur au personnage, qui peut l'aider à **se comprendre lui-même**, notamment dans le roman d'analyse psychologique ou à **comprendre l'être humain**, le monde dans lequel il vit (Meursault dans *L'Étranger* de Camus).

L'attrait pour les **personnages du mal** (Mme de Merteuil des *Liaisons dangereuses*, Grenouille du *Parfum*) s'explique par le plaisir de la transgression et la satisfaction de tendances moralement irréalisables.

III Le personnage romanesque et son auteur

Le personnage est aussi inévitablement **lié à son auteur**.

- Il peut être le **reflet de l'auteur** : il se nourrit de ses préoccupations, de ses **aspirations personnelles** (la rencontre de Frédéric Moreau et de Mme Arnoux dans *L'Éducation sentimentale* est une transposition romancée de celle de Flaubert et de Mme Schlésinger). Dans le roman autobiographique (→ fiche 23), il en est le **double** (Jacques Vingtras dans *L'Enfant* est l'image de Jules Vallès).

« Madame Bovary, c'est moi ! » (Flaubert)

« Les héros de romans naissent du mariage que le romancier contracte avec la réalité. » (Mauriac)

- Le **héros porte-parole** incarne ou exprime les **idées** politiques, sociales, morales ou la **vision du monde** de l'auteur : Jean Valjean dans *Les Misérables*, Lantier porteur des idées socialistes de Zola dans *Germinal*, Tarrou dans *La Peste*.
- Le personnage **repoussoir**, en incarnant l'attitude contraire à l'idéal de l'auteur, fait comprendre les idées de ce dernier (avec Paneloux, le prêtre de *La Peste*, Camus fait passer son aversion pour les religions qui pactisent avec le mal).

Le mot ***héros*** a un double sens : il désigne le personnage principal du roman (→ fiche 26) ou un personnage aux exploits hors du commun qui incarne des valeurs morales positives (courage, honneur...).

IV La destinée et les fonctions du personnage romanesque

Une fois créé, le personnage intègre la foule des personnages romanesques et **prend place dans l'imaginaire collectif**. Il vit presque indépendamment de l'œuvre à laquelle il appartient.

- Il peut être **représentatif d'une époque**, incarner ses valeurs ou bien ses aspirations.

  Georges Duroy dans *Bel-Ami* est ainsi à l'image de la société matérialiste du Second Empire.

- Il peut accéder au rang de **type** : il condense alors des traits représentatifs d'un groupe (le picaro au XVIIIe siècle, le père Grandet pour l'avare...).
- Il peut devenir un **symbole**, incarner une idée, une attitude : Mme de Clèves représente la vertu morale, Gavroche la jeunesse insouciante et contestataire (on dit *un gavroche*), Quasimodo la laideur et la générosité.

Le nom d'un **personnage type** devient parfois un **nom commun** : un *Rastignac* désigne un arriviste.

- Lorsqu'il atteint la dimension du **mythe**, il est souvent l'objet de réécritures (→ fiche 54).

EN BREF

À travers ses personnages, le roman peut avoir pour fonction de divertir le lecteur qui prend plaisir à suivre leur parcours, le dépayser et lui faire vivre par procuration une vie plus enthousiasmante (vertu cathartique du roman), peindre et instruire en lui donnant une meilleure connaissance d'une époque et d'une société, de soi-même et de l'homme, du monde, exprimer ses convictions (roman didactique ou engagé) ou poser des questions existentielles.

28 Étudier l'ordre et le rythme d'un roman

Un roman est un récit dont la construction vise à créer divers effets sur le lecteur. Le narrateur peut jouer sur l'ordre de présentation des événements et sur le rythme du récit.

I S'interroger sur l'ordre de présentation des événements

1. L'ordre chronologique est-il respecté ?

Le narrateur présente généralement les événements dans un ordre chronologique. Il fait alors se succéder les éléments suivants.

- La **situation initiale** : présentation du cadre, des personnages…
- L'**élément perturbateur** : rupture du cours normal des événements
- Les **péripéties** : événements marquants
- La **situation finale** : retour à l'équilibre ou fin d'un parcours

2. L'ordre chronologique est-il bouleversé ? Si oui, comment ?

	Indices	Effet sur le lecteur et fonction
Le retour en arrière : flash-back ou analepse	▶ Repères temporels (*quelques années auparavant…*). ▶ Temps verbaux du récit au présent (passé composé ou imparfait) ou au passé (plus-que-parfait ou passé antérieur) (→ fiche 9).	▶ Rappelle des événements du passé pour éclairer une situation, un personnage ou un événement (fréquent dans les romans policier ou réaliste). ▶ Fonction explicative. Retarde l'action principale (crée du suspense).
L'anticipation ou prolepse	▶ Repères temporels (*plus tard, bientôt…*). ▶ Temps verbaux : futur dans un dialogue, conditionnel présent (à valeur temporelle) dans le récit.	▶ Annonce des événements ultérieurs réels ou possibles. ▶ Fonction informative. Donne au lecteur l'impression de dominer le personnage, établit une connivence avec le narrateur, crée une attente.

3. La structure et l'ordre du roman épistolaire

Le **roman épistolaire** (par lettres) présente une structure très spécifique qui bouscule les critères d'analyse du roman ordinaire.

- Le roman épistolaire a généralement une **structure labyrinthique** : l'intrigue est éclatée en une multitude d'intrigues à démêler.
- Il repose sur des **jeux d'échange** : les lettres comportent des **rappels** à d'autres lettres ou des **annonces** de lettres suivantes.
- Les lettres qui se suivent ne correspondent pas forcément à leur ordre réel de réception (décalage, retard...) : il y a un **brouillage de la chronologie**.
- Il se crée des **jeux de miroirs** : un même événement, une même personne sont vus de plusieurs façons.

II S'interroger sur le rythme de la narration

- Le narrateur ne raconte jamais tout : le temps de l'histoire ne coïncide pas avec le temps réel.
- Il peut donc choisir de **ralentir**, d'**accélérer** le rythme, ou encore de suspendre le temps.
- Si le temps de la narration paraît supérieur à celui de l'histoire, le rythme est **lent** (pause, analyse) ; s'il paraît inférieur au temps de l'histoire, le rythme est **rapide**.

Pour apprécier le **rythme** d'un récit, il faut **comparer le temps de l'histoire** (mesurable en jours, mois, années...) **et le temps de la narration** (mesurable en nombre de pages).

1. Le narrateur accélère-t-il le rythme ? Si oui, comment ?

	Indices	Effet sur le lecteur et fonction
Le sommaire ou résumé Le narrateur résume brièvement une longue durée.	▶ Phrases simples juxtaposées ou reliées par des connecteurs temporels. ▶ Imparfait d'habitude ou de répétition.	▶ Passe rapidement sur des événements, des propos peu importants. ▶ Évite les événements répétitifs.
L'ellipse Certains événements sont passés sous silence.	▶ Indices temporels (*un an plus tard, quelques jours après, dix ans plus tard...*). ▶ Nouveau paragraphe, points de suspension, blanc dans le texte.	▶ Évite les passages ennuyeux et les périodes trop longues. ▶ Met en valeur l'événement qui suit.

2. Le narrateur ralentit-il le rythme ? Si oui, comment ?

	Effet sur le lecteur et fonction
La pause Le narrateur arrête le temps, il ne se passe aucun événement.	Introduit des descriptions (cadre de l'histoire, portrait d'un personnage), une lettre, un dialogue, une explication (réactions d'un personnage…), des commentaires du narrateur.
Le ralenti, la dilatation Le narrateur étire le temps, développe une courte durée.	▶ Décompose l'action, met en valeur un moment clé. ▶ Fait ressentir les sensations, émotions, sentiments et comprendre les pensées d'un personnage. ▶ Retarde l'information, crée le suspense.

3. Le narrateur restitue-t-il la durée réelle d'une partie de l'histoire ? Si oui, comment ?

■ Le narrateur peut donner l'illusion que la durée réelle d'un événement raconté est celle de la lecture : on appelle ce procédé romanesque une **scène**.

■ Sa fonction est de faire **vivre en direct** un temps fort : rencontre, rupture…

■ Ses indices sont souvent le **dialogue** rapporté dans le détail (➜ fiche 4) ou l'abondance de **précisions** (attitude, gestes, ton…).

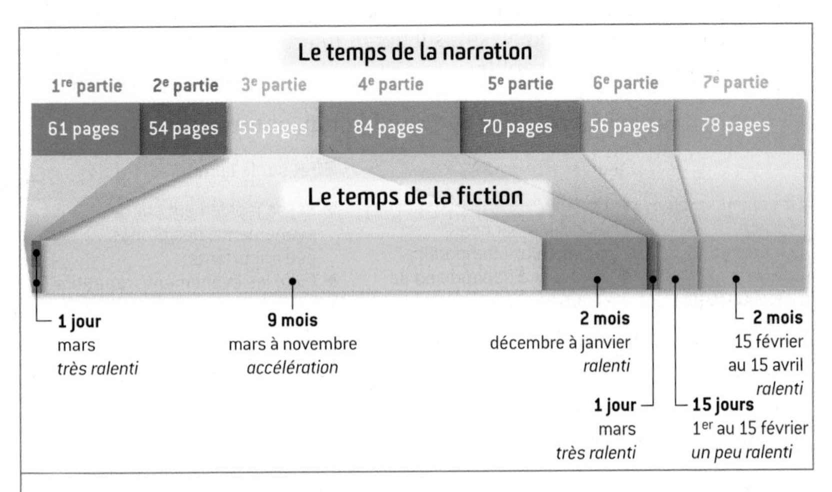

Un exemple d'analyse du rythme de narration de *Germinal* de Zola

Le rythme moyen de narration pour ce roman étant de 55 pages pour 1 mois, on mesure les effets d'accélération et de ralentissement relatifs.

Ainsi, les première et deuxième parties *racontent* les événements du même jour (de 3 heures à 21 heures) mais dans des endroits différents – soit 111 pages pour un même jour.

29 Analyser un début de roman

Pour étudier un début de roman, il faut être attentif aux différentes fonctions de ce passage essentiel de l'œuvre – informer, intéresser et annoncer – et se poser un certain nombre de questions.

I La fonction informative du début de roman

Déterminez si le passage remplit sa fonction informative d'exposition et de présentation : répond-il aux **questions essentielles** pour entrer dans l'histoire ?

On parle de **début**, de **première page** ou d'***incipit*** d'un roman. *Incipit* vient du verbe latin *incipere*, « commencer ».

- **Qui ?** Les personnages sont-ils présentés ? Si oui, les informations sont-elles précises (nom, âge, relations, statut du/des personnage[s]) ou allusives et vagues ?
- **Quoi ?** L'action ou le sujet du roman sont-ils clairement exposés ?
- **Où ? Quand ?** Les informations données sur le cadre spatio-temporel sont-elles vagues, implicites (exigeant imagination et décodage du lecteur) ? Ou sont-elles précises (représentation réaliste et détaillée des lieux et de l'époque qui crée l'illusion de la réalité) et évidentes ?

« Dans la plaine rase, sous la nuit sans étoiles, d'une obscurité et d'une épaisseur d'encre, un homme suivait seul la grande route de Marchiennes à Montsou, dix kilomètres de pavé coupant tout droit, à travers les champs de betteraves.

Zola, *Germinal.*

- **À quel rythme** sont données les informations ? Le début est-il statique (prédominance des descriptions) ? L'exposition est-elle progressive (elle distille les éléments de l'action en laissant des zones d'ombre) ? Ou s'agit-il d'un début *in medias res* ?

Un **début *in medias res*** (du latin « en plein milieu de l'action ») fait entrer dans le feu de l'action. Les personnages et les circonstances sont alors présentés par des retours en arrière ou lors de conversations entre les personnages.

« Tchen tenterait-il de lever la moustiquaire ? Frapperait-il au travers ?

Malraux, *La Condition humaine.*

II La fonction d'accroche du début de roman

- **Quels moyens pour inciter à poursuivre la lecture ?** Par quelles stratégies l'auteur pique-t-il la curiosité du lecteur ?
- **Quelles attentes pour la suite ?** Quelles hypothèses le lecteur est-il amené à formuler ?

III L'instauration d'un contrat de lecture

Déterminez si le début définit clairement pour le lecteur les codes de lecture du roman ou s'il le laisse dans la confusion.

1. Quel type de roman ?

Le début indique-t-il clairement le **genre du roman** qui s'ouvre ? Si oui, quel type de roman annonce-t-il et avec quels indices ? (Une énigme posée ou un crime annoncent un roman policier ; des événements ou personnages historiques réels un roman historique.)

2. Quel statut du narrateur ? Quel mode d'énonciation ?

(→ fiche 1)

- Le narrateur se situe-t-il **en dehors de l'histoire** (récit à la troisième personne) ? Il peut alors manifester sa **présence** par des commentaires ponctuels, des jugements explicites ou implicites, ou **s'effacer** en racontant de façon impartiale.
- Se situe-t-il **dans l'histoire** (narrateur personnage) ?

Le narrateur...	Indices et exemples
raconte son histoire (personnage principal).	▶ Récit à la 1re personne. ▶ *L'Étranger* de Camus
est un personnage secondaire.	▶ Alternance des 1re et 3e personnes. ▶ François Seurel, narrateur du *Grand Meaulnes*.
est un témoin.	▶ Effacement partiel de la 1re personne devant la 3e personne. ▶ *Le Bonheur dans le crime* de Barbey d'Aurevilly

Quand il y a identité entre l'**auteur**, le **narrateur** et le **personnage principal**, le roman est **autobiographique.**
« Je suis né dans la ville d'Aubagne sous le Garlaban couronné de chèvres, au temps des derniers chevriers. » (Marcel Pagnol, *La Gloire de mon père*, 1957)

3. Quels liens avec le lecteur ?

- Le lecteur est-il considéré comme simple **témoin**, spectateur de l'action ?
- Est-il invité à **jouer un rôle** ? Il peut être pris à partie par le narrateur qui lui donne un statut, un rôle en l'apostrophant, en lui posant des questions.

> « Comment s'étaient-ils rencontrés ? Par hasard, comme tout le monde. Comment s'appelaient-ils ? Que vous importe ? D'où venaient-ils ? Du lieu le plus prochain. Où allaient-ils ? Est-ce qu'on sait où on va ?
> Diderot, *Jacques le Fataliste.*

> « Ainsi ferez-vous, vous qui tenez ce livre d'une main blanche, vous qui vous enfoncez dans un moelleux fauteuil en vous disant : Peut-être ceci va-t-il m'amuser.
> Balzac, *Le Père Goriot.*

30 Le roman et les autres arts

Le roman s'inscrit dans un contexte artistique plus vaste que la littérature, auquel il participe. À la fois descriptif et narratif, il entre, à travers les différentes époques, en résonance avec les autres arts, notamment la peinture, l'opéra et, plus récemment, le cinéma et la bande dessinée.

I Roman et autres arts : un regard sur une époque

Comme les autres arts, le roman porte les marques de la sensibilité, des goûts esthétiques, de la vision du monde de son époque.

- Ainsi, les romanciers et les **artistes** d'une même époque traitent souvent de **sujets similaires**, avec un **regard identique**.

  En pleine période des romans réalistes dont certains peignent la pauvreté paysanne (Balzac, *Les Paysans*, 1844-1855), Millet peint *Des glaneuses* (1857).

- Des **romanciers** et des peintres se sont rejoints au sein de **mouvements artistiques** : Zola et Courbet (naturalisme), Breton et Dalí (surréalisme).

  Dans la seconde moitié du XIXe siècle, les romanciers naturalistes décrivent le monde de la ville et la misère des milieux modestes. Les peintures de Courbet (→ fiche 47), de Caillebotte (*Le Pont de l'Europe*, 1877), de Manet témoignent du même regard sur le monde et du même combat pour la modernité.

II La fonction descriptive : roman et peinture

1. Une influence réciproque

- Le roman et la peinture ont tous deux une **fonction descriptive** : ils reproduisent un lieu ou un personnage, en effectuant des choix et en sélectionnant une « portion » de réalité (par le cadrage en peinture).
- Si le roman inspire les peintres, **la peinture inspire certains romanciers**, qui mentionnent un tableau (*Le Chef-d'œuvre inconnu*, de Balzac, 1831 ; *Le Portait de Dorian Gray* d'Oscar Wilde, 1890), retracent le cheminement créateur (*L'Œuvre* de Zola, 1886) ou font d'un personnage figurant dans un tableau le personnage principal de leur roman (→ fiche 55).
- Certains romanciers **ont pratiqué le dessin et même illustré leurs romans** (Hugo et *Les Misérables*).

À la recherche du temps perdu de Proust comporte un trio de **personnages d'artistes** : le peintre Elstir, le musicien Vinteuil et le romancier Bergotte.

2. Un exemple d'interaction : Zola et Manet

Comme Zola, Manet se déclarait artiste naturaliste. Il s'est inspiré d'une description de Nana, la courtisane parisienne, héroïne du roman de Zola.

Édouard Manet, *Nana* (1877).

« Nana s'était absorbée dans son ravissement d'elle-même. Elle pliait le cou, regardant avec attention dans la glace un petit signe brun qu'elle avait au-dessus de la hanche droite [...]. Lentement, elle ouvrit les bras pour développer son torse de Vénus grasse, elle ploya la taille, s'examinant de dos et de face, s'arrêtant au profil de sa gorge, aux rondeurs fuyantes de ses cuisses [...] ces fuites de chair blonde se noyant dans des lueurs dorées, ces rondeurs où la flamme des bougies mettait des reflets de soie.

Zola, *Nana* (1880).

La visée des deux œuvres est identique : l'artiste reproduit une réalité de son époque, ici un type social et sujet tabou du Second Empire : la prostituée de luxe, sujet central du roman tout entier et du tableau. Les deux artistes ont un même souci de précision dans les détails physiques réalistes, notamment la nudité partielle et la rondeur des formes (le jupon blanc met en valeur les *rondeurs* du ventre et les *hanche[s]*). Mais ils dépassent cette perspective descriptive en rendant compte de la personnalité effrontée de la jeune femme, de son assurance : *ravissement d'elle-même* et métaphore assimilant Nana à *Vénus* chez Zola, regard provocateur qui défie le spectateur et mise en valeur de Nana par rapport à l'homme relégué au second plan chez Manet.

III La fonction narrative : roman, opéra, cinéma et BD

Le roman, l'opéra et le cinéma ont une **fonction narrative** : ils racontent une tranche de vie ou une vie entière et reposent sur une **intrigue**.

Le roman, source d'inspiration de l'opéra. Souvent quelques décennies après sa parution, un roman est transposé en opéra, voire en ballet (→ fiche 55).

L'Histoire du chevalier Des Grieux et de Manon Lescaut, roman de l'abbé Prévost (1733), après avoir été transposé en ballet (1830), inspire quatre opéras : *Manon Lescaut* d'Auber (1856), *Manon* de Massenet (1884), *Manon Lescaut*, de Puccini (1893), *Le Portrait de Manon* de Massenet (1894).

Le roman, source d'inspiration du cinéma. La sensibilité moderne favorise l'adaptation filmique de **romans**.

La Princesse de Clèves (1678) de Mme de Lafayette est adapté par J. Delannoy (1961) et C. Honoré (*La Belle Personne*, 2008). *Le Père Goriot* de Balzac l'est pour la télévision par J.-D.Verhaeghe (avec Charles Aznavour). Giono produit et adapte en 1963 son roman *Un roi sans divertissement* (1948). *L'Élégance du hérisson* (2006) de Muriel Barbery est adapté par M. Achache (*Le Hérisson*, 2009).

En outre, les **effets spéciaux** du cinéma ont favorisé l'adaptation filmique des **romans fantastiques ou de science-fiction.**

Fahrenheit 451 (1953) de R. Bradbury est adapté par F. Truffaut en 1966. *La Guerre des mondes* (2005), de Steven Spielberg, est une des quatre adaptations du roman éponyme de H. G. Wells (1898).

> « L'**adaptation d'un roman à l'écran** est presque toujours regrettable. Le visage d'Emma Bovary est indéfini et multiple, son malheur déborde son cas particulier ; sur l'écran je vois un visage déterminé, et cela diminue la portée du récit. » (S. de Beauvoir)

Le cinéma, source d'inspiration du roman. Inversement, le cinéma a transformé l'écriture romanesque. Le roman contemporain privilégie des techniques de l'écriture cinématographique.

Le monologue intérieur (appelé *film de conscience*), l'imitation des mouvements de la caméra…

Certains **romanciers** sont aussi **cinéastes** ou **scénaristes** (Marcel Pagnol) ou ont mis en scène leur propre œuvre : *La Possibilité d'une île* (2007) de Michel Houellebecq, roman qu'il a écrit en 2005.

Le roman, source d'inspiration de la bande dessinée. Cette évolution récente combine l'écriture par les mots et les arts graphiques. Le **roman graphique** propose une histoire aussi étoffée que le roman, porteuse de messages sérieux.

Persepolis (2002) de Marjane Satrapi est l'histoire fortement autobiographique d'une petite fille dans l'Iran des années 1980 et a été adapté en long métrage d'animation (2007).

Quiz express

Vérifiez que vous avez bien retenu les points clés des **fiches 23 à 30**.

Formes du roman

1 Comment appelle-t-on...

1. un roman composé de lettres entre plusieurs personnages ?
   - ☐ **a.** un roman lettré
   - ☐ **b.** un roman épistolaire
   - ☐ **c.** un roman autobiographique
2. un roman qui raconte un parcours affectif, social, moral d'un jeune personnage ?
   - ☐ **a.** un roman de mœurs
   - ☐ **b.** un roman social
   - ☐ **c.** un roman d'apprentissage
3. un roman dont le héros populaire parcourt le monde et traverse divers milieux ?
   - ☐ **a.** un roman picaresque
   - ☐ **b.** un roman policier
   - ☐ **c.** un roman d'analyse
4. un roman dans lequel l'auteur raconte sa vie ?
   - ☐ **a.** un roman d'aventures
   - ☐ **b.** un roman autobiographique
   - ☐ **c.** un roman historique

2 Identifiez la forme de chaque roman.

1. *Les Lettres persanes* de Montesquieu
   ☐ **a.** roman épistolaire ☐ **b.** roman de mœurs ☐ **c.** roman policier
2. *Voyage au centre de la Terre* de J. Verne
   ☐ **a.** roman fantastique ☐ **b.** roman d'aventures ☐ **c.** roman picaresque
3. *Germinal* de Zola
   ☐ **a.** roman fantastique ☐ **b.** roman de mœurs ☐ **c.** roman historique

Personnages de roman

3 Rendez chaque personnage à son roman.

1. Jean Valjean
   ☐ **a.** *Les Misérables* ☐ **b.** *Le Père Goriot* ☐ **c.** *Notre-Dame de Paris*
2. Étienne Lantier
   ☐ **a.** *L'Assommoir* ☐ **b.** *Germinal* ☐ **c.** *Bel-Ami*
3. Rieux
   ☐ **a.** *L'Étranger* ☐ **b.** *La Peste* ☐ **c.** *La Condition humaine*
4. Rastignac
   ☐ **a.** *L'Espoir* ☐ **b.** *Le Rouge et le Noir* ☐ **c.** *Le Père Goriot*

4 Qu'est-ce qu'un héros ?

☐ 1. un personnage qui accomplit des exploits ou a une valeur morale
☐ 2. un personnage qui met en valeur les autres personnages
☐ 3. le personnage principal d'un roman
☐ 4. un personnage à l'image de l'humanité commune

Contextualisation du roman

5 Rendez son œuvre et son siècle à chaque auteur.

1. Stendhal	a. *Mme Bovary*	1. XXe siècle
2. Flaubert	b. *La Peste*	2. XVIIIe siècle
3. Malraux	c. *Les Liaisons dangereuses*	3. XXe siècle
4. Camus	d. *Le Rouge et le Noir*	4. XIXe siècle
5. Laclos	e. *La Condition humaine*	5. XIXe siècle

Les débuts de roman

6 Comment appelle-t-on le début d'un roman ?

☐ 1. l'incipit ☐ 2. l'ouverture ☐ 3. l'excipit ☐ 4. *in medias res*

La structure et le rythme du roman

7 Vrai ou faux ?

1. La prolepse est un retour en arrière.
2. Les ellipses accélèrent le récit.
3. Le retour en arrière a une fonction informative.

Roman et arts

8 Vrai ou faux ?

1. Certains romans ont été adaptés en opéra.
2. Le roman est plus proche de la peinture que du cinéma.
3. Le cinéma a influencé l'écriture romanesque.

CORRIGÉS

1. **1**b, **2**c, **3**a, **4**b. • **2.** **1**a/b, **2**a/b, **3**b. • **3.** **1**a, **2**b, **3**b, **4**c. • **4.** Réponses **1** et **3**. Réponse 2 : personnage repoussoir. Réponse 4 : antihéros. • **5.** **1**d4, **2**a5, **3**e1, **4**b3, **5**c2. • **6.** Réponses **1** et **2**. 3 désigne la fin d'un roman. 4 désigne un type de début de roman. • **7.** **1** Faux : il s'agit d'un aperçu sur ce qui se passera après dans le roman. **2** Vrai. **3** Vrai. • **8.** **1** Vrai. **2** Faux : la peinture est statique et correspond à une description, qui n'est pas l'élément structurant d'un roman ; ce sont les péripéties qui structurent le roman. **3** Vrai.

SUJET 7 | Une conception de la vie

QUESTION SUR LE CORPUS

Quelle conception de la vie chacune de ces fins de roman vous paraît-elle transmettre ? Quels rapprochements peut-on faire entre ces textes ?

DOCUMENTS

1. Émile Zola, *Germinal* (1885)
2. Guy de Maupassant, *Bel-Ami* (1885)
3. Jean Giono, *Regain* (1930)
4. Albert Camus, *La Peste* (1947)

DÉMARRONS ENSEMBLE

- Il s'agit de se demander si la **conception de la vie** – et la vision du monde – de ces fins de roman est **positive** [optimiste], **négative** [pessimiste] ou **mêlée**.
- Cherchez à travers quels **détails précis** les auteurs suggèrent cette vision, ce jugement : images, mots mélioratifs ou négatifs, thèmes récurrents.
- Réfléchissez sur les perspectives qu'ouvre chacune de ces fins : imagine-t-on une **suite heureuse** ou au contraire **sombre** ?
- La deuxième partie de la question n'est pas une deuxième question. Elle vous invite à traiter les textes non pas successivement mais synthétiquement : il faut trouver des **points de convergence** entre les textes [*conception* est au singulier] et non des divergences [malgré le mot *chacune* de la consigne].

DOCUMENT 1

Étienne Lantier a été l'un des principaux artisans de la grève des mineurs fatigués de l'exploitation et de la souffrance. Mais le mouvement a échoué et la répression a eu raison des revendications ouvrières : le héros est obligé de quitter le bassin minier.

« Mais Étienne, quittant le chemin de Vandame, débouchait sur le pavé. À droite, il apercevait Montsou qui dévalait et se perdait. En face, il avait les décombres du Voreux[1], le trou maudit que trois pompes épuisaient sans relâche. Puis, c'étaient les autres fosses à l'horizon, la Victoire, Saint-Thomas, Feutry-Cantel ; tandis
5 que, vers le nord, les tours élevées des hauts fourneaux et les batteries des fours à coke[2] fumaient dans l'air transparent du matin. S'il voulait ne pas manquer le train de huit heures, il devait se hâter, car il avait encore six kilomètres à faire.

Et, sous ses pieds, les coups profonds, les coups obstinés des rivelaines[3] continuaient. Les camarades étaient tous là, il les entendait le suivre à chaque enjambée. N'était-ce pas la Maheude[4], sous cette pièce de betteraves, l'échine cassée, dont le souffle montait si rauque, accompagné par le ronflement du ventilateur? À gauche, à droite, plus loin, il croyait en reconnaître d'autres, sous les blés, les haies vives, les jeunes arbres. Maintenant, en plein ciel, le soleil d'avril rayonnait dans sa gloire, échauffant la terre qui enfantait. Du flanc nourricier jaillissait la vie, les bourgeons crevaient en feuilles vertes, les champs tressaillaient de la poussée des herbes. De toutes parts, des graines se gonflaient, s'allongeaient, gerçaient la plaine, travaillées d'un besoin de chaleur et de lumière. Un débordement de sève coulait avec des voix chuchotantes, le bruit des germes s'épandait en un grand baiser. Encore, encore, de plus en plus distinctement, comme s'ils se fussent rapprochés du sol, les camarades tapaient. Aux rayons enflammés de l'astre, par cette matinée de jeunesse, c'était de cette rumeur que la campagne était grosse. Des hommes poussaient, une armée noire, vengeresse, qui germait lentement dans les sillons, grandissant pour les récoltes du siècle futur, et dont la germination allait faire bientôt éclater la terre.

Émile Zola, *Germinal* (1885).

1. **Le Voreux** : nom du puits de mine où a travaillé Étienne. 2. **Coke** : sorte de charbon. 3. **Rivelaine** : pic de mineur. 4. **La Maheude** : épouse du mineur Maheu, qui a hébergé Étienne.

DOCUMENT 2

Georges Duroy, surnommé Bel-Ami, a réussi à s'élever dans la société, notamment dans le milieu de la presse, en partie grâce aux femmes. Dans la dernière page du roman, le narrateur rend compte de son mariage et de son triomphe social.

« Puis des voix humaines s'élevèrent, passèrent au-dessus des têtes inclinées. Vauri et Landeck, de l'Opéra, chantaient. L'encens répandait une odeur fine de benjoin, et sur l'autel le sacrifice divin s'accomplissait; l'Homme-Dieu, à l'appel de son prêtre, descendait sur la terre pour consacrer le triomphe du baron Georges Du Roy.

Bel-Ami, à genoux à côté de Suzanne[1], avait baissé le front. Il se sentait en ce moment presque croyant, presque religieux, plein de reconnaissance pour la divinité qui l'avait ainsi favorisé, qui le traitait avec ces égards. Et sans savoir au juste à qui il s'adressait, il la remerciait de son succès.

Lorsque l'office fut terminé, il se redressa, et donnant le bras à sa femme, il passa dans la sacristie. Alors commença l'interminable défilé des assistants. Georges, affolé de joie, se croyait un roi qu'un peuple venait acclamer. Il serrait des mains, balbutiait des mots qui ne signifiaient rien, saluait, répondait aux compliments : « Vous êtes bien aimable. »

15 Soudain il aperçut Mme de Marelle[2] ; et le souvenir de tous les baisers qu'il lui avait donnés, qu'elle lui avait rendus, le souvenir de toutes leurs caresses, de ses gentillesses, du son de sa voix, du goût de ses lèvres, lui fit passer dans le sang le désir brusque de la reprendre. Elle était jolie, élégante, avec son air gamin et ses yeux vifs. Georges pensait : « Quelle charmante maîtresse, tout de même. »

20 Elle s'approcha un peu timide, un peu inquiète, et lui tendit la main. Il la reçut dans la sienne et la garda. Alors il sentit l'appel discret de ses doigts de femme, la douce pression qui pardonne et reprend. Et lui-même il la serrait, cette petite main, comme pour dire : « Je t'aime toujours, je suis à toi ! »

Leurs yeux se rencontrèrent, souriants, brillants, pleins d'amour. Elle 25 murmura de sa voix gracieuse : « À bientôt, monsieur. »

Il répondit gaiement : « À bientôt, madame. »

Et elle s'éloigna.

D'autres personnes se poussaient. La foule coulait devant lui comme un fleuve. Enfin elle s'éclaircit. Les derniers assistants partirent. Georges reprit le 30 bras de Suzanne pour retraverser l'église.

Elle était pleine de monde, car chacun avait regagné sa place, afin de les voir passer ensemble. Il allait lentement, d'un pas calme, la tête haute, les yeux fixés sur la grande baie ensoleillée de la porte. Il sentait sur sa peau courir de longs frissons, ces frissons froids que donnent les immenses bonheurs. Il ne voyait 35 personne. Il ne pensait qu'à lui.

Lorsqu'il parvint sur le seuil, il aperçut la foule amassée, une foule noire, bruissante, venue là pour lui, pour lui Georges Du Roy. Le peuple de Paris le contemplait et l'enviait.

Puis, relevant les yeux, il découvrit là-bas, derrière la place de la Concorde, la 40 Chambre des députés. Et il lui sembla qu'il allait faire un bond du portique de la Madeleine au portique du Palais Bourbon.

Il descendit avec lenteur les marches du haut perron entre deux haies de spectateurs. Mais il ne les voyait point ; sa pensée maintenant revenait en arrière, et devant ses yeux éblouis par l'éclatant soleil flottait l'image de Mme 45 de Marelle rajustant en face de la glace les petits cheveux frisés de ses tempes, toujours défaits au sortir du lit.

Guy de Maupassant, *Bel-Ami* (1885).

1. **Suzanne** : fille de M. Walter, le directeur du journal dans lequel travaille Georges.
2. **Mme de Marelle** : amante de Georges.

DOCUMENT 3

Le village abandonné et son dernier habitant sont presque revenus à l'état sauvage ; mais Panturle, en fondant une famille avec sa compagne qui attend un enfant et en reprenant son activité d'agriculteur, va faire renaître le bonheur et la civilisation paysanne.

« Maintenant Panturle est seul.

Il a dit :

– Fille, soigne-toi bien, va doucement ; j'irai te chercher l'eau, le soir, maintenant. On a bien du contentement ensemble. Ne gâtons pas le fruit.

5 Puis il a commencé à faire ses grands pas de montagnard.

Il marche.

Il est tout embaumé de sa joie.

Il a des chansons qui sont là, entassées dans sa gorge à presser ses dents. Et il serre les lèvres. C'est une joie dont il veut mâcher toute l'odeur et saliver long-
10 temps le jus comme un mouton qui mange la saladelle[1] du soir sur les collines. Il va, comme ça, jusqu'au moment où le beau silence s'est épaissi en lui, et autour de lui comme un pré.

Il est devant ses champs. Il s'est arrêté devant eux. Il se baisse. Il prend une poignée de cette terre grasse, pleine d'air et qui porte la graine. C'est une terre
15 de beaucoup de bonne volonté.

Il en tâte, entre ses doigts, toute la bonne volonté.

Alors, tout d'un coup, là, debout, il a appris la grande victoire.

Il lui a passé devant les yeux l'image de la terre ancienne, renfrognée et poilue avec ses aigres genêts et ses herbes en couteau. Il a connu d'un coup, cette lande
20 terrible qu'il était, lui, large ouvert au grand vent enragé, à toutes ces choses qu'on ne peut pas combattre sans l'aide de la vie.

Il est debout devant ses champs. Il a ses grands pantalons de velours brun, à côtes ; il semble vêtu avec un morceau de ses labours. Les bras le long du corps, il ne bouge pas. Il a gagné : c'est fini.

25 Il est solidement enfoncé dans la terre comme une colonne.

Jean Giono, *Regain* (1930), © éd. Grasset & Fasquelle, 1968.

1. **Saladelle** : fleur mauve, appelée aussi lavande des mers, emblématique de la Camargue.

DOCUMENT 4

La peste a ravagé la ville d'Oran pendant presque un an, faisant des milliers de morts ; le docteur Rieux a lutté de toutes ses forces contre l'épidémie, qui paraît désormais s'éloigner, ce qui donne lieu à de grandes réjouissances dans la cité.

« Mais cette nuit était celle de la délivrance, et non de la révolte. Au loin, un noir rougeoiement indiquait l'emplacement des boulevards et des places illuminés. Dans la nuit maintenant libérée, le désir devenait sans entraves et c'était son grondement qui parvenait jusqu'à Rieux.

5 Du port obscur montèrent les premières fusées des réjouissances officielles. La ville les salua par une longue et sourde exclamation. Cottard, Tarrou, ceux et celles que Rieux avait aimés et perdus, tous, morts ou coupables, étaient oubliés. Le vieux avait raison, les hommes étaient toujours les mêmes. Mais c'était leur force et leur innocence et c'est ici que, par-dessus toute douleur, 10 Rieux sentait qu'il les rejoignait. Au milieu des cris qui redoublaient de force et de durée, qui se répercutaient longuement jusqu'au pied de la terrasse, à mesure que les gerbes multicolores s'élevaient plus nombreuses dans le ciel, le docteur Rieux décida alors de rédiger le récit qui s'achève ici, pour ne pas être de ceux qui se taisent, pour témoigner en faveur de ces pestiférés, pour laisser 15 du moins un souvenir de l'injustice et de la violence qui leur avaient été faites, et pour dire simplement ce qu'on apprend au milieu des fléaux, qu'il y a dans les hommes plus de choses à admirer que de choses à mépriser.

Mais il savait cependant que cette chronique ne pouvait pas être celle de la victoire définitive. Elle ne pouvait être que le témoignage de ce qu'il avait fallu 20 accomplir et que, sans doute, devraient accomplir encore, contre la terreur et son arme inlassable, malgré leurs déchirements personnels, tous les hommes qui, ne pouvant être des saints et refusant d'admettre les fléaux, s'efforcent cependant d'être des médecins.

Écoutant, en effet, les cris d'allégresse qui montaient de la ville, Rieux se sou- 25 venait que cette allégresse était toujours menacée. Car il savait ce que cette foule en joie ignorait, et qu'on peut lire dans les livres, que le bacille de la peste ne meurt ni ne disparaît jamais, qu'il peut rester pendant des dizaines d'années endormi dans les meubles et le linge, qu'il attend patiemment dans les chambres, les caves, les malles, les mouchoirs et les paperasses, et que, peut-être, le jour 30 viendrait où, pour le malheur et l'enseignement des hommes, la peste réveillerait ses rats et les enverrait mourir dans une cité heureuse.

Albert Camus, *La Peste* (1947).

CORRIGÉ

PLAN DÉTAILLÉ

POINT MÉTHODE

Structurer et rédiger sa réponse

- Encadrez votre réponse d'une brève **introduction** (une amorce et une phrase qui présente et situe les documents) et d'une brève **conclusion** rappelant l'intérêt des éléments analysés pour la compréhension du corpus.
- Pour chaque nouvelle idée, formez un **paragraphe** avec un alinéa.
- Si on vous demande de comparer les documents sur un point précis, ne les étudiez pas séparément : faites une **synthèse**. Accompagnez chaque remarque d'exemples précis tirés des différents textes.
- Formez des **phrases complètes** comportant un verbe conjugué, y compris dans les exemples (jamais de relevés catalogues).
- Supprimez les expressions lourdes du type *On voit/peut remarquer que...*

[INTRODUCTION]

[AMORCE] La fin d'un roman « dénoue » l'intrigue et lui donne généralement son sens. [PHRASE DE PRÉSENTATION] Bien que le corpus rassemble des fins de romans de romanciers très divers – deux naturalistes du XIXe siècle (Maupassant et Zola) et deux auteurs du XXe siècle, un romancier poète (Giono) et un homme d'action et intellectuel engagé (Camus) –, ces textes transmettent une conception assez proche de la vie, mêlant pessimisme et optimisme.

Présentez les textes du corpus avec élégance. Pas de : *Ce corpus présente un texte de..., de... et de...* Caractérisez les auteurs ou les textes par une expression. Ne paraphrasez pas les textes.

1. La peinture lucide des malheurs de l'existence

- Dans *Regain*, le village est abandonné, comme mort. Panturle a dû « combattre » contre cette mort lente.
- Dans *La Peste*, Rieux pense à « ceux et celles qu[’il] avait aimés et perdus », à « l'injustice » et « la violence » qui peuvent renaître à tout moment.
- Dans *Germinal*, les mineurs souffrent à « taper » sans relâche dans ce « trou maudit » du Voreux, « l'échine cassée ».
- Dans *Bel-Ami*, de façon plus implicite, Mme de Marelle, amoureuse de Duroy, est contrainte de rester dans l'ombre devant le triomphe d'une autre.
- C'est *La Peste* (écrite après la Seconde Guerre mondiale) qui souligne le plus les « fléaux » qui menacent le monde.

2. Un monde gros d'espérances

- En contrepoint à cet aspect négatif qui pourrait être désespérant, les quatre textes suggèrent diversement l'« allégresse » (Camus), le renouveau.
- La « chaleur », versée par le « soleil » (Zola) « éclatant » qui inonde également « la grande baie ensoleillée » (Maupassant), suggère le retour à la vie.
- L'évocation de la nature en plein renouveau jette sur l'avenir un air de printemps, symbole de jeunesse et d'espoir : règne végétal (« haies vives », « bourgeons », « feuilles vertes », « graines », « sève », « bruit des germes » [Zola], « terre grasse, pleine d'air et qui porte la graine [Giono]), germination et printemps [« avril », Zola]).
- Le monde est décrit comme générateur de sensations et de sentiments positifs (Panturle est « embaumé de sa joie »).
- Le thème de l'enfantement et de l'enfance connote l'espoir dans l'avenir plein de promesses et suggère que la vie est faite de recommencement : un enfant à naître est un « fruit » (Giono) ; une personnification saisissante transforme la terre en future mère (« la campagne était grosse », Zola).
- L'atmosphère de libération, de liesse est rendue à travers des termes plus abstraits : « triomphe », « immenses bonheurs » (Maupassant), « délivrance », « sans entraves », « réjouissances » (Camus).

Connoter signifi[e] suggérer, évoque[r], impliquer. Une **connotation** est un sens second, qui dépasse le sens propre (ou dénoté).

3. Une conception nuancée : la vie est mêlée

Ces auteurs prônent implicitement une attitude réaliste, lucide, mais aussi dynamique et tournée vers un avenir prometteur, voire heureux : « il y a dans les hommes plus de choses à admirer que de choses à mépriser » (Camus).

Des synonymes [de] ***conception*** (de l[a] vie, du monde...) : *vision, façon de voir, vue, opinio[n], image, perceptio[n], idée, pensée, définition...*

[CONCLUSION]

Si leur conception générale de la vie est très proche, les perspectives des auteurs du corpus sont légèrement différentes : Maupassant et Giono donnent une dimension personnelle, presque charnelle, à ce bonheur (re)trouvé. Zola, en romancier engagé, oppose le malheur, passé ou présent, au bonheur que les révolutions apporteront aux opprimés de la société. En moraliste philosophe, Camus voit avec recul les contrastes de la vie.

UJET 8 | La célébration de la nature et de l'homme

COMMENTAIRE SÉRIES TECHNOLOGIQUES

Vous commenterez le texte de Giono (→ document 3, p. 125).

1. Vous analyserez la poésie de cette fin de roman.
2. Vous montrerez également que Giono y fait un hymne lyrique à la nature et au monde.

DÉMARRONS ENSEMBLE

- Les mots essentiels de la première piste sont *poésie* et *fin de roman*.

Montrez qu'il s'agit bien d'une **fin de roman** et que l'**évolution du personnage** (avant/après) est clairement marquée. Repérez également les **faits d'écriture poétique** (peu usuels dans un roman) : typographie, images, répétitions, vocabulaire...

- Les mots clés de la deuxième piste sont *hymne* et *nature*.

Montrez l'**omniprésence de la nature**, analysez ses rapports avec l'homme et remarquez l'importance des sens dans la description. Il faut aussi expliquer le sens symbolique de la scène et en déduire la **conception du monde** implicite.

CORRIGÉ

PLAN DÉTAILLÉ

[INTRODUCTION RÉDIGÉE]

[AMORCE] Avec *Regain*, Giono clôt en 1930 le cycle romanesque commencé avec *Colline* et *Un de Baumugnes* où il célèbre, en romancier poète, son attachement à sa terre natale de Provence. [PRÉSENTATION DU TEXTE] Le héros, Panturle, s'est réinstallé avec sa femme dans un hameau déserté de Haute-Provence et s'apprête à faire revivre cette terre pour retrouver un bonheur fondé sur l'accord avec la nature. [ANNONCE DU PLAN] La dernière page du roman, qui porte les marques d'un dénouement, est une évocation poétique de l'aboutissement heureux des efforts de Panturle pour reconquérir la terre. C'est aussi un hymne à la nature et à la vie.

Pour l'**annonce du plan**, évitez les *premièrement, deuxièmement...* inutiles et lourds.

POINT MÉTHODE

S'appuyer sur le texte pour justifier une idée

Chaque **idée** d'un paragraphe du commentaire doit être **argumentée** : appuyez-vous sur des mots, expressions ou passages du texte qui ne doivent pas être mis entre parenthèses ou en vrac, mais intégrés grammaticalement à vos phrases.

Faire référence au texte

▶ La **citation intégrale** (phrase ou partie de phrase)
Elle vient entre guillemets et signale entre crochets coupures et modifications.
Elle est grammaticalement intégrée dans la phrase d'analyse.
La citation de vers respecte la typographie d'origine ou signale le retour à la ligne par une barre oblique, en gardant les majuscules de début de vers.

▶ Le **relevé de mots** formant un champ lexical
Chaque mot vient entre guillemets, séparé du suivant par une virgule.
N. B. Évitez les longues listes.

▶ La **référence** à une ligne, un paragraphe, une strophe, un vers...

▶ Le **résumé d'un passage**
Il remplace une longue citation. Il doit être bref pour éviter la paraphrase.

I La dernière page d'une œuvre atypique

1. Les éléments d'un dénouement de roman

L'aboutissement de la quête et du projet du personnage (« la grande victoire », « Il a gagné : c'est fini »). La quête de Panturle est de faire revivre un hameau abandonné ; cela renvoie au sens du titre *Regain* (repousse d'une prairie après une première fauche). Ici, c'est une résurrection matérielle (culture des champs) et humaine (installation d'un couple et maternité).

L'évolution du personnage. Panturle a tourné la page de sa violence, de sa solitude (« il a connu [...] cette lande terrible qu'il était ») : il est en accord avec la nature et renaît lui aussi. Symboliquement, il « marche » et « va » d'abord vers les champs, puis ne bouge plus, « solidement enfoncé dans la terre comme une colonne ».

L'omniprésence de ce personnage. Il occupe tout l'espace et grandit à la dimension de cette campagne par la multiplication des « il » en tête de phrases.

Des mots pour désigner la **fin d'un roman** : *dernière page, dénouement, aboutissement, achèvement, conclusion, exc[...] épilogue...*

■ **Un narrateur omniscient, en totale sympathie avec son héros.** Tel un conteur, le narrateur fait vivre la scène, surtout au présent (d'énonciation plus que de narration) et avec de nombreux verbes de mouvement, de gestes…

[TRANSITION] Mais c'est aussi un narrateur poète.

2. Des éléments et le ton d'un poème

■ **Une mise en page poétique.** Le texte est une succession de versets, il a la fragmentation d'un poème en vers blancs.

■ **Une langue à part.** On retrouve la langue utilisée par Giono dans sa trilogie provençale : mélange savamment calculé de parler populaire et de mots provençaux, pour venir au plus près de la langue de ses personnages.

■ **De nombreuses images poétiques.** L'enfant à naître est « un fruit », Panturle est « comme un mouton […] sur les collines », comme une « lande terrible », « comme une colonne », ses pantalons de velours brun sont comme « un morceau de ses labours ».

■ **Une syntaxe poétique.** La structure **répétitive** des phrases « il »/verbe/complément donne son élan, sa force au passage. Giono bouscule éventuellement la syntaxe ordinaire : le verbe « saliver », intransitif, n'accepte pas d'ordinaire de COD (« saliver longtemps le jus »).

■ **Une utilisation poétique des mots.** Des **répétitions lexicales lyriques** (« joie », « d'un coup », mots clés – quatre occurrences de « terre ») rythment le texte. Des mots familiers (« ça »), parfois vagues (« toutes ces choses ») et un vocabulaire simple (« il est… », « il a ») lui donnent un ton spontané.

■ **Des rythmes variés.** Les rythmes sont croissants (« Il marche. […] presser ses dents ») ou équilibrés (« Il est debout […] colonne »).

Un **narrateur omniscient** sait tout et raconte tout au lecteur : les événements passés, présents, futurs, les pensées des personnages.

La **mise en page** désigne la façon dont le texte est présenté, disposé sur la page : typographie (gras, italique…), passages à la ligne, espacements et blancs…

II Le chant du monde

1. Une vision panthéiste du monde

■ **Un culte païen de la terre.** Il n'y a pas de référence à Dieu, à l'église, mais la campagne est un temple (champ lexical de la nature : « collines », « pré » « champs », quatre occurrences de « terre », « lande », « labours » ; végétation : « fruit », « saladelle », « graine », « herbes en couteau »).

Le **panthéisme** désigne, dans son usage courant, une doctrine qui voit dans la nature (divinisée) l'unique principe fondamental du monde.

■ La fusion entre l'homme et la terre. La terre est personnifiée («terre de beaucoup de bonne volonté», «terre renfrognée», «vent enragé») et l'homme chosifié («vêtu avec un morceau de ses labours», «enfoncé dans la terre comme une colonne», l'enfant à naître est un «fruit»).

2. L'importance des sens plus que de la réflexion

■ Les cinq sens. Panturle participe à cette nature, fait corps avec elle par tous ses sens : odorat, ouïe, toucher, goût, vue.

■ Des synesthésies poétiques. Ces impressions sensorielles fusionnent : «il est tout embaumé de sa joie», «une joie dont il veut mâcher toute l'odeur», «le beau silence s'est épaissi en lui».

La **synesthésie** est l'association de sensations de natures différent[es] qui trouvent une correspondance entre elles (→ fiche 37, p. 1[…])

3. Un hymne à la joie

■ Le sentiment de plénitude est exprimé explicitement par les expressions «embaumé de sa joie», «c'est une joie».

■ Le vocabulaire mélioratif («beau», «grasse») et intensif («entassées», «toute», «longtemps», «pleine», «beaucoup», «solidement») suggère la satisfaction et l'épanouissement.

4. Le symbolisme de la scène

Le dénouement consacre la «victoire» du bien contre le mal, du présent et du futur contre le passé.

■ Une description négative du passé. La «terre ancienne» est couverte d'une végétation hostile («ses aigres genêts et ses herbes en couteau»); l'homme ancien qu'était Panturle est «terrible» et «enragé».

■ Un présent plein de promesses. Panturle montre «maintenant» sa sollicitude envers sa femme, son enfant à naître. Il «tâte» la terre comme une matière vivante.

[CONCLUSION RÉDIGÉE]

[SYNTHÈSE] Cette dernière page de roman est surprenante par la magie poétique de la langue originale où le lyrisme s'empare des mots les plus ordinaires pour inventer des images audacieuses ; Giono rend hommage à la vie intense de la nature et à des personnages simples, mais capables de la comprendre et de la respecter. [OUVERTURE] Il fait passer un message humaniste qui fait de la terre un personnage à part entière, exprime l'idéal d'une vie primitive, naïve et simple et célèbre l'innocence, la générosité comme remède aux luttes, aux malheurs nés de l'égoïsme, de la violence.

SUJET 9 | L'apothéose d'un arriviste

COMMENTAIRE

Vous commenterez le texte de Maupassant (→ document 2, p. 123).

DÉMARRONS ENSEMBLE

- Élaborez la « **définition** » du texte (→ sujet 3) : *fin de roman* [genre] *naturaliste* [mouvement] *qui décrit* [type] *la cérémonie de mariage du héros* [thème], *critique ironique* [registre], *spectaculaire* [adjectif] *pour rendre compte de l'évolution du héros et peindre la société* [buts].
- Analysez ce qui fait de ce mariage une **cérémonie à grand spectacle** : progression, atmosphère, personnages...
- Étudiez ce qui fait de **Duroy** un personnage d'**arriviste** : recherchez ce qui suggère son ascension et son succès ; puis analysez les aspects de sa réussite (sociale et amoureuse) en en interprétant les éléments et images symboliques.
- Demandez-vous quelle **image du personnage** veut donner Maupassant : quels défauts de Duroy cette scène souligne-t-elle ? Déduisez-en le **regard de Maupassant** sur son personnage.

CORRIGÉ

PLAN DÉTAILLÉ

POINT MÉTHODE

Vérifier la pertinence des axes trouvés à partir de la définition du texte

Deux vérifications confirmeront la pertinence de vos idées directrices.

- Vous devez pouvoir faire précéder votre idée directrice de *Je veux montrer que...* En effet chaque partie du commentaire est une argumentation qui vise à **prouver** une idée sur le texte. Un thème du texte ne constitue jamais un axe.

  Le mariage de Duroy n'est pas un axe, car on ne peut pas dire : *Je veux montrer que le mariage de Duroy*. Mais *La description d'un mariage spectaculaire* est un axe, car on peut dire : *je veux montrer que le mariage de Duroy est décrit de façon spectaculaire*. Le mot à prouver est alors non pas *mariage* mais *spectaculaire*.

N. B. Dans votre devoir rédigé, ne conservez pas l'expression *Je veux montrer que...*

- **Surlignez de différentes couleurs** les mots ou expressions du texte qui soutiennent chaque idée que vous voulez prouver. Si vous trouvez peu de preuves dans le texte, c'est que votre idée ne constitue pas un axe.

[INTRODUCTION]

[AMORCE ET PRÉSENTATION DU TEXTE] La IIIe République est marquée par la montée du capitalisme et de l'ambition sociale; les romanciers se font l'écho de ce monde d'arrivisme. Le roman naturaliste *Bel-Ami* (1885) est l'histoire de l'ascension d'un «grain de gredin» dans le milieu de la presse, alors en pleine expansion, et dresse un tableau satirique de la société parisienne. Le dénouement du roman marque l'apogée de l'ascension sociale de Georges Duroy ou Bel-Ami, qui s'est anobli en Georges Du Roy du Cantel, et dont le narrateur décrit le deuxième mariage avec la fille du propriétaire du journal. [ANNONCE DU PLAN] [1] À travers une scène spectaculaire et très théâtralisée, [2] Maupassant donne l'image de l'apothéose d'un arriviste et d'un séducteur à qui tout sourit. [3] Mais, derrière cette image flatteuse, le lecteur sent le regard ironique de l'auteur sur ce personnage au fond médiocre et méprisable.

Au milieu de l'introduction, surtout pour un extrait de roman ou une scène de théâtre, **résumez fermement** la teneur du texte pour en donner une idée claire à un lecteur qui ne l'aurait pas sous les yeux. Aidez-vous pour cela du paratexte.

I Un spectacle, un triomphe : une scène théâtralisée

1. Une progression et un cadre cinématographiques

- Les verbes de mouvement retracent les déplacements et mouvements de Du Roy: «il passa», «reprit le bras», «retraverser», «allait […] d'un pas calme», «parvint», «descendit».
- Le décor est précisément reconstitué, intérieur («la sacristie», «l'église», «baie […] de la porte», «seuil») et extérieur («place de la Concorde», «Chambre des députés», «la Madeleine», «Palais Bourbon»).
- Les plans d'ensemble permettent de se repérer (l'église/Paris), les gros plans sont porteurs d'émotions («la main», «ses doigts»).
- En une sorte de mise en abyme, une scène du passé avec son décor est suggérée et ressuscitée (Mme de Marelle devant sa «glace», au sortir du lit).

2. L'alternance et la variété des points de vue

- Le point de vue externe met en scène le couple officiel et traduit le regard des témoins (la foule dont le narrateur semble faire partie).
- Le point de vue interne fait partager au lecteur les sentiments et les pensées de Du Roy.
- Le narrateur adopte un point de vue omniscient, lorsqu'il fait part des émotions de Mme de Marelle («timide», «inquiète»…).

Les récits qui utilisent le **point de vue externe** ont une apparence d'objectivité.

3. Une scène riche en sensations...

- ... à voir. Le champ lexical du regard est omniprésent : « aperçut » (deux fois), « ses yeux vifs », « leurs yeux se rencontrèrent », « les yeux fixés », « voyait », « contemplait », « relevant les yeux », « ses yeux éblouis »...
- ... à entendre. Une bande-son est reconstituée : fond sonore (« des voix s'élevèrent », « chantaient », « acclamer », « bruissante »), verbes de parole (« répondait », « dire », « murmura », « répondit »...), style direct (dialogue) au moment le plus intime (l. 25-26) et pour la retranscription des pensées intérieures en une sorte de voix intérieure (l. 19 et 23).
- ... à sentir. Le narrateur rend compte des sensations olfactives (« encens », « une odeur fine de benjoin ») et tactiles des participants à la cérémonie (« tendit la main », « reçut », « douce pression » « serrait ») : il rappelle aussi les sensations du passé de Duroy à travers la mention des « caresses ».

Au cinéma, les **pensées intérieures** d'un personnage sont souvent rendues par une *voix off*.

4. Le jeu des personnages : un héros et son public

- Duroy personnage central. Il est nommé (« Bel-Ami », « Georges »), désigné par son titre (« baron ») et son nouveau nom (« Georges Du Roy », deux fois), ou désigné par le pronom personnel ; il est généralement sujet des verbes actifs.
- Un personnage collectif, une foule nombreuse (esthétique naturaliste). Le narrateur insiste sur la densité et la multitude : mots collectifs (« défilé », « un peuple », « monde », « la foule »), pluriels multiplicateurs (« spectateurs »), vocabulaire de la multiplicité (« pleine [de monde] », « [foule] amassée »), images frappantes (« comme un fleuve », « foule noire »).

Le roman naturaliste qui décrit la société comporte souvent, à côté des personnages principaux, des **personnages collectifs** (mineurs dans *Germinal*, foule parisienne...).

5. L'atmosphère solennelle et religieuse d'un sacrifice

- Le lieu (« l'église » de « la Madeleine » avec sa « sacristie ») installe une atmosphère de recueillement.
- Des allusions à Dieu (« l'Homme-Dieu », « descendait sur la terre ») et le champ lexical de la religion (« encens », « autel », « sacrifice divin », « prêtre », « croyant, », « religieux », « divinité ») imprègnent la cérémonie de gravité religieuse.
- Des postures symboliques. Georges est « à genoux », il a « baissé le front ».

[TRANSITION] Cette théâtralisation éclaire le personnage de Duroy, type social de l'arriviste dans la société de la IIIe République.

Une **transition** doit récapituler brièvement ce qui précède et annoncer ce qui va être analysé dans l'axe suivant, en indiquant le lien entre les deux.

II L'apothéose d'un arriviste

1. L'apothéose sociale à travers des images fortes

La progression du comportement physique de Georges Duroy. L'humilité du croyant («à genoux à côté de Suzanne», «baissé le front») laisse rapidement place au pragmatisme du non-croyant victorieux et dominant («se redressa», «lentement», «d'un pas calme», «la tête haute»).

POINT MÉTHODE

Construire un paragraphe

- Un paragraphe de commentaire n'est complet qu'avec **trois composantes indispensables** : l'interprétation (ou idée sur le texte), une/des citation(s) du texte et la qualification (ou caractérisation) de l'élément relevé.

I	C	Q
idée	*citation*	*qualification*

N. B. Les expressions du paragraphe rédigé suivant sont surlignées selon ce code.

- Rédaction d'un paragraphe : → sujet 14, p. 177

L'image du «roi» triomphant. Maupassant multiplie les éléments symboliques de la royauté: la précision «entre deux haies» fait allusion aux triomphes de l'Antiquité romaine, l'attitude «à genoux» de Duroy rappelle celle du sacre; l'«éclatant soleil» est symbole de royauté et de réussite; la réaction de la foule («contemplait», «enviait») est celle de sujets venus «acclamer» leur souverain. Le rythme majestueux de la phrase l. 32-33 (avec ses coupes régulières et ses imparfaits) suggère la lenteur solennelle. Enfin, la transformation du nom «Duroy» en «Du Roy» complète cette métamorphose du personnage en roi.

La symbolique de la Madeleine et du Palais Bourbon.
La Madeleine, lieu sacré, avec son «portique» (architecture romaine, symbole d'ouverture et de lumière, signe d'un avenir brillant) représente le passage vers la réussite.
Le Palais Bourbon (Chambre des députés et renvoi à la famille royale) préfigure une carrière politique.

Une fin ouverte. Le «bond» d'un portique à l'autre représente les étapes de l'ascension sociale. L'escalier que Georges a monté et qu'il redescend peut prendre une valeur symbolique (une déchéance par l'hypocrisie?).

Une **fin fermée** conclut l'histoire par la mort du personnage ou la fin de son parcours. Une **fi[n] ouverte** suggère un avenir pour le personnage et laisse le spectate[ur] imaginer une sui[te].

2. Le triomphe du séducteur

■ Le mariage en signe de réussite sociale. Le mariage est une union d'intérêt sans amour : Suzanne est désignée par son prénom ou son rôle social (« sa femme »), sans aucune notation affective ou physique. Le seul geste (« donnant le bras à sa femme », « reprit le bras de Suzanne ») a une valeur sociale. Jamais sujet des verbes, elle suit mécaniquement Duroy et s'efface dès que l'image de Mme de Marelle vient s'imposer.

■ Le succès amoureux d'un être sensuel. En contraste, Mme de Marelle représente l'amour sensuel partagé. Elle est désignée, comme dans un blason, par de gros plans souvent érotiques de son corps (« lèvres », « yeux », « main », « doigts », « voix », « cheveux », « tempes ») et des termes mélioratifs flatteurs (« jolie, élégante », « vifs », « douce »). Elle génère le « désir » et détermine de fortes réactions physiques : le champ lexical des sens et de l'amour abonde (« baisers », « caresses », « gentillesses », « désir », « la reprendre », « pleins d'amour »). L'image finale du « lit » renvoie au passé et occulte tout.

Le **blason** est un poème à la mode au XVIe siècle qui fait l'éloge d'une personne ou d'une/des partie(s) de son corps.

[TRANSITION] Duroy connaît donc toutes les formes de réussite amoureuse, succès qui lui importe plus que la réussite sociale. La phrase finale rappelle la fin du *Père Goriot* (Rastignac va dîner chez Mme de Nucingen).

III Le regard de Maupassant sur son personnage

Maupassant ne juge pas explicitement son héros dans cette fin, mais il en révèle avec une certaine ironie la médiocrité.

1. Un personnage médiocre, amoral et cynique

■ Le geste de prendre la main d'une autre que sa femme dans un lieu sacré, symbole d'engagement devant Dieu, constitue une profanation, un blasphème.

■ Le rapide dialogue entre Duroy et Mme de Marelle qui parodie l'échange rituel des deux époux dans un mariage (« À bientôt, monsieur… À bientôt, madame » qui se répondent en écho) marque son cynisme.

■ L'image finale du lit est choquante parce que déplacée dans une « sacristie ».

Le **cynisme** désigne une attitude volontairement immorale et impudente, qui s'oppose aux lois sociales et morales.

2. Un personnage hypocrite qui joue la comédie sociale de la bourgeoisie

- Il remercie les gens sans les voir (« il ne voyait personne »).
- Il accomplit ses gestes **mécaniquement** (« Il serrait des mains, balbutiait des mots qui ne signifiaient rien, saluait, répondait aux compliments »).
- Ses mots sont **banals** (« Vous êtes bien aimable »).

3. Un héros grisé par sa réussite, qui vit dans l'imaginaire

- Il est **égoïste** et **narcissique** (« Il ne pensait qu'à lui »).
- Sa **réussite** l'obsède (« affolé de joie », « longs frissons [des] immenses bonheurs »); la métaphore de « la foule [qui] coulait devant lui comme un fleuve » rend sa sensation d'être submergé par la notoriété et le bonheur.
- Il ne vit pas dans la réalité, mais dans l'**imaginaire** – dans le passé (« souvenir de tous les baisers ») ou dans l'avenir (« désir brusque de la reprendre », « il allait faire un bond »).

4. L'ironie implicite de Maupassant : un antihéros

- Certains clichés (« leurs yeux se rencontrèrent, souriants, brillants, pleins d'amour ») font de Georges Duroy un **héros de roman sentimental un peu minable**.
- Le point de vue interne montre un **personnage naïf** qui se prend pour un « roi ».

Un **cliché** est un lieu commun, une expression tellement utilisée qu'elle en devient banale, une idée toute faite (*pâle comme un mort*).

[CONCLUSION]

Le roman s'achève sur une ouverture : le héros n'a pas terminé son parcours, à la différence de la majorité des romans du XIXe siècle qui se terminent sur la fin du héros (Julien ou Fabrice de Stendhal). Maupassant apparaît dans cette dernière page de roman naturaliste comme un peintre de la société de son époque et de son fonctionnement.

SUJET 10 | Les fonctions d'une dernière page de roman

DISSERTATION

Le but d'une dernière page de roman est-il uniquement de donner un dénouement à l'histoire ?
Vous répondrez dans un développement organisé, en vous appuyant sur les textes du corpus, les œuvres étudiées en classe et vos lectures personnelles.

DÉMARRONS ENSEMBLE

- La **problématique** peut être reformulée ainsi : *Quelle est l'utilité de la dernière page d'un roman ?* ou *Quelles sont les fonctions de la fin d'un roman ?*
- La consigne donne une **réponse partielle** : la fin d'un roman termine l'histoire, dénoue l'intrigue. Mais le mot *uniquement* invite à dépasser cette réponse pour poser la question : *Quelles autres fonctions peut remplir la fin d'un roman ?*

CORRIGÉ

PLAN DÉTAILLÉ

POINT MÉTHODE

Choisir un plan en fonction du sujet

Pour choisir le plan, analysez la consigne (verbe ou question et mot interrogatif).

1. Le plan thématique

- Si le sujet invite à **définir un genre ou une notion**, à **soutenir une thèse ou une opinion,** présentez les principaux aspects de la notion, de la thèse.
- S'il invite à **commenter une affirmation**, analysez le jugement proposé en le divisant en centres d'intérêt et donnez des explications, des illustrations...
- Construisez votre devoir en **deux ou trois parties**, selon les principaux aspects de la notion, ses domaines ou les centres d'intérêt.

2. Le plan dialectique

- Si le sujet invite à **discuter une définition, un jugement, une thèse**, présentez dans une partie les arguments soutenant la définition, le jugement puis, dans une ou deux parties, ceux qui le corrigent, le nuancent, en divergent ou l'infirment.
- S'il invite à **confronter** deux thèses, définitions, démarches, consacrez deux parties à évaluer la pertinence relative de chaque thèse ou définition. Une troisième partie peut permettre de dépasser l'opposition en une synthèse.

N. B. Pour éviter de vous contredire dans un plan dialectique, suivez ce schéma :
1. *Oui, en un sens...* **2.** *Cependant, on peut dire que...* **3.** *Cela dépend de...*

[INTRODUCTION]

[AMORCE RÉDIGÉE] Le romancier se demande immanquablement : « Par où commencer ? » Il peut aussi se demander : « Comment finir ? » Aragon écrit : « Si pour moi, le début d'écrire est un mystère, plus grand est le mystère de finir, ce silence qui suit l'écriture. » Il s'agit là d'un enjeu d'importance, car la fin d'un roman est ce qui reste marqué dans le souvenir du lecteur et peut éclairer rétrospectivement tout le roman. [PROBLÉMATIQUE] Quels sont les buts d'une dernière page de roman ? [ANNONCE DU PLAN] [1] Elle apporte le plus souvent un dénouement à l'histoire, comme au théâtre, [2] mais elle peut aussi avoir d'autres fonctions que de « dénouer » l'histoire ; [3] elle donne son sens au roman.

I La dernière page de roman comme dénouement

1. Autour du mot *dénouement*

- Le **roman** implique presque toujours un **nœud central**, parce qu'il présente généralement une imbrication d'intérêts opposés qui crée des situations à éclaircir (*L'Étranger* de Camus autour d'un meurtre). Est-il possible du reste, comme l'a souhaité Flaubert, d'écrire « un livre sur rien » ?

- Le « **dénouement de l'histoire** » fixe le sort des personnages et la répartition des vainqueurs et des vaincus (*Le Cousin Pons* de Balzac) et éclaircit ce que le lecteur n'avait pas compris (les romans à énigme d'Agatha Christie).

On peut évoquer ici le cas spécial [du] **roman policier**, qui commence alors que le nœu[d] est déjà formé : tout le roman consiste à dénou[er,] à élucider l'énigm[e]

2. La dernière page, aboutissement pour le personnage

- La **résolution d'un problème**. L'obstacle, la crise ou l'épreuve sont surmontés (*Thérèse Desqueyroux* de Mauriac, *La Peste* de Camus).

- Le **projet** est **abouti** (Bel-Ami et son projet d'ambition : réussir ; Octave Mouret dans *Au Bonheur des dames* de Zola).

- Pour les romans sans véritable nœud, on parle plutôt de **fin d'un parcours**.
  - La fin d'un apprentissage : Rastignac dans *Le Père Goriot* de Balzac.
  - Un échec : la marquise de Merteuil dans *Les Liaisons dangereuses* de Laclos.
  - Un personnage est mené au bout de son destin (toute une vie : le roman s'apparente à la tragédie). Le roman a alors parfois le nom du personnage pour titre (*Mme Bovary* de Flaubert, *Le Père Goriot* de Balzac).

II Quand la fin du roman n'est pas un dénouement...

1. D'autres fonctions de la dernière page de roman

- **Le bilan d'une trajectoire**. Le personnage fait une rétrospective – un flash-back – et médite sur ce qu'il a vécu (*L'Éducation sentimentale* de Flaubert, *L'Étranger* de Camus).

- La fin prend un sens par rapport au début. Elle permet alors de **mesurer l'évolution sociale** (l'ascension sociale de Bel-Ami) **ou psychologique d'un personnage** (Meursault accepte son indifférence, se comprend mieux lui-même).

- La dernière page **ouvre** parfois des **perspectives**, relance l'action : c'est une **fin ouverte** (*Bel-Ami* : le commencement d'une nouvelle vie ; *Le Père Goriot* : un nouveau combat, raconté dans d'autres romans de *La Comédie humaine* [« À nous deux maintenant ! », dit Rastignac]). Ce type de fin débouche sur des séries (*Les Rougon-Macquart, La Comédie humaine*, Maigret).

- Certains romans se terminent bien après le dénouement de l'histoire : ils donnent alors l'impression que la vie continue (*La Condition humaine* : la conversation de Gisors et de May ouvre des perspectives). Le roman, antidote contre la réalité, emmène vers un autre monde, **fait rêver**.

Aidez-vous de la question sur le corpus et du sujet d'invention, généralement en résonance avec la dissertation. Ici, « méditation [...] d'un personnage sur ce qu'il a vécu » (écriture d'invention) vous suggérait ce paragraphe de la dissertation.

2. Des fins sans intrigue ni nœud

- Certains romans tendent vers une fin qui n'est pas vraiment une fin d'intrigue, mais celle d'un **itinéraire spirituel** (*Le Temps retrouvé* marque l'éclosion de la vocation littéraire du narrateur).

- Certains romans forment un immense **flash-back** (« Longtemps je me suis couché de bonne heure », première phrase de la *Recherche du temps perdu*).

- Sans nœud, le roman devient poésie, documentaire... Les **faux romans** ne finissent pas, parce qu'ils ont pour objet la forme même du roman.

  – Le roman poétique : sa fin ne dénoue pas une intrigue mais résume une ambiance (*L'Emploi du temps* de Butor).

  – *Les Faux-Monnayeurs* : le lecteur ne sait pas ce que deviennent les personnages. Le roman est le personnage principal.

  – Le nouveau roman : personnages et intrigue disparaissent.

[TRANSITION] Un roman, c'est une histoire, mais aussi des idées ; le message est indépendant de l'existence d'une intrigue.

Les parties ne doivent pas être juxtaposées, mais suivre un fil logique signalé par les **transitions** (conclusion partielle de la partie précédente, annonce de la partie suivante).

III ... la fin délivre le message du roman

« Transmettre » une « conception de la vie » (question sur le corpus, p. 122) vous suggérait la 3e partie de la dissertation.

1. Faire une critique ou une satire

- **Une intention morale sociale**. Dans la scène d'enterrement du Père Goriot, apparaissent l'ingratitude des aristocrates, l'omniprésence de l'argent...
- **Une intention politique**. La fin de *Balzac et la petite tailleuse chinoise* de Dai Sijie stigmatise la censure et l'oppression du régime communiste chinois.

2. Inciter le lecteur à l'action politique, sociale...

(fin de *Germinal* → p. 146)

3. Donner une vision du monde, une image de l'homme

- Une fin de roman transmet une vision du monde et de la vie et fonctionne comme une « **philosophie en action** » (*cf.* fin de *Germinal* et textes du corpus).
- [PARAGRAPHE RÉDIGÉ] Plus particulièrement, parfois, l'accent n'est pas mis sur la résolution du nœud de l'action, mais sur l'héroïsme du personnage. À la fin de *La Princesse de Clèves*, l'attention du lecteur est attirée non sur la mort de Mme de Clèves, mais sur son renoncement héroïque. Le romancier finit alors son roman en moraliste : le roman fonctionne comme un apologue.

[CONCLUSION]

[SYNTHÈSE] Au total, il semble qu'il y ait autant de fonctions de la fin de roman que de types de roman. [OUVERTURE] En fait, la dernière page ou le dénouement d'un roman doit se lire presque inévitablement comme un miroir de son début ; l'intérêt de la lecture d'un roman consiste à « explorer par quelles voies, à travers quelles transformations, quelles mobilisations, [la fin de roman] rejoint [son début] ou s'en différencie » (R. Barthes). Il est quasiment impossible de parler de la fin de roman comme d'un élément séparé du reste, pour elle-même.

Tout au long de l'année, constituez, pour chaque objet d'étude, une **réserve de citations significatives** qu pourront illustrer vos arguments de dissertation.

SUJET 11 | La méditation finale d'un personnage

ÉCRITURE D'INVENTION

Les textes du corpus livrent la méditation finale d'un personnage sur ce qu'il a vécu. Vous décidez de réécrire la dernière page d'un roman que vous avez apprécié et/ou étudié. Après en avoir rappelé en quelques lignes le titre et l'essentiel du dénouement, vous imaginez la méditation du personnage principal qui revient sur l'ensemble de son itinéraire.

DÉMARRONS ENSEMBLE

- *Rappelé l'essentiel du dénouement* et *revient sur [...] son itinéraire* indiquent que le texte doit comporter des **passages narratifs** (bref résumé de la fin du roman). *Méditation* implique des **passages argumentatifs.**
- Les **choix narratifs** sont dictés *(réécrire)* par la fin du roman : statut du narrateur, circonstances spatio-temporelles, niveau de langue, registre. En découlent le **type de narration** (monologue intérieur, dialogue au style direct, indirect ou indirect libre) et la **situation d'énonciation.**
- *Méditation* implique le **point de vue interne** et l'implication du héros.
- Certains **choix** restent à opérer : il faut bien connaître le **roman** ; le sujet de la méditation peut être philosophique (soi, les autres, l'être humain, le monde, la vie...). Le **bilan** est positif (optimiste), négatif (pessimiste) ou nuancé (corpus).

CORRIGÉ

EXTRAIT RÉDIGÉ

POINT MÉTHODE

Compléter la définition du texte à produire

- Élaborez la « **définition** » du texte (→ sujet 3) à produire : *fin de roman* [genre] *qui raconte* [type] *le parcours du personnage principal* [thème] *et rend compte de* [type] *sa vision de ce qu'il a vécu* [thème], ? [registre], *pour mettre un terme au roman, faire comprendre le personnage de l'intérieur et rendre compte de sa vision du monde et de la vie* [buts].
- Il vous reste des **choix** à opérer (registre, niveau de langue...) : complétez tous les éventuels trous de la définition par des choix concrets. Écrivez-les clairement sur votre brouillon. Faites des **choix cohérents avec les exigences de la consigne.**
- Constituez des **boîtes à outils** à partir de chaque élément de la définition : précisions sur vos choix (idées, arguments, exemples pour une écriture argumentative) ou récapitulatif précis des faits d'écriture à utiliser.

L'ÉTRANGER

Meursault, l'Étranger de Camus, a tué un homme. Il n'a pourtant pas l'âme d'un meurtrier, et le meurtre de celui qu'on connaît seulement sous le nom de « l'Arabe », est à mettre sur le compte de la chaleur écrasante. Meursault refuse de mentir à son procès : il est condamné à mort. Il attend son exécution dans sa cellule, après avoir malmené un prêtre qui a tenté obstinément de le ramener à Dieu.

Me voici dans ma cellule. Enfin seul. Si j'étais croyant, je dirais : « merci mon Dieu ». Mais non. Et puis me mettre à croire maintenant, comme ça, d'un coup, comme eux, non. Merci bien. Et ce prêtre qui pleurait de voir que je ne croyais pas. Je n'étais pourtant pas censé être une référence, moi, monsieur. Je devrais peut-être dire « mon Père ». Mais sincèrement, quelle importance ? Il ne devrait pas être prêtre, il est comme moi, après tout. Oui, tout comme moi. Mais pourquoi en pleurer ? Je ne pleure pas, moi.

Avant de composer votre écriture d'invention, délimitez précisément la **situation d'énonciation** que vous devez respecter (→ fiche 1).

Enfin… Tout cela n'est guère intéressant. Comme tout depuis le départ. Même la mort de maman : tout le monde meurt, pourquoi pas elle ? Je ne vois pas pourquoi on en a fait toute une histoire. Ç'aurait pu être moi, ç'aurait pu être n'importe qui. Ç'a été elle, c'est tout. J'étais en noir, bien sûr. Je ne parlais pas beaucoup : je ne parle jamais beaucoup. Mais ça ne veut rien dire. Je me demande bien ce qu'ils voulaient, après tout : que je m'effondre ? Que je pleure ? Je me demande à quoi ça leur aurait servi. Peut-être que cela les aurait rassurés : des larmes, ça fait bonne impression. Ça fait « la vie continue malgré tout ». Ça fait « on est là pour pleurer, et après, on oublie ». Comment ils disent ça ? « Prendre sur soi ». Mais c'est de l'oubli. C'est tout.

Et puis quoi ? Ils auraient peut-être voulu que je pleure aussi sur l'Arabe. Mais c'était comme pour maman : c'était son tour, comme ce sera le mien demain. Et puis, c'étaient lui et les deux autres qui cherchaient la bagarre. Je ne pouvais pas laisser Raymond seul contre eux trois. Et après… Il faisait chaud. Et l'Arabe s'approchait, lentement, avec son couteau. J'avais très chaud. Et Raymond n'était plus à côté de moi. La lumière m'aveuglait. Un reflet sur le couteau. J'avais si chaud. C'est parti tout seul : cinq coups de feu, disent-ils. Je ne m'en souviens pas. Mais s'ils le disent… Je ne sais même pas si j'ai bien visé. Je n'ai même pas regardé le corps : après tout, je ne le connaissais pas. Je n'ai jamais vu son visage, je ne le reconnaîtrais même pas, je crois. Combien de temps je suis resté, comme cela, après que l'Arabe est mort ? Il faisait si chaud !

Ils n'ont pas tardé à m'arrêter. Ce n'est pas comme si j'avais voulu me cacher, non plus : je ne vois pas à quoi cela aurait servi, non plus. Et puis mentir au procès, à quoi bon ? Que j'y passe demain ou dans dix ans, quelle différence ? Au moins ça ne fera pas trop mal. Ce ne sera pas long. Ce n'est pas comme le procès : il était temps qu'il se termine. J'en avais assez d'attendre, sur mon banc, que tout le monde ait fini de parler de moi. C'était fatigant. Est-ce que je leur demandais de me raconter leur vie, moi ? Il suffisait que j'aie tué l'Arabe. C'était tout. Quelle perte de temps ! Et l'avocat qui me demandait de mentir : à quoi bon, puisque toutes les preuves étaient contre moi ? Cela aurait rallongé le procès. Et puis je n'ai pas peur, moi. Je ne vis pas les entrailles nouées, comme tous ces gens qui veulent que je mente et qui tremblent de voir que je ne leur mens pas. À l'enterrement de maman, au procès. Tous. Les amis, l'avocat, le prêtre. Pendant tout le procès. Raymond a eu beau témoigner en ma faveur, cela n'a pas servi à grand-chose, je crois. Il a peut-être même aggravé mon cas. Il n'a pas dû faire bonne impression. C'était gentil d'essayer. J'aurais fait pareil pour lui. Mais moi, mentir ? Pourquoi faire, sincèrement ? Au fond, ils le savent aussi bien que moi. Que c'est pour rien qu'ils s'agitent, que c'est pour rien qu'ils vivent leur petite vie bien sage, bien monotone, et bien mensongère. C'est plus commode. C'est plus simple. Non. C'est plus rassurant, voilà. Rassurant.

Je ne dois pas être rassurant. Je comprends qu'ils n'aient plus envie de me voir. Je ne sers déjà pas à grand-chose, au départ. Mais si, en plus, je leur fais peur… Si en plus je les renvoie à leur vanité, à leur absurdité, à leur vide… Oui, je comprends mieux : ils n'ont plus envie de me voir. Parce que je dois faire mal à voir. Tout simplement. Ce sera un soulagement pour eux de me voir mourir demain. Peut-être que ce sera dans les journaux. Cela rassurera le prêtre, oui : et il pourra commencer à en convertir d'autres, qui suivront ses conseils avisés.

Mais qu'ils ne comptent pas sur moi. Parce que moi, je vais mourir demain et parce que je sais, moi, que tout cela ne sert à rien.

Si vous devez composer une **suite de texte**, respectez les circonstances, le registre, le niveau de langue et le « style » du texte de base (ici, phrases très courtes et simples de l'étranger).

SUJET 12 | Fin fermée ? Fin ouverte ?

ENTRAÎNEMENT À L'ÉPREUVE ORALE

Texte : *Germinal*, d'Émile Zola (→ document 1, p. 122).

Question : Montrez que cette dernière page clôt le roman et en même temps prend la dimension épique d'une prophétie.

DÉMARRONS ENSEMBLE

- Les mots essentiels sont : *dernière page*, *épique*, *prophétie*.
- Demandez-vous si cette **fin de roman est fermée ou ouverte.**
- Repérez les **caractéristiques du registre épique** (→ fiche 13, p. 41).
- Dégagez le **sens de cette fin de roman**, le message implicite de l'auteur.

CORRIGÉ

PLAN DÉTAILLÉ

POINT MÉTHODE

Préparer et présenter son brouillon le jour de l'épreuve

- **Ne rédigez pas** votre explication au brouillon : vous n'en aurez pas le temps et cela vous inciterait à lire vos notes souvent d'une voix monocorde.
- Présentez **clairement et proprement** votre brouillon **sous forme de notes** qui serviront de base à votre explication [**une feuille par axe**]. **Hiérarchisez vos idées** : allez à la ligne, utilisez numéros, lettres, tirets...
- **Ne notez pas les citations du texte.** Affectez une couleur par idée et **surlignez dans le texte** les mots soutenant cette idée, sans encombrer vos notes : vous retrouverez facilement les citations preuves de vos axes.

[INTRODUCTION]

Les romanciers naturalistes se donnent pour objectif la description exacte et scientifique de la société. Ainsi, Zola, dans *Germinal*, raconte une grève de mineurs, sévèrement réprimée, dans les mines du nord de la France. Dans la dernière page du roman, Étienne Lantier, le personnage principal, qui a conduit cette grève, quitte le pays minier pour partir vers Paris. [LECTURE DU TEXTE] [RAPPEL DE LA QUESTION] [ANNONCE DU PLAN] Ce passage [1] conclut le roman du point de vue de l'intrigue, mais [2] il dépasse cette fonction : par sa dimension épique, il prend [3] une valeur symbolique à interpréter et convoie un message.

I Une fin ou un commencement ?

1. Un « résumé » du roman et de l'évolution des personnages

■ Les derniers paragraphes renvoient à certains lieux (puits de mines), épisodes majeurs (« décombres du Voreux »), personnages (« la Maheude »).

■ Pour les mineurs, c'est apparemment un échec : mêmes souffrance physique (« échine cassée ») et soumission qu'au début.

La confrontation de la fin d'un roman avec son **début** permet de mesurer par contraste l'évolution des personnages, le chemin parcouru et révèle la vision de la vie du romancier.

2. La fin du parcours d'Étienne

■ C'est la fin de l'apprentissage du héros. La comparaison du début (arrivée) et de la fin du roman (départ) permet de mesurer le chemin parcouru.

■ Le personnage accomplit la même action : il marche dans le pays minier.

■ Mais il n'est plus le même : son identité s'est affirmée (d'« un homme » à « Étienne »). Il se repère dans le pays minier (noms propres, « six kilomètres »). Il a accédé à la pensée (discours indirect libre), a découvert la solidarité, a semé le grain de la révolte (sa « mission ») et va continuer la lutte.

Si le passage à expliquer fait partie d'une œuvre que vous avez étudiée dans son intégralité, faites des références éclairantes au **reste de l'œuvre**.

3. Une fin ouverte

■ Pour les mineurs, il y a eu prise de conscience (« tous là », « le suivre »), naissance d'un espoir : un cheminement vers l'action (la grève).

■ Étienne « se hâte » vers d'autres horizons ; le « train » (invention nouvelle) est symbolique de progrès et de renouveau ; il va continuer la lutte.

[TRANSITION] La dernière page de roman joue son rôle de clôture, mais elle s'ouvre sur une vision épique prophétique grandiose et symbolique.

II La valeur symbolique d'une fin épique

1. Une nature épique bienveillante

■ La Terre est personnifiée : le champ lexical de l'enfantement (« grosse », « enfantait », « flanc nourricier ») la rapproche de la Terre mère nourricière antique. Le soleil rappelle la chaleur maternelle. L'amplification se marque dans « rayonnait dans sa gloire » et « rayons enflammés de l'astre ». La métaphore filée de la germination (« germes ») suggère le renouveau de la vie.

Une **métaphore filée** se prolonge sur plusieurs phrases et s'appuie en général sur des mots d'un même réseau lexical (→ fiche 10, p. 34).

- **Un hymne lyrique à la vie**. Des termes très forts («jaillissait», «débordement de sève») soulignent la vitalité et créent l'amplification épique.

2. Des personnages épiques

- La **description réaliste du monde souterrain** est en violent contraste avec la scène d'extérieur; elle est d'autant plus impressionnante qu'elle est sonorisée («coups», «entendait», «souffle rauque», «ronflement», «tapaient»).
- Les mineurs sont un **personnage collectif**, comme dans l'épopée (nombreux pluriels). La métaphore de l'«armée noire, vengeresse» crée l'effroi.

[TRANSITION] La scène épique et grandiose résonne comme une prophétie.

III Une prophétie : la perspective historique

1. Le symbole du printemps et de la germination

- La **saison** (avril) devient **symbolique**. La perspective s'élargit de la terre vers le soleil pour revenir à la «terre» (dernier mot).
- La métaphore filée de la germination entre en résonance avec le **titre** : germinal est un mois révolutionnaire, celui de la semaison.
- Ce symbole de révolution place la fin du roman dans une **large perspective historique**.

2. Une prophétie optimiste

- Le futur proche et l'adverbe de temps («allait faire bientôt éclater») donnent à la fin le ton **lyrique et épique** de la prophétie à travers l'hallucination d'Étienne (accumulations et rythme emphatique, *cf.* la dernière phrase).
- La fin annonce la **symbiose** à venir entre les deux mondes (souterrain et de surface), la **solidarité** («tous là») et la **fusion** entre la nature et l'homme: végétaux personnifiés («tressaillaient», «voix») et, à l'inverse, les hommes «poussaient». La vision s'élargit aux dimensions d'une cosmogonie.

Entraînez-vous à l'épreuve orale : **faites des explications orales** face à des camarades ou enregistrez-vous chronométrez-vous.

[CONCLUSION]

[SYNTHÈSE] Le texte marque la fin de l'aventure d'Étienne avec les mineurs. Mais elle ouvre aussi de nouvelles perspectives historiques de libération des opprimés. [OUVERTURE] Le romancier dépasse ici son rôle de naturaliste en créant une vision prophétique et cosmique où nature, hommes et univers fusionnent.

Écriture poétique et quête du sens

FICHES

BILAN

SUJETS CORRIGÉS

31 La poésie, art du langage et expression d'une vision du monde

La poésie est un art : elle repose sur une technique et un savoir-faire – c'est l'art des mots –, mais elle est aussi un regard sur le monde et un moyen d'exploration et d'expression d'une vision du monde. Le poète est l'artisan artiste des mots.

I Qu'est-ce que la poésie ?

Le mot ***poésie*** vient du grec *poiein*, « créer ». ***Poète*** signifie *créateur*.

■ La poésie est un **art**, c'est-à-dire une **création**, au même titre que la peinture (→ fiche 38), la musique (→ fiche 36), la sculpture, la danse, parce qu'elle suit le processus de tout art pour aboutir à la transformation d'une réalité banale.

	La poésie	La sculpture	La danse
transforme un matériau brut	les thèmes quotidiens, le langage usuel	l'argile, le marbre, le bois brut…	le corps, le mouvement ordinaire
par un travail…	sur le style	sur la matière	sur le corps
grâce…	aux figures de style, aux images…	aux formes	aux figures chorégraphiques
pour créer…	un poème	la statue	une chorégraphie

■ On ne définit plus aujourd'hui la poésie par la forme versifiée : elle prend des **formes variées et inattendues**.

■ La poésie est une façon originale d'une part de **voir**, de **percevoir le monde** et de réagir face à lui, d'autre part d'**exprimer le monde** et la réalité : est poétique ce qui est dit de façon inhabituelle, aussi bien du point de vue du vocabulaire, de la syntaxe que des procédés de style (images, jeux sur les sons et les rythmes → fiches 35-36).

L'écrivain Roger Caillois définit la poésie par cette anecdote : un aveugle mendie avec cette pancarte : « Aveugle de naissance ». Un passant remplace le texte de la pancarte par : « Le printemps va venir, je ne le verrai pas. » Ce passant est poète parce qu'il voit et exprime autrement une réalité ou une idée familière : sa formulation fait surgir des images, l'absence de lien logique (asyndète) crée un effet de contraste et de surprise, l'emploi de *je* introduit le lyrisme et sa phrase est un alexandrin. Son texte est poétique en ce qu'il présente un écart par rapport au langage ordinaire.

II Qu'est-ce qu'un poète ?

« Qu'est-ce qu'un poète [...] si ce n'est un **traducteur**, un **déchiffreur** ? » (Baudelaire)

Un poète est un **artiste** qui a un moi plus **sensible** que la norme, une **connaissance** plus aiguë et plus profonde du monde et des hommes. Il **dévoile** aux hommes le monde intérieur et extérieur, en révèle les aspects cachés et propose une vision du monde. Il a la capacité de **créer** un nouvel univers, en choisissant, en transformant la réalité : « Je dis qu'il faut être **voyant**, se faire voyant [...] par un long, immense et raisonné dérèglement de tous les sens. » (Rimbaud)

Un poète est aussi un **artisan** qui connaît la langue, son matériau. Il a la capacité de **modeler la langue**, les mots d'une façon inhabituelle pour obtenir une expression originale.

III Quelles sont les fonctions de la poésie ?

D'une façon générale, **deux tendances** majeures s'opposent.

1. La poésie comme peinture

C'est le poète latin **Horace** qui définit la poésie comme une « peinture ».

Elle **décrit** et **peint** (→ fiche 38) :
- le monde et ses **réalités concrètes**. À cette conception se rattache le principe poétique de **l'art pour l'art** : la poésie ne doit pas être utile mais belle et agréable ;
- les **faces cachées du monde** en explorant et dévoilant les secrets inaccessibles au profane, en le faisant voir comme neuf ;
- un **monde imaginaire**, exotique, onirique, idéal en faisant évader hors du quotidien et du réel ou en recréant un monde ;
- les **sensations**, les émotions et les sentiments : c'est la poésie lyrique.

2. La poésie engagée

Elle doit être **utile**, elle est **action**. Elle dénonce les injustices et les maux du monde, défend des idées politiques ou sociales, exalte des valeurs.

« Je suis né pour te connaître
Pour te nommer
Liberté (Éluard, 1942)

Elle exprime les idées avec plus de force et d'intensité que la langue ordinaire.

3. D'autres fonctions

Cependant, la poésie a aussi depuis ses origines pour fonction :
- de **célébrer les exploits d'un héros** : c'est la poésie épique ;
- ou de **créer un nouveau langage** en travaillant ou en jouant avec les mots.

32 La poésie, du Moyen Âge au XVIIIe siècle

La poésie française naît au Moyen Âge, étroitement liée à la musique. Au XVIe siècle, elle s'épanouit avec le lyrisme de la Pléiade. Au XVIIe siècle, la poésie baroque domine puis s'efface au profit de genres plus rationnels pour presque disparaître au XVIIIe siècle, siècle de la raison.

I Le Moyen Âge : jongleurs, trouvères et troubadours

1. Des formes assez libres : les chansons

- La poésie lyrique médiévale trouve son origine dans les **chants populaires** interprétés par les jongleurs, les troubadours et les trouvères.
- Elle se développe d'abord au nord de la France (XIIe siècle).
- Ses **thèmes** privilégiés sont l'amour et la nature, notamment le printemps.
- Elle prend la forme de **chansons** à strophes s'appuyant sur une phrase musicale et un refrain : **chansons de toile** (que les dames chantent en brodant), **chansons de geste** (épopées racontant les croisades et les exploits ou « geste » de héros) destinées aux cours des seigneurs, **pastourelles** mêlant seigneurs et bergères.

La Chanson de Roland (XIe siècle) amplifie et dramatise la bataille des troupes de Charlemagne contre les Sarrasins à Roncevaux.

2. Des formes qui se structurent : les poésies à forme fixe

La poésie prend peu à peu son autonomie par rapport à la musique, évolue vers un art du **langage** à proprement parler et s'exprime dans des **formes fixes** : la **ballade**, le **rondeau**... (→ fiche 35).

3. Le XVe siècle : vers un lyrisme moderne

- **Poésies courtoise** (les sentiments amoureux) et **bourgeoise** (la vie courante avec ses joies et ses misères) se côtoient. **Rutebeuf** (1230-1285), puis **Charles d'Orléans** (1394-1465) et **Villon** (1431-1463) annoncent des temps nouveaux par leurs confidences sincères (peur de la mort, goût pour les plaisirs, piété sincère).

« Je vis, je meurs je brûle et je me noie. » (Louise Labé)

- À l'expression des **sentiments** s'ajoute l'expression d'idées, souvent sous forme de **symboles** ou d'**allégories** (→ fiche 11, p. 36).
- À la fin du XVe siècle, la poésie évolue vers un **art de la rhétorique** pure : les **grands rhétoriqueurs** visent surtout la perfection technique.

II Le XVIe siècle : imitations et inventions de la Renaissance

- Les humanistes de la Renaissance, notamment **la Pléiade** (→ fiche 50), renouvellent la poésie en empruntant aux **anciens** ou à d'autres pays (le sonnet vient d'Italie).
- Poètes de l'**amour** et des **émotions lyriques** (sentiment de la fuite du temps, éloignement du pays natal…), ils sont aussi les **témoins des guerres de Religion**.

III Le XVIIe siècle : poésies baroque et classique

1. Les contrastes du baroque : idéalisme et réalisme

- Une **poésie lyrique raffinée et précieuse** se développe, notamment dans les blasons (→ fiche 35). Pour traduire leur conception d'un monde instable, les poètes recourent à des métaphores filées, des vertiges d'images et de sonorités. Ces recherches prolongent les prouesses des grands rhétoriqueurs (→ p. 152) et s'inspirent des thèmes favoris de la Pléiade (→ fiche 50).
- Parallèlement et en contraste avec ce raffinement, **Paul Scarron** (1610-1660), **Théophile de Viau** (1590-1626), **Tristan L'Hermite** (1601-1655)… critiquent les défauts de l'époque dans une **poésie truculente et triviale**, d'inspiration **satirique**.

2. Le classicisme : vers une poésie didactique

- La poésie en tant que genre **décline** au fil du XVIIe siècle, avec l'essor du classicisme et son respect pour la raison.
- Elle devient **didactique** (*Art poétique* de Boileau). Destinée à « plaire et instruire », elle s'exprime de façon pittoresque dans les *Fables* de La Fontaine, qui s'est inspiré des fabulistes antiques, le Grec Ésope et le latin Phèdre.

L'expression poétique lyrique classique s'épanouit dans d'**autres genres** que la poésie proprement dite : le théâtre de Racine, les *Pensées* de Pascal…

VI Le XVIIIe siècle : raison et poésie incompatibles ?

- Le culte de la raison au siècle des Lumières entraîne une certaine **désaffection** pour la poésie : les philosophes trouvent inutiles ses contraintes formelles.
- Le seul poète français de renom du XVIIIe siècle est **André Chénier** (1762-1794), qui annonce par son lyrisme les poètes romantiques.

33 La poésie au XIXe siècle

Le contexte politique, social et artistique du XIXe siècle amène les poètes à revendiquer une totale liberté et à recourir à des formes nouvelles, parfois révolutionnaires, qui témoignent d'une intense créativité.

I Le romantisme : la poésie en révolution

Le contexte : le mal du siècle. Après la Révolution et l'Empire, les jeunes révoltés, « venu[s] trop tard dans un monde trop vieux » (Musset), rejettent le monde matérialiste et bourgeois. Ils s'évadent dans le rêve et les passions.

Les sources d'inspiration lyrique. La poésie est lyrique et privilégie l'expression du **moi** à travers les thèmes de la fuite du **temps** (« Ô temps, suspends ton vol », Lamartine), la **nature**, seul refuge apaisant, l'**amour** heureux ou malheureux, la **mort** et **Dieu**.

La libération des formes poétiques. Les poètes imposent à l'alexandrin des rythmes nouveaux ; ils admettent les mots nobles et populaires, recourent à des images fortes et privilégient la musicalité.
Aloysius Bertrand (1807-1841) invente le **poème en prose** (→ fiche 35) avec *Gaspard de la nuit*.

« J'ai disloqué ce grand niais d'alexandrin », « Je mis un bonnet rouge au vieux dictionnaire » (Hugo)

La libération des hommes. Le poète prophète a une mission au service de l'humanité : déchiffrer l'invisible, guider les hommes vers le progrès spirituel et social, défendre des valeurs.

Les grands poètes romantiques

Alphonse de Lamartine 1790-1869	Médite sur la fuite du temps, la nature et la religion (*Méditations poétiques*, 1823) mais met aussi sa poésie au service de son engagement politique (*Jocelyn*, 1836).
Victor Hugo 1802-1885	Chef des romantiques. Poésie marquée par la force des images et des antithèses. Son lyrisme personnel exprime la destinée humaine universelle : « Hélas ! quand je parle de moi, je vous parle de vous. » (Hugo)
Gérard de Nerval 1808-1865	Tente d'échapper à la folie par sa poésie énigmatique, envoûtante (« Le rêve est une seconde vie »).
Alfred de Musset 1810-1857	Poésie fantaisiste et spirituelle, mais qui exprime sa souffrance, son pessimisme (*Les Nuits*, 1835-1837).

II Une réaction anti-romantique : le Parnasse et Baudelaire

Le Parnasse : l'art pour l'art. Contre ce lyrisme exacerbé, les Parnassiens, avec Théophile Gautier (1811-1872), prônent une poésie à la forme parfaite, sans but moral ou utilitaire : le poète est un artisan minutieux (« Sculpte, lime, cisèle », Gautier). Leconte de Lisle (1818-1894) évoque des civilisations barbares du passé ou des pays exotiques (*Poèmes barbares*, 1862).

Les **Parnassiens** tirent leur nom de leur revue, *Le Parnasse contemporain*.

Baudelaire (1821-1867) : Spleen et Idéal. Pour lui, la poésie exprime une angoisse existentielle – le Spleen – mais est aussi la clef de la connaissance du monde : elle pénètre le sens caché des choses et tire la Beauté de la laideur, l'éternel du transitoire. Le **poète, traducteur, déchiffreur**, crée, grâce aux images, des « correspondances » entre les sensations (synesthésie) et entre l'univers sensible et spirituel (→ p. 163).

« Tu m'as donné ta boue et j'en ai fait de l'or. » (Baudelaire)

III Le symbolisme contre le Parnasse

La force des symboles. Les poètes symbolistes réagissent à la fois contre les exigences formelles des Parnassiens et le naturalisme de Zola : le poète, par les symboles, les images, les sonorités suggestives, les rythmes, révèle la beauté de l'Idée derrière l'apparence des objets. Il suggère plus qu'il ne décrit.

Les poètes symbolistes, poètes maudits

Stéphane Mallarmé 1842-1898	Il donne au langage toute sa puissance et cultive l'**hermétisme**.
Paul Verlaine 1844-1896	Proche de l'impressionnisme pictural, il recherche la **nuance**. Son utilisation de vers impairs (→ fiche 35) rend le décalage entre rêve et réalité.
Lautréamont 1846-1870	Il écrit une œuvre d'une **violence** chaotique et hallucinée (*Les Chants de Maldoror*, 1869).
Arthur Rimbaud 1854-1891	Sa juxtaposition d'images insolites effectue une révolution poétique (une « alchimie du verbe »). Il invente le vers libre (*Illuminations*, 1873-1875).

34 La poésie au XXe siècle

La poésie au XXe siècle se fait d'abord l'écho du progrès moderne, mais aussi des traumatismes de la guerre, puis elle diversifie ses sujets et ses formes pour explorer librement toutes les ressources du langage et de l'écriture.

I L'esprit nouveau du début du siècle

1. Lyrisme et monde moderne

- Tout en puisant dans les thèmes lyriques universels – l'amour, la fuite du temps… –, **Apollinaire** évoque la **vie moderne** («La tour Eiffel», «les hangars de Port-Aviation», «les belles sténodactylographes») dans «Zone» sous une **forme moderne** (abandon de la ponctuation, irrégularité des vers, disparition fréquente de la rime). Ses calligrammes (→ fiche 38) marquent la variété et la fantaisie de son imaginaire poétique.

Blaise Cendrars continue dans cette voie (*La Prose du Transsibérien*, 1913).

> «À la fin tu es las de ce monde ancien» (Apollinaire)

2. Dadaïsme et surréalisme : le refus du conformisme

- Inventé par le poète suisse **Tristan Tzara** (1896-1963), le mouvement Dada rejette une civilisation qui a permis les horreurs de la Grande Guerre et refuse toutes les références traditionnelles, toutes les normes sociales, esthétiques, culturelles.

> «Je détruis les tiroirs du cerveau et ceux de l'organisation sociale.» (*Manifeste Dada*)

- Les **surréalistes**, **André Breton** (1896-1966) en tête, veulent instaurer de **nouvelles valeurs** et libérer l'homme de la dictature de la raison : influencés par la psychanalyse, ils explorent les forces de l'**inconscient** (écriture automatique, images étranges, humour) à la recherche d'une réalité supérieure présente – quoique cachée – dans le monde.

> «La courbe de tes yeux fait le tour de mon cœur» (Aragon)

- L'importance que les surréalistes accordent à l'**image** les met en relation avec des peintres (Dali), des photographes (Man Ray), des cinéastes (Buñuel).
- Au moment de la Deuxième Guerre mondiale, les poètes **s'engagent** : Aragon, Desnos, Éluard mettent leur poésie au service de la Résistance.

L'*Honneur des poètes* est un recueil de poésies, publié en 1943, auquel ont participé plusieurs de ces poètes résistants.

3. D'autres voix poétiques pour célébrer le monde

- Réfractaire aux recherches surréalistes, **Paul Valéry** (1871-1945) célèbre l'intelligence et son fonctionnement dans une poésie sensuelle d'une grande perfection formelle (*Charmes*, 1922).

- **Paul Claudel** (1868-1955) exprime sa vision de l'homme et glorifie la création divine dans une œuvre exubérante, prosaïque et lyrique.

- **Saint-John Perse** (1887-1975) célèbre avec sensualité et optimisme, dans une langue parfois énigmatique et épique, « le monde entier des choses », la plénitude de l'existence.

« Poète est celui-là qui rompt avec l'accoutumance » (Saint-John Perse)

II La diversité de la seconde moitié du siècle

- **Le retour au quotidien.** Des poètes reviennent au réel et prennent leurs thèmes dans la vie quotidienne avec simplicité et réalisme (Guillevic, 1907-1997), émotion (René-Guy Cadou, 1920-1951), fantaisie (Boris Vian, 1920-1959; Jacques Prévert, 1900-1977) ou rigueur quasi philosophique (Yves Bonnefoy, né en 1923).

- **La poésie des objets.** Francis Ponge (1899-1988) invente une nouvelle poésie en prose pour permettre aux choses les plus usuelles de s'exprimer (*Le Parti pris des choses,* 1942).

- **Poésie et jeu avec les mots.** Raymond Queneau (1903-1974) renouvelle le langage avec un humour savant et ouvre la voie aux travaux de l'OuLiPo (Ouvroir de Littérature Potentielle) et de Georges Perec (1936-1982).

L'artiste « doit ouvrir un atelier, et y prendre en réparation le monde, par fragments, comme il lui vient. » (Ponge)

« Bien placés,
Bien choisis,
Quelques mots font une poésie,
Les mots il suffit qu'on les aime,
Pour écrire un poème.

Queneau

35 Décrire la forme d'un poème

Le poète, artisan du mot et du langage, joue avec divers éléments dont il tire parti dans sa poésie pour produire des effets sur le lecteur.

I Un jeu visuel avec l'espace

- Le poète joue sur la **mise en page** des mots et la **typographie**.
- Cet **aspect matériel** du texte poétique apparaît au premier coup d'œil : avant de lire un poème, observez-le de loin, dans son ensemble, comme si c'était une image.

Parler de **typographie**, c'est identifier les caractères utilisés. Parler de **mise en page**, c'est commenter la disposition du poème dans la page.

II Les éléments de la poésie versifiée

- **Les types de vers.** Le vers est un procédé traditionnel de mise en page poétique. Il est déterminé par son nombre de syllabes ou pieds.

Types de vers	Emploi et effet produit
Vers pairs	**Régularité**
Alexandrin : 12 pieds	▶ Amplitude et solennité. ▶ Équilibre classique, dislocation romantique.
Décasyllabe : 10 pieds	▶ Vers régulier le plus ancien [chanson de geste]. ▶ Équilibre, harmonie.
Octosyllabe : 8 pieds	▶ Vers le plus utilisé [chansons...].
Hexasyllabe : 6 pieds	▶ Légèreté, impression d'inachèvement.
Vers impairs	**Irrégularité, effet d'attente**
Endécasyllabe : 11 pieds	▶ Refus intentionnel de l'alexandrin. ▶ Déséquilibre, malaise.
Ennéasyllabe : 9 pieds	▶ Déséquilibre, malaise.
Heptasyllabe : 7 pieds	▶ Impression de sautillement.

« De la musique avant toute chos / Et pour cela préfère l'**Impair**, Plus vague et plu soluble dans l'ai (Verlaine, « Art poétique ».)

- **Compter les pieds et lire un vers.** Le *e* muet ne se prononce pas en fin de vers et devant une voyelle.

« De la musiqu(e) avant toute chos(e)… (Verlaine)
1 2 3 4 5 6 7 8 9

Quand deux voyelles se suivent dans un mot, on les prononce en une seule syllabe (la **synérèse**) ou en deux syllabes (la **diérèse**, qui met le mot en relief).

« Les / pieds / dans / les / glaï / euls, / il / dort. / Souri/ant comme
synérèse — diérèse

Sourirait un enfant malade, il fait un somme (Rimbaud)

■ Les vers se combinent en **strophes** séparées par un blanc horizontal : distique (2 vers), tercet (3 vers), quatrain (4 vers), quintil (5 vers), sizain (6 vers), septain (7 vers), huitain (8 vers), neuvain (9 vers), dizain (10 vers).

III Les poèmes en vers à forme fixe

Ils obéissent à des **règles de forme** (longueur des vers, distribution des rimes, nombre et types de strophes...) et parfois de fond (thème).

■ **La ballade.** Ce poème lyrique né au Moyen Âge (→ fiche 32) est chanté. Il contient trois strophes semblables de huit ou dix vers de forme carrée (longueurs du vers et de la strophe sont égales, par exemple huit octosyllabes) terminées par un envoi (demi-strophe de dédicace au destinataire). Un refrain (même vers) termine chaque strophe et l'envoi. Les rimes se répètent à l'identique (huitains : abab/bcbc/bcbc ; dizains : ababb/ccdcd/ccdcd).

« Ballade des pendus » et « Ballade des dames du temps jadis » de Villon

■ **Le rondeau.** Apparu au XIIIe siècle, il présente 15, 13 ou 12 octosyllabes de deux rimes seulement, dont huit féminines et cinq masculines, ou huit masculines et cinq féminines. Le premier vers est repris sous forme de refrain (qui ne compte pas comme un vers) après les huitième et treizième vers.

« Ma foi c'est fait de moi, car Isabeau
M'a conjuré de lui faire un rondeau :
Cela me met en une peine extrême.
Quoi ! treize vers, huit en EAU, cinq
en ÊME ! (Vincent Voiture)

■ **Le sonnet.** Il contient 14 vers répartis en deux quatrains suivis de deux tercets. Les rimes sont généralement embrassées et reprises à l'identique (abba/abba/ccd/eed).

Du point de vue du sens, il peut se structurer de deux façons :
1. les quatrains d'un côté, les tercets de l'autre, en opposition ou en parallélisme ;
2. les 13 premiers vers d'un côté et le 14e en chute inattendue.

« Heureux qui comme Ulysse... » de Du Bellay

IV Les poèmes en vers à forme régulière

Ils sont écrits en **vers rimés** mais ont une **construction plus libre**.

1. Les formes empruntées à l'Antiquité

- **L'ode**. Ce petit poème lyrique repris à la Renaissance présente des strophes de forme carrée souvent accompagnées de musique.

  « Ode à Cassandre » de Ronsard

- **La fable**. Ce poème à visée argumentative a pour but d'enseigner la morale.

  Les Fables de La Fontaine

- **La satire**. Elle se moque des défauts d'une personne ou d'un groupe social.

2. Les formes plus récentes

- **Le blason**. En vogue à la Renaissance, ce poème court à rimes plates fait l'éloge d'un être ou d'un objet (souvent tout ou partie du corps féminin).

  « Blason du beau tétin » de Marot

Un **contre-blason** est un blason satirique (« Blason du laid tétin »).

- **L'acrostiche**. Lues verticalement, les initiales de chaque vers de ce poème composent un mot clef.

  « Adieu » d'Apollinaire

- **Le poème en vers libres**. Le poète y alterne différents types de vers au gré de ses intentions. Les vers ne riment pas, ne commencent pas par une majuscule et omettent parfois la ponctuation (Apollinaire, Prévert…).

V Les formes poétiques non versifiées

À partir du XIXe siècle (→ fiche 33), certains poèmes ne sont plus en vers.

- **Le poème en prose**. Il est composé en versets (courts paragraphes) dont le rythme, les jeux sur les sonorités et les images lui donnent sa poésie.

- **Le calligramme** (mot créé par Apollinaire → p. 156 et 166). Typographie et mise en page dessinent des formes géométriques ou bien reproduisent la forme de ce que décrit le poème.

  « La colombe poignardée et le jet d'eau » d'Apollinaire

36 Analyser les sonorités et les rythmes d'un poème

Le mot grec *mousiké* rassemblait tous les arts des Muses, sans distinction entre poésie et musique. Le poète et musicien Orphée est le symbole mythologique, avec sa lyre, du lien entre poésie et musique. Ces origines expliquent l'importance de la musicalité dans la poésie. Pour étudier les sons et les rythmes d'un poème, il faut analyser le travail des rimes, les autres échos sonores, la longueur des vers et les pauses ou coupes.

I Un jeu musical avec les sons

« On ne lit pas un poème, on l'écoute. » (M. Edwards)

1. Les rimes, écho en fin de vers

- Les rimes sont **pauvres** (un seul son vocalique commun : *raison* et *action*), **suffisantes** (deux sons communs : *raison* et *prison*) ou **riches** (au moins trois sons communs : *raison* et *oraison*).
- Elles sont **féminines** (*e* muet en fin de mot, ce qui prolonge le son par un effet de douceur, de fluidité : *rose*) ou **masculines** (pas de *e* muet, ce qui crée une fin sonore abrupte, nette : *enfant*).
- Les rimes sont **suivies** ou **plates** (aabb : rimes classiques du théâtre, de l'épopée, impression de régularité, d'équilibre), **croisées** (abab : variété, fantaisie), **embrassées** (abba : intimité, enfermement).

Il y a **rime intérieure** lorsque les mots situés à l'intérieur et à la fin du vers riment : « Et la mer est ***amère***, et l'amour est ***amer*** ». (Marbeuf)

2. Les reprises et effets de sonorités

- L'**allitération** répète un son consonantique (consonne).

« Vous me le murmurez, ramures, ô rumeur… ! (Valéry)

L'allitération en *r* et *m* reproduit le murmure des feuilles.

- L'**assonance** répète un son vocalique (voyelle).

« Tout m'afflige et me nuit, et conspire à me nuire (Racine)

Le son aigu marque la douleur de Phèdre.

- L'**harmonie imitative** répète certains sons pour imiter un bruit ou créer un effet particulier.

« Pour qui sont ces serpents qui sifflent sur vos têtes ? (Racine)

Le vers reproduit et dramatise le sifflement des serpents.

Il est inutile de simplement repérer un jeu sur les sonorités dans un texte. Il faut aussi préciser l'**effet** voulu par l'auteur ou l'**impression** créée sur le lecteur.

II Un jeu musical avec les rythmes

Pour étudier le **rythme** dans un poème, il faut analyser la longueur des vers et les pauses à l'intérieur des vers.

1. Les coupes

- Elles divisent le vers en deux **mesures égales** (l'alexandrin traditionnel est coupé en deux hémistiches de six pieds) - créant un effet d'équilibre, de fermeté -, ou **inégales** - donnant une impression de déséquilibre.
- Elles créent divers **types de rythmes**.

Rythme du vers	Exemple et effet
Binaire Nombre pair de mesures.	« Quand vous serez bien vieille, // au soir, à la chandelle » (Ronsard) Régularité, équilibre, harmonie.
Ternaire Trois mesures.	« De la douceur, / de la douceur, / de la douceur ! » (Verlaine) Déséquilibre, émotion, ton oratoire.
Croissant Mesures de plus en plus longues.	« Ô rage ! // ô désespoir ! // ô vieillesse ennemie ! » (Corneille) Amplification, intensification, solennité.
Décroissant Mesures de plus en plus courtes.	« Trois grands lys // Trois grands lys // sur ma tombe // Sans croix » (Apollinaire) Ralentissement, apaisement.
Accumulatif Mesures multiples.	« Il tire, traîne, geint, tire encore et s'arrête » (Hugo) Rapidité, émotion.

2. Les ruptures de rythme

Les poètes créent parfois des **effets de rupture** volontaires.

Rythme du vers	Exemple et effet
L'enjambement fait déborder la phrase sur le vers suivant.	« Le ciel faisait sans bruit avec la neige épaisse Pour cette immense armée un immense linceul » (Hugo) Continuité rythmique, allongement, lenteur, amplification.
Le rejet prolonge la phrase sur les premières syllabes du vers suivant.	« Il dort dans le soleil, la main sur sa poitrine Tranquille. » (Rimbaud) Mise en relief du mot en rejet, effet d'attente, de surprise.
Le contre-rejet anticipe un groupe de mots du vers suivant en fin de vers.	« Alors le mort sortit du sépulcre ; ses pieds Des bandes du linceul étaient encor liés. » (Hugo) Mise en relief du mot en contre-rejet, effet d'attente.

37 Étudier un poème

Pour apprécier un poème, il faut identifier d'où vient son pouvoir de suggestion, mais aussi, au-delà des premières impressions ressenties, déchiffrer son sens et la vision du monde qu'il construit et propose à son lecteur.

I Analyser d'où naît le pouvoir de suggestion du poème

Le plus souvent, la poésie suggère plus qu'elle ne dit.

1. Analyser la mise en page du poème

- Avant de lire un poème, **observez**-le de loin, dans son ensemble, comme si c'était une image.
- Repérez sa **structure générale** : strophes, vers réguliers ou non, versets des poèmes en prose...
- Repérez les **espaces** et les **blancs** qui créent un rythme visuel : vers réguliers, irréguliers, versets...
- Commentez l'**effet produit** et le **sens** que donne au poème cette mise en espace.

2. Analyser le rôle des sensations dans le poème

On parle des **sensations** visuelles, auditives, tactiles, olfactives et gustatives.

- Relevez le **lexique des sensations** et identifiez les sens sollicités : ouïe principalement, vue (formes, couleurs...), mais aussi toucher, odorat, goût.
- Étudiez les **rapports** que tisse le poète **entre ces diverses sensations**.
- Commentez l'**effet produit** sur le lecteur.

« Il est des parfums frais comme des chairs d'enfants
Doux comme les hautbois, verts comme les prairies

Pour rendre compte de l'agrément des parfums, Baudelaire recourt à trois comparaisons successives, toutes empruntées au domaine sensoriel, mais qui se réfèrent à des sens différents : le toucher *(chairs, doux)*, l'ouïe *(hautbois)*, la vue *(verts, prairies)*. Il crée ainsi un mélange de sensations – ou synesthésie – agréables qui enchantent le lecteur et le transportent dans un monde de plaisir. En même temps, il rend compte de sa vision du monde : pour lui, « Les parfums, les couleurs et les sons se répondent ».

3. Analyser les images (→ fiche 11)

- Repérez le **type d'image** : comparaison, métaphore, personnification, animalisation, allégorie sont les images favorites des poètes.
- Identifiez le(s) **point(s) commun(s)** explicite(s) ou implicite(s) entre comparé et comparant.
- Appréciez le **rapport** – lointain ou proche – entre les deux réalités.
- Commentez l'effet produit sur le lecteur et l'**intention** du poète derrière cette image.

« Plus les **rappo**[rts] des deux réalités rapprochées ser[ont] lointains et justes, plus l'image sera fort[e] [...]. » (P. Reverd[y])

4. Analyser les effets de musicalité (→ fiche 36)

- Lisez le poème à **haute voix** pour l'*écouter*.
- Commentez les **choix de vers** : vers pairs ou impairs, alternance des vers.
- Repérez les **effets de sonorités** : présence et système de rimes, recherches d'autres échos sonores (assonances et allitérations).
- Repérez et caractérisez les **effets de rythmes** : retours et balancements qui créent un rythme régulier (le poème ressemble à une chanson douce, à un hymne...), rythme irrégulier, heurté, qui crée un effet de rupture, de surprise...

II Déchiffrer le sens, le message du poème

Un poème se lit à **plusieurs niveaux**. Le poète lui a donné un sens premier, mais il suggère et construit aussi un sens au fil du poème.

1. Identifier les thèmes et les registres (→ fiches 12-13)

Le poème...	Registres
exprime des sentiments personnels, les rapports de l'homme et de la nature.	lyrique, élégiaque
célèbre une personne, un héros ou une action héroïque.	lyrique, épique
peint des malheurs, des souffrances.	pathétique
dénonce une injustice, incite à la révolte.	lyrique, polémique, satirique
joue sur les mots.	humoristique

2. Mesurer la présence du poète et l'implication du lecteur

- Repérez si l'on sent la présence de l'**auteur**. Si oui, comment cette présence se manifeste-t-elle ?
- Le poète implique-t-il son **lecteur** ? Si oui, comment ?
- Quels rapports, quels **liens** s'établissent entre poète et lecteur ?

3. Apprécier la vision du monde du poète

- Repérez si le poète fait une **peinture fidèle** de la réalité ou s'il la transforme. Si oui, comment s'opère cette **métamorphose** ?
- Caractérisez la **vision du nouveau monde** que propose le poète : optimiste, pessimiste, absurde…
- Appréciez le mode sur lequel se construit cette vision : visionnaire, fantaisiste, onirique…

4. Repérer le sens symbolique ou allégorique du poème

- Explicitez le **sens symbolique** des objets, des images…
- Étudiez comment se construit la **relation** entre le **sens littéral** et le **sens implicite**.
- Explorez la **diversité des interprétations** possibles, émettez des hypothèses de lecture personnelle.

5. Repérer la conception de la poésie qui se dégage

- Mesurez le rôle d'art poétique explicite ou implicite du poème : s'agit-il de la conception de **l'art pour l'art** ou d'une **poésie engagée** (→ fiche 31, p. 15) ?
- S'il s'agit d'une poésie engagée, **pour quelles causes** l'est-elle ?

6. Apprécier les rapports du poème avec son temps

Déterminez si le poème :
- s'inscrit dans une **tradition**, un **mouvement** : quelles en sont les marques ?
- ou s'il est en **rupture avec son temps** : quelle est sa part de modernité ? Marque-t-il une révolution ? Si oui, en quoi ?

38 Poésie et peinture, deux mondes d'images

Poésie et peinture sont très proches. Mêmes sources d'inspiration, même recours aux images, même créativité, mélange des mots et du graphisme…

I *Ut pictura, poesis*

Ut pictura, poesis : « Une poésie est comme une peinture. » (Horace)

- Dès l'Antiquité, le philosophe grec **Aristote** (IVe siècle av. J.-C.) et le poète latin **Horace** (Ier siècle av. J.-C.) dans leurs arts poétiques font une analogie entre les « deux sœurs », **poésie et peinture**.
- Comme la peinture, la poésie prend souvent pour thème la **réalité** qu'elle **décrit** et **reproduit** : la nature (« Le lac » de Lamartine), une personne (« Mes deux filles » de Hugo) ou un objet (« Le pain » de Ponge)…
- Poètes et peintres ont une grande marge de **créativité**, **déforment la réalité**, créent des mondes et ont « égal droit d'oser tout ce qu'ils [veulent] » (Aristote).
- Ils ont également le choix entre un **art à visée purement esthétique** (l'art pour l'art) et un **art engagé** (→ fiches 14 et 34).
- De nombreux **écrivains** (Hugo, Baudelaire, Valéry…) se sont consacrés à la peinture ou au dessin et de nombreux **peintres** à la poésie (Dubuffet). Des poètes et des peintres se sont rejoints au sein de mêmes mouvements artistiques : Apollinaire/Derain, Cendrars/Sonia Delaunay, Éluard/Picasso…

II Les rapports entre poésie et peinture

1. Le calligramme, art graphique et poétique

S
A
LUT
M
O N
D E
DONT
JE SUIS
LA LAN
GUE É
LOQUEN
TE QUESA
BOUCHE
O PARIS
TIRE ET TIRERA
TOU JOURS
AUX A L
LEM ANDS

Guillaume Apollinaire, *Calligrammes* (1925), © Gallimard.

- Les calligrammes appartiennent autant à la poésie par leur texte qu'aux arts graphiques par leur forme et leur typographie.
- Pour comprendre ce que la disposition graphique apporte au poème, il faut **comparer l'effet produit par le calligramme** (ici, celui qu'Apollinaire consacre à la tour Eiffel) **et le texte qui le compose** écrit en lignes (ici : « Salut, monde dont je suis la langue éloquente, que sa bouche, Ô Paris, tire et tirera toujours aux Allemands. »).

Apollinaire présente la tour Eiffel comme un symbole de la force de la France devant les Allemands. La disposition graphique permet de dissimuler et de renforcer le message.

2. Rendre compte de son temps

Poètes et peintres puisent aux mêmes sources d'inspiration et traduisent les **goûts esthétiques de leur temps**, chacun avec les ressources de son art.

- La **tour Eiffel**, objet de la modernité et sujet de polémique, mais aussi symbole de Paris et de la France, a ainsi inspiré la littérature et tous les autres arts du début du XXe siècle. À la même époque qu'Apollinaire, le peintre cubiste Robert Delaunay (1885-1941) peint de nombreuses toiles où elle figure.
- L'**allure cubiste** du monument peint fait écho aux recherches de la **littérature moderne qui déstructure le langage** : Cendrars publie en 1913 le poème « La Tour ».

Robert Delaunay, *Tour Eiffel* (1926).

« Tu es tout
Tour
Dieu antique
Bête moderne
Spectre solaire
Sujet de mon poème
Tour
Tour du monde
Tour en mouvement

Blaise Cendrars, « La Tour », 1910,
Dix-neuf poèmes élastiques,
dans *Poésies complètes*,

Quiz express

Vérifiez que vous avez bien retenu les points clés des **fiches 31 à 38**.

Une définition

1 Que signifie le verbe grec dont est issu le mot *poésie* ?

☐ **1.** peindre
☐ **2.** créer
☐ **3.** imaginer

Orthographe

2 Choisissez la bonne orthographe.

1. ☐ **a.** synérèse
☐ **b.** sinérèse

2. ☐ **a.** rhytme
☐ **b.** rythme

Histoire de la poésie

3 Lequel de ces poètes n'appartient pas au XXe siècle ?

☐ **1.** Vian
☐ **2.** Éluard
☐ **3.** Villon

4 Lequel de ces poètes a inventé le poème en prose ?

☐ **1.** Baudelaire
☐ **2.** Aloysius Bertrand
☐ **3.** Rimbaud

5 Associez chaque poète à son siècle.

1. Verlaine — **a.** XXe siècle
2. L. Labé — **b.** XVIIIe siècle
3. Aragon — **c.** XVe siècle
4. Chénier — **d.** XVIe siècle
5. Rutebeuf — **e.** XIXe siècle

6 Associez chaque poète à son mouvement poétique.

1. Hugo — **a.** Pléiade
2. Nerval — **b.** romantisme
3. Breton — **c.** symbolisme
4. Leconte de Lisle — **d.** surréalisme
5. Ronsard — **e.** Parnassiens

7 Le recueil le plus connu de Francis Ponge s'appelle :

☐ **1.** *Le Parti pris des femmes*
☐ **2.** *Le Parti pris des résistants*
☐ **3.** *Le Parti pris des choses*

Les formes poétiques

8 Vrai ou faux ?

1. Un sonnet comporte 16 vers.
2. Le rondeau joue sur deux rimes seulement.
3. La fable est née au XVIIe siècle.
4. Le calligramme associe texte et graphisme.
5. Les chansons de geste associent texte et danse.

Sonorités et rythmes

9 Vrai ou faux ?

1. En fin de vers, le *e* muet ne compte pas pour une syllabe.
2. Une rime féminine ne comporte pas de *e* muet.
3. Il y a un enjambement quand la phrase déborde d'un vers sur le vers suivant, sans pause possible de la voix.
4. L'assonance est la répétition d'une même consonne dans un vers pour créer un effet.

La langue poétique

10 Vrai ou faux ?

« Je fais souvent ce rêve étrange et pénétrant » (Verlaine)

1. Ce vers comporte une assonance.
2. Ce vers est un décasyllabe.

Qui a dit ?

11 Rendez chaque phrase à son auteur.

1. « Je dis qu'il faut être voyant. »
2. « À la fin, tu es las de ce monde ancien. »
3. « J'ai disloqué ce grand niais d'alexandrin. »

a. Hugo
b. Rimbaud
c. Apollinaire

CORRIGÉS

1. Réponse **2** : *poiein*, « créer ». • **2.** **1**a, **2**b. • **3.** Réponse 3 : Villon a vécu au XVe siècle. • **4.** Réponse **2** : il a écrit *Gaspard de la nuit*. • **5.** **1**e, **2**d, **3**a, **4**b, **5**c. • **6.** **1**b, **2**c, **3**d, **4**e, **5**a. • **7.** Réponse **3**. • **8.** **1** Faux : le sonnet comporte 14 vers. **2** Vrai. **3** Faux : la fable existait déjà dans l'Antiquité avec Ésope et Phèdre. **4** Vrai. **5** Faux : *geste* dans *chanson de geste* signifie *exploit*. Les chansons de geste étaient chantées et non dansées. • **9.** **1** Vrai. **2** Faux : la rime féminine se termine par un *e* muet. **3** Vrai. **4** Faux : l'assonance est la répétition d'une même voyelle.• **10.** **1** Vrai : l'assonance en [ɑ̃]. **2** Faux : c'est un alexandrin. • **11.** **1**b, **2**c, **3**a.

SUJET 13 | Poésie et souffrance

QUESTION SUR LE CORPUS

Les textes du corpus ont de nombreux points communs. Vous en dégagerez quatre avec précision et vous indiquerez lesquels de ces points communs sont illustrés par le tableau de Van Gogh.

DOCUMENTS

1. Alfred de Musset (1810-1857), « Le mie prigioni », *Poésies nouvelles* (1850)
2. Guillaume Apollinaire (1880-1918), « À la Santé », *Alcools* (1913)
3. Albertine Sarrazin (1937-1967), *Poèmes* (1969)
4. Vincent Van Gogh (1853-1890), *Cour de prison* (1890)

DÉMARRONS ENSEMBLE

- Il s'agit de trouver **pour quelles raisons** les textes **ont été regroupés** en trouvant leurs ressemblances *(points communs)*.
- Répertoriez les **différentes composantes** des documents : genre, thème, situation, registre, point de vue...
- Repérez des **points communs** aux trois textes.
- La question est très vaste : les textes présentent beaucoup plus de quatre points communs. Vous devez **choisir** ceux qui vous paraissent **les plus marquants** et les classer. Mais vous devez **en choisir** au moins **deux qui figurent dans le tableau** de Van Gogh pour le mettre en relation avec les textes.

N. B. Si vous vous sentez limité par les quatre points communs, combinez-en certains.

- **Justifiez** votre réponse par des références précises aux textes.

DOCUMENT 1

En 1841, s'étant dérobé au service de la Garde nationale, Musset passa plusieurs jours en prison. Cette mésaventure sera renouvelée en 1843, puis en 1849.

« On dit : « Triste comme la porte
D'une prison. »
Et je crois, le diable m'emporte !
Qu'on a raison.

5 D'abord, pour ce qui me regarde,
Mon sentiment
Est qu'il vaut mieux monter sa garde,
Décidément.

Je suis, depuis une semaine,
10 Dans un cachot,
Et je m'aperçois avec peine
Qu'il fait très chaud.

Je vais bouder à la fenêtre,
Tout en fumant ;
15 Le soleil commence à paraître
Tout doucement.

C'est une belle perspective,
De grand matin,
Que des gens qui font la lessive
20 Dans le lointain.

Pour se distraire, si l'on bâille,
On aperçoit
D'abord une longue muraille,
Puis un long toit.

25 Ceux à qui ce séjour tranquille
Est inconnu
Ignorent l'effet d'une tuile
Sur un mur nu.

Je n'aurais jamais cru moi-même,
30 Sans l'avoir vu,
Ce que ce spectacle suprême
A d'imprévu.

Pourtant les rayons de l'automne
Jettent encor
35 Sur ce toit plat et monotone
Un réseau d'or.

Et ces cachots n'ont rien de triste,
Il s'en faut bien :
Peintre ou poète, chaque artiste
40 Y met du sien.

De dessins, de caricatures
Ils sont couverts.
Çà et là quelques écritures
Semblent des vers.

20 septembre 1843

Alfred de Musset,
« Le mie prigioni » (« Mes prisons »),
Poésies nouvelles, 1850.

DOCUMENT 2

Apollinaire fut incarcéré à la Santé (Paris) pour un prétendu vol de statuettes.

I

« Avant d'entrer dans ma cellule
Il a fallu me mettre nu
Et quelle voix sinistre ulule
Guillaume qu'es-tu devenu

5 Le Lazare[1] entrant dans la tombe
Au lieu d'en sortir comme il fit
Adieu adieu chantante ronde
Ô mes années ô jeunes filles

II

Non je ne me sens plus là
10 Moi-même
Je suis le quinze de la
Onzième

Le soleil filtre à travers
Les vitres
15 Ses rayons font sur mes vers
Les pitres

Et dansent sur le papier
J'écoute
Quelqu'un qui frappe du pied
20 La voûte

III

Dans une fosse comme un ours
Chaque matin je me promène
Tournons tournons tournons toujours
Le ciel est bleu comme une chaîne
25 Dans une fosse comme un ours
Chaque matin je me promène

Dans la cellule d'à côté
On y fait couler la fontaine
Avec les clefs qu'il fait tinter
30 Que le geôlier aille et revienne
Dans la cellule d'à côté
On y fait couler la fontaine

IV

Que je m'ennuie entre ces murs tout nus
Et peints de couleurs pâles
35 Une mouche sur le papier à pas menus
Parcourt mes lignes inégales

Que deviendrai-je ô Dieu qui connais ma douleur
Toi qui me l'as donnée
Prends en pitié mes yeux sans larmes ma pâleur
40 Le bruit de ma chaise enchaînée

Et tous ces pauvres cœurs battant dans la prison
L'Amour qui m'accompagne
Prends en pitié surtout ma débile raison
Et ce désespoir qui la gagne

V

45 Que lentement passent les heures
Comme passe un enterrement

Tu pleureras l'heure où tu pleures
Qui passera trop vitement
Comme passent toutes les heures

VI

50 J'écoute les bruits de la ville
Et prisonnier sans horizon
Je ne vois rien qu'un ciel hostile
Et les murs nus de ma prison

Le jour s'en va voici que brûle
55 Une lampe dans la prison
Nous sommes seuls dans ma cellule
Belle clarté Chère raison

Septembre 1911.

Guillaume Apollinaire,
« À la Santé », *Alcools* (1913).

1. *Les Évangiles* racontent la résurrection par Jésus de son ami Lazare.

DOCUMENT 3

Arrêtée en décembre 1953, après un hold-up commis à seize ans dans une boutique de confection, Albertine Sarrazin est emprisonnée à Fresnes.

« Il y a des mois que j'écoute
Les nuits et les minuits tomber
Et les camions dérober
La grande vitesse à la route
5 Et grogner l'heureuse dormeuse
Et manger la prison les vers
Printemps étés automnes hivers
Pour moi n'ont aucune berceuse
Car je suis inutile et belle
10 En ce lit où l'on n'est plus qu'un
Lasse de ma peau sans parfum
Que pâlit cette ombre cruelle
La nuit crisse et froisse des choses
Par le carreau que j'ai cassé
15 Où s'engouffre l'air du passé
Tourbillonnant en mille poses
C'est le drap frais le dessin mièvre
Léchant aux murs le reposoir
C'est la voix maternelle un soir
20 Où l'on criait parmi la fièvre
Le grand jeu d'amant et maîtresse
Fut bien pire que celui-là
C'est lui pourtant qui reste là
Car je suis nue et sans caresse
25 Mais veux dormir ceci annule
Les précédents Ah m'évader
Dans les pavots ne plus compter
Les pas de cellule en cellule

Fresnes 1954-1955

Albertine Sarrazin, *Poèmes* (1969)

DOCUMENT 4

Vincent Van Gogh, *Cour de prison* (1890).

CORRIGÉ

POINT MÉTHODE

Trouver points communs et/ou différences entre des documents

- **Si la consigne précise sous quel aspect comparer** les documents, limitez-vous à la perspective indiquée, sans élargir l'analyse à tous les aspects des documents.
- **Si elle ne précise pas de perspective comparative,** confrontez les documents sur les points suivants : thèmes, genre, registre, place dans l'œuvre (début, fin), personnages, énonciation, visées, message (pour des argumentations), procédés stylistiques ou rhétoriques.
- Établissez un **tableau comparatif des définitions** (→ sujet 3) des documents.

	Genre	Mouvement	Type	Thème	Registre	Adjectifs	Buts
Doc. 1							
Doc. 2							

- N'étudiez pas les textes séparément mais par **points de comparaison**.
- Essayez de **justifier les différences** : contexte, genres à la mode, but d'un auteur...

[INTRODUCTION]

« Le mie prigioni » de Musset s'inscrit dans le mouvement romantique, « À la Santé » d'Apollinaire ouvre le XXe siècle et le poème d'Albertine Sarrazin a été écrit en plein XXe siècle. Le tableau de Van Gogh semble illustrer ces poèmes. Malgré ces écarts de date, ils présentent de nombreux points communs.

1. Trois textes à la croisée de deux genres

- **L'autobiographie**. Il s'agit de comptes rendus de l'expérience difficile de la détention, avec en particulier l'expression du sentiment d'enfermement et de la souffrance. Les indices personnels de la 1re personne sont fréquents.

- Pour ces écrivains, il semble que seule **la poésie** soit **capable de traduire cette expérience**. La mise en page rend compte de la privation de liberté, ainsi que les ressources des vers : tétrasyllabes et octosyllabes qui alternent et rimes croisées chez Musset, division en six courtes strophes inégales comme de petits compartiments refermés sur eux-mêmes chez Apollinaire, disposition en un bloc compact et rimes embrassées chez A. Sarrazin. De même, dans le tableau de Van Gogh, le cadre, les lignes et l'horizon fermé des murs de la cour rendent compte de cet enfermement.

> Les **indices personnels** sont les pronoms personnels *(je, moi, nous...)* et les pronoms/adjectifs possessifs *(mon, ma, le mien, le nôtre...)*.

2. L'expression d'un état d'âme identique

Un malaise lié au temps. Le temps, générateur d'ennui, est étiré (Musset : « semaine », « l'automne », du matin [v. 15] au soir [v. 36] ; Apollinaire : répétition de « tournons », « toujours » ; Albertine Sarrazin : « mois », « nuit », « minuit »). Le présent, le rythme des vers renforcent ces effets. La ronde des prisonniers de Van Gogh illustre le « Tournons » d'Apollinaire.

Un sentiment de regret. Sarrazin (« C'est la voix maternelle ») et Apollinaire (« Adieu [...] / Ô mes années ») regrettent le temps passé, Musset son erreur (« il vaut mieux monter sa garde »).

Le lyrisme des sentiments. Les notations sensorielles – visuelles et auditives (Musset et Apollinaire), tactiles (Sarrazin) – et les thèmes de l'amour et de la nature sont mis en relief.

3. L'évocation de deux mondes opposés : dedans et dehors

Le **monde du dehors** est synonyme de liberté, de vie simple et de bonheur (Musset : « des gens qui font la lessive / Dans le lointain » ; Apollinaire : « chantante ronde », « jeunes filles », « rayons » du « soleil » qui « filtre », « ciel [...] bleu » ; Sarrazin : « écoute [...] les camions »).

La **frontière** entre ces deux mondes est une « porte » (Musset), un « carreau » (Sarrazin), des « vitres » (Apollinaire), des murs (Van Gogh).

Le **désir d'évasion** s'exprime chez tous : contemplation de graffitis (Musset), rappel de la « ronde [de ses] années » (Apollinaire), « l'air du passé » (Sarrazin).

4. Une même conception du pouvoir de l'art

La poésie, un remède au mal. Apollinaire y retrouve sa « Chère raison », Musset est moins « triste », Sarrazin allège sa souffrance par son poème.

Les vertus transfiguratrices de l'art. Chez Musset, les rares « rayons du soleil » deviennent un « réseau d'or », chez Apollinaire des « pitres » qui portent un brin de joie. Chez Sarrazin, un carreau cassé laisse entrer le passé. Chez Van Gogh, le thème de la prison est générateur d'un tableau esthétique et la couleur froide (bleu) devient orange/rouge (couleur chaude).

> Tout poème, même s'il n'est pas un « art poétique » explicite, implique une **conception de la poésie et de ses fonctions**. Interrogez-vous donc toujours sur la conception de la poésie qu'il révèle (poésie des sentiments, poésie engagée...).

[CONCLUSION]

Au-delà des siècles, les artistes trouvent, à travers une expérience identique – ici, la solitude de l'incarcération –, les mêmes accents.

SUJET 14 | « Je suis le quinze de la Onzième »

COMMENTAIRE

Vous commenterez le poème d'Apollinaire (→ document 2, p. 172).

DÉMARRONS ENSEMBLE

- Élaborez la « **définition** » du texte (→ sujet 3) : *poème en vers irréguliers* [genre] *qui retrace* [type] *l'expérience carcérale d'Apollinaire* [thème], *pathétique, lyrique, parfois ironique* [registres], *à la fois moderne et traditionnel* [adjectifs], *pour exprimer sa souffrance et lutter contre la monotonie* [buts].
- Étudiez tout ce qui fait du poème une **chronique réaliste** de la vie en prison.
- Analysez l'expression des **états d'âme** du poète et leur **évolution**.
- Étudiez la **variété des tons** pour parler de son expérience et demandez-vous comment Apollinaire lutte contre la souffrance de l'incarcération.
- Quels **fruits** Apollinaire tire-t-il **de son expérience** et quelle **conception de la poésie** se dégage de ce poème ?

CORRIGÉ

PLAN DÉTAILLÉ

[INTRODUCTION]

[AMORCE] De Verlaine à la jeune Albertine Sarrazin, nombreux sont les poètes qui ont tiré de leur séjour en prison une force de création. [PRÉSENTATION DU TEXTE] Guillaume Apollinaire fut lui-même mis en cause dans une affaire de vol de statuettes au musée du Louvre et incarcéré pendant quelques jours à la prison de la Santé, à Paris en 1911. Il communique les souvenirs de son incarcération dans le poème « À la Santé ». [ANNONCE DU PLAN] Le texte peut d'abord être lu comme une chronique d'un séjour en prison qui rend compte de l'état d'âme du poète. Mais, derrière cette expérience douloureuse, il dévoile le moi profond du poète et sa conception de la poésie.

L'**amorce** de l'introduction du commentaire vous est souvent fournie par le groupement de textes du corpus.

I La chronique de la vie carcérale

1. La réalité carcérale

- L'évocation du décor (« cellule », « les vitres », « la voûte », « murs tout nus », « chaise enchaînée », « prison »), des usages (se « mettre nu », un numéro : « le quinze de la / Onzième », la promenade «chaque matin» «les clefs», «le geôlier», «prisonnier»), des bruits intérieurs (un «pied» sur la voûte, la «fontaine», des «clés» qu'on fait «tinter», la chaise) et extérieurs («bruits de la ville») compose un petit documentaire sur la prison.

■ La pauvreté et l'imprécision des notations sensorielles («le soleil», «le ciel est bleu», «couleurs pâles», «je ne vois rien») donnent l'impression de vide affectif et intellectuel du poète à la dérive.

POINT MÉTHODE

Rédiger un paragraphe, éviter la paraphrase, commenter un procédé de style

■ **Défauts à éviter**: ne jamais paraphraser le texte. Ne jamais signaler un procédé de style sans en indiquer l'effet produit ou l'idée qu'il soutient.

■ Pour éviter ces défauts, il faut, dans chaque paragraphe, lier l'idée, la ou les citation(s) et la qualification de ce qui est cité (principe ICQ → p. 136).

■ Pour **varier les formulations**, apprenez la liste suivante.

(Cette idée) est soulignée par, est rendue par, est mise en valeur par, est marquée par, est mise en évidence par, est traduite par, s'appuie sur...

(Par ce procédé, l'auteur/Ce procédé) traduit, souligne, met en évidence, rend compte de, révèle, crée l'impression de/que, suggère, transmet, marque...

(Ce procédé) a pour effet de, sert à, concourt à l'effet de...

■ [PARAGRAPHE RÉDIGÉ] L'impression douloureuse d'un temps qui s'étire et de l'ennui est rendue par le vocabulaire, les exclamations, les sonorités féminines, les rimes intérieures, les liquides («Que je m'ennuie», «Que lentement pass[ent] les heur[es]»). La monotonie est rendue par le présent d'habitude, l'expression «chaque matin», les répétitions («passer» quatre fois, «pleureras» et «pleures», l'évocation de la fontaine deux fois) et le rythme réguliers de certains vers.

Une **rime féminine** se termine par une syllabe qui contient un *e* muet *(femme)*. Une **rime masculine** ne se termine pas par une syllabe contenant un *e* muet *(enterrement, raison)*. Un ***e* muet** est un *e* qui ne se prononce pas.

2. La progression du poème avec le temps

La structure insolite en six parties, rythmée par des «blancs», donne une impression de construction cyclique (les parties I et VI suivent le même schéma), de recommencement mais, entre ces deux parties identiques, le poète n'est pas revenu au même point.

■ La progression temporelle. Le poème est à la fois la chronique du séjour (avec rappel de l'arrivée et de la fouille: Lazare inversé) et celle d'une journée (lever du jour: «le soleil filtre»; promenade du «matin»; ennui de la journée; «le jour s'en va»; le soir, la nuit suggérés par «une lampe»).

Les fluctuations de l'état d'âme. La progression dans le temps correspond à des variations d'état d'âme. Le poète passe en effet **de l'attention au monde extérieur** dans les parties II et III (les éléments – « le soleil », « ses rayons », « le ciel » – et la présence humaine – « quelqu'un qui frappe du pied », « dans la cellule d'à côté », « le geôlier ») **à l'intériorisation** (parties IV-V et première strophe de VI).

La réduction de l'espace à la cellule. Elle s'accompagne d'une **angoisse croissante** rendue par une question (v. 37-38), par le vocabulaire affectif péjoratif (« douleur », « désespoir ») et les mots de la négation (« pâles » [sans couleurs], « sans [larmes] », « [murs] nus », « ne… rien que », « hostile »). Le désarroi se manifeste par des **symptômes physiques** : les « murs nus » et « pâles » rappellent la nudité du poète au début et sa « pâleur ».

Les derniers vers marquent l'**apaisement** : le symbole de la « lampe » qui « brûle » (image du foyer), la « raison », personnifiée en créature féminine, qualifiée par des mots positifs (« Belle », « Chère »), font de la cellule un espace préservé de l'intimité.

Ne faites **pas de « résumé »** mais **commentez la progression** (forme, thème, sentiments) **du poème** et dégagez-en l'intérêt, les effet

Péjoratif signifie qui a une connotation négative, qui dévalorise. ***Mélioratif***, qui valorise.

3. La lutte contre la monotonie et la perte d'identité

Variété et irrégularité de la métrique. La métrique introduit un élément de variété : diversité des strophes (distiques, quatrains, sizains…), des vers (octosyllabes, décasyllabes, alexandrins, mais aussi vers impairs, heptasyllabes). Le choix est toujours significatif : deux sizains massifs d'octosyllabes (strophe III) traduisent la pesanteur du temps.

Variété de l'énonciation. Apollinaire s'invente des interlocuteurs pour lutter contre la solitude, « sonorise » sa cellule par des voix.
- Une « voix sinistre » s'adresse à lui à la 2e personne, l'appelant par son prénom (intimité) et le fait exister – c'est peut-être lui-même (*cf.* Verlaine « Le ciel est par-dessus le toit »).
- Il interpelle « [ses] années » passées, personnifiées en « jeunes filles ».
- Puis il prie « Dieu », qu'il tutoie pour créer l'intimité.
- Il se dédouble et parle à un autre lui-même, désigné par « tu » (v. 47).
- Enfin, il se confie à sa « raison », personnifiée elle aussi.

Analyser les **indices de l'énonciation** (→ fiche 1) est révélateur de la variation des **sentiments** du poète et de sa **perception du monde**.

II Remise en question et permanence de Guillaume

1. Une certaine vitalité

- **L'humour et l'auto-ironie des images.** Les images sont souvent cocasses : Apollinaire se présente comme un « Lazare » à l'envers, un ours de zoo, animal lourdaud ; les rayons du soleil sont des « pitres » ; elles sont aussi gracieuses (le cercle protecteur des « années » passées, « chantante ronde ») ou insolites, voire surréalistes (« Le ciel est bleu comme une chaîne »).

L'auto-ironie s'exerce contre soi-même : elle est signe de recul sur soi et dédramatise sa situation ou sa souffrance.

- L'inventivité d'Apollinaire apparaît dans la structure du poème, dans les mots inattendus (« vitement », reprise d'un adverbe oublié) et la suppression de la ponctuation, marque de modernité.

2. La vraie gravité d'une mise à nu

- L'incarcération est une épreuve humiliante (« il a fallu me mettre nu »), et une remise en question de son identité (« Guillaume qu'es-tu devenu » ; « je ne me sens plus là / Moi-même » ; le dédoublement se marque par le passage du « je » au « nous », v. 9, 23).
- **Un vrai « désespoir »** causé par le passé douloureux qui resurgit et la présence implicite de la mort (référence à « Lazare » ; « sans horizon », « ciel hostile » ; la partie IV rappelle le « Spleen » de Baudelaire : « Quand le ciel bas et lourd [...] »).

La **biographie des auteurs** permet de mieux comprendre les textes. Ici, Apollinaire fait allusion à son passé douloureux : abandon par son père et plus tard par sa mère dans un hôtel belge, déceptions amoureuses... On comprend mieux sa douleur face aux souvenirs.

[TRANSITION] Une remise en question, mais Apollinaire est bien resté le même.

3. La permanence de la personnalité

On retrouve ici Guillaume Apollinaire tel qu'il apparaît dans ses autres œuvres.

- Certains de ses thèmes poétiques favoris sont repris : le temps qui passe, l'auto-culpabilisation, l'importance de l'amour des autres (« L'Amour qui m'accompagne », « cœurs » des autres prisonniers), la présence féminine (celle des « jeunes filles » et de la raison, amante et mère protectrice, rassurante).
- Le lecteur reconnaît certaines de ses formulations : le lyrisme s'exprime dans les vers 45-46 comme dans le refrain du « Pont Mirabeau ».

« Passent les jours et passent les semaines / Ni temps passé / Ni les amours reviennent / Sous le pont Mirabeau coule la Seine ».

- La tentation religieuse, constante chez Apollinaire (*cf.* « Zone »), se révèle dans le ton de la prière, les appels à Dieu et la communion avec les prisonniers (« cœurs battant dans la prison »).

■ Le **portrait affectif** que le poète fait de lui-même est celui que traduisent ses autres poèmes : tristesse pathétique (« mes yeux sans larmes », « ma pâleur », « ma chaise »), angoisse perpétuelle du temps qui passe (« Tu pleureras l'heure où tu pleures »).

Il est fructueux de **rappeler les textes du corpus** qui éclairent le texte à commenter (ici : Musset) et surtout de faire des **rapprochements avec d'autres textes** (ici : Verlaine) (→ fiches 52 à 55)

■ Enfin, le lecteur retrouve les mêmes **tendances poétiques** :
- les **vers** sont ses vrais **compagnons** (« **mes** lignes ») ;
- il a gardé son **goût du mélange poétique** (dans les rythmes, les atmosphères variées : II, bout-rimé à la Musset ; III, chanson ; IV, prière ; V, élégie) ;
- il se place dans une **lignée de poètes** : échos de *Sagesse* de Verlaine et de Musset (→ p. 171) ;

Verlaine	Apollinaire
▶ « Le ciel est, par-dessus le toit, Si bleu, si calme ! »	▶ « Le ciel est bleu »
▶ « Dis, qu'as-tu fait, toi que voilà, De ta jeunesse ? »	▶ « Qu'es-tu devenu »
▶ « Cette paisible rumeur-là Vient de la ville. »	▶ « Les bruits de la ville »
▶ « Il pleure dans mon cœur Comme il pleut sur la ville »	▶ « Tu pleureras l'heure où tu pleure »
Musset (→ p. 171)	**Apollinaire**
▶ « Ça et là, quelques écritures Semblent des vers. »	▶ « Une mouche sur le papier à pas menus Parcourt mes lignes inégales »

- il manifeste en même temps le désir de **se démarquer de la tradition**.

[CONCLUSION]

Le poème marque la vertu apaisante de la poésie qui « chante » les « ennuis » pour les « enchante[r] » (Du Bellay). Il semble que, contre la prison, le seul remède soit la poésie... ou l'art (*cf.* Van Gogh et les peintres en prison).

SUJET 15 | L'expression des sentiments

DISSERTATION

La poésie est-elle surtout destinée à l'expression des sentiments ? Vous répondrez à cette question en vous appuyant sur les textes du corpus, sur ceux que vous avez étudiés en classe et sur vos lectures personnelles.

DÉMARRONS ENSEMBLE

- *Poésie* et *expression (de)* indiquent que vous devez parler de la **nature de la poésie**, de ses **fonctions**, de son **rôle**. La problématique générale est donc : *Quelle est la fonction de la poésie ?*
- Le sujet vous propose une définition de la poésie, donc une partie de réponse (*expression des sentiments* renvoie au lyrisme), mais *surtout* vous suggère de **dépasser cette définition** et de chercher d'autres fonctions de la poésie.
- Pour trouver des idées, demandez-vous en quoi **poésie** et **sentiments** sont à rapprocher et quels peuvent être les **autres buts** de la poésie.
- Rappelez-vous les divers « arts poétiques » que vous avez pu étudier.

POINT MÉTHODE

Trouver et choisir des exemples

- Les **exemples** apportent à l'argument une **illustration concrète** et renforcent la démonstration.

Provenance des exemples

- du **corpus**, sous forme de références, d'extraits ou de brèves citations
- des **lectures cursives**, ou activités en classe (exposés, conférences...)
- de votre **culture personnelle** : lectures, connaissances historiques, références à des œuvres littéraires, à des tableaux, à la musique, au cinéma...
- de votre **expérience personnelle** de spectateur (représentations théâtrales, projections de films...) ou d'écriture (autobiographique, poétique...)

Attention ! N'écrivez pas *je* ou *nous*, même pour exploiter votre expérience personnelle. Adoptez une formulation plus générale.

- Ils peuvent prendre des **formes variées** : citation, nom d'un personnage, rappel d'une situation, d'un événement, d'une péripétie..., titre d'œuvre, nom d'un auteur, mouvement littéraire...

CORRIGÉ

PLAN DÉTAILLÉ

[INTRODUCTION]

[AMORCE] Si l'on ouvre une anthologie poétique, les poèmes consacrés aux sentiments occupent une place prédominante : joies et peines de l'amour, tristesse de la séparation ou de la mort, mélancolie devant la fuite du temps... [PROBLÉMATIQUE] L'expression des sentiments personnels serait-elle le seul but de la poésie ? [ANNONCE DU PLAN] [1] Après cette constatation purement statistique, on peut se demander si la vocation de la poésie est seulement d'exprimer le moi intime [2] ou si elle a d'autres fonctions.

I La poésie comme expression des sentiments

1. Des sentiments exaltants, positifs

■ **La poésie exhale le *je* et célèbre le *tu*.** De nombreux poèmes sont écrits à la 1re personne [+ EXEMPLES DU CORPUS], dans un registre lyrique pour exprimer les **sentiments personnels** du *je*.

D'autres poèmes sont une **célébration d'un être cher**, à l'aide d'images (« ma femme aux doigts de hasard et d'as de cœur », « L'union libre » de Breton), souvent sous forme d'un dialogue sentimental avec tutoiement (« Je t'attendais » de Cadou) et avec le nom de la femme aimée (« Nush » chez Éluard, « Lou » chez Apollinaire, « Elsa » chez Aragon).

Lyrisme vient de *lyre*, instrument de musique qui accompagnait la poésie chantée. Il est l'expression exaltée de sentiments personnels.

■ **L'amour sous toutes ses formes.** Sentiment dont la langue quotidienne n'arrive pas à rendre l'intensité, l'amour prédispose à l'expression poétique – un état second pour une langue seconde.

L'**amour de l'autre** est un thème récurrent de la poésie.

> Quelques formes de l'expression amoureuse à travers les époques : amour courtois (Moyen Âge), amour précieux (XVIIe siècle), passion inquiète (romantiques, Apollinaire), amour heureux...

L'**amour au sens large** a aussi toute sa place dans la poésie.

> Quelques objets d'amour dans l'expression poétique :
> terre natale chez Du Bellay ; liberté chez Hugo ou les poètes de la résistance ; la vie, le monde, les choses (Ponge) ; célébration de l'histoire des hommes, de leur héroïsme ou leur générosité (registre épique de *La Légende des siècles*)...

Vous devez **souligner** le titre d'un **recueil** mais mettre entre **guillemets** le titre d'un **poème** : « Parfum exotique » dans Les Fleurs du Mal

« Tant qu'il y aura des yeux reflétant les yeux qui les regardent ; tant qu'une lèvre répondra en soupirant à la lèvre qui soupire ; tant que deux âmes pourront se confondre dans un baiser ; tant qu'il existera une femme belle, il y aura de la poésie ! (Becquer, poète espagnol du XIXe siècle)

2. La poésie sublime les sentiments douloureux

- Séparation et mort qui engendrent **tristesse et désespoir** sont des thèmes fréquents de la poésie [+ EXEMPLES PERSONNELS].
- La poésie permet de **se libérer** dans les mots et les sons, de rendre et de partager, par les rythmes et la musique, la douleur indicible, de faire exister le bonheur [+ EXEMPLES DU CORPUS] ou revivre l'absent.

3. Pourquoi la poésie est-elle apte à exprimer les sentiments ?

- **Le poète, un être particulièrement sensible.** Le poète ressent de façon plus intense et dispose des mots pour le dire. C'est un être irrationnel, qui choisit une « forme » (la poésie) irrationnelle (tout comme les sentiments).
- La poésie, parce qu'elle admet les contrastes et l'irrationnel, apporte souvent des remèdes aux maux de cet être de contradictions tiraillé entre l'**Idéal** et le **Spleen**. Le Spleen est le terme baudelairien qui désigne la douleur morale, le cafard, engendré par l'écartèlement de l'être humain entre ses aspirations contradictoires vers le bien et le mal.
- **Les ressources du langage poétique.** Hyperboles, vocabulaire affectif, dislocation des phrases qui bouleverse la syntaxe logique, jeu sur les rythmes sont propres à communiquer au lecteur l'émotion ressentie. Images et figures de style rendent les sentiments plus concrets ; les images sont parfois indécises, floues comme les sentiments personnels.
- Les **ressources musicales** de la poésie (→ fiche 36) et le jeu sur les rythmes se calquent sur les rythmes du cœur (tantôt calme, tantôt agité), de la passion.

[TRANSITION] La poésie traduit l'indicible, mais elle peut dépasser l'expression des sentiments personnels. Elle a d'autres fonctions.

La **syntaxe** désigne la façon dont les phrases sont construites, dont les groupes de mots et les propositions sont agencés dans la phrase.

II D'autres fonctions de la poésie

1. Un travail sur le langage pour dévoiler le monde

- La poésie a pour fonction de «déraciner les mots» afin de «rompre avec l'accoutumance» (Saint-John Perse) et de «dévoiler» le monde (Cocteau) [+ EXEMPLES PERSONNELS].
- Le poète est l'artisan des mots, la poésie est jeu verbal, recherche sur le langage (Rimbaud: «Voyelles», Queneau...).
- La poésie est alors moyen de connaissance - non scientifique, non-rationnelle - et permet d'explorer le monde, de décrypter le quotidien en redonnant leur pouvoir aux sensations («Parfum exotique» de Baudelaire, «Fenêtres ouvertes» de Hugo, dans *L'Art d'être grand-père*) et en rompant avec l'habitude: «[La poésie] dévoile dans toute la force du terme. Elle montre nues, sous une lumière qui secoue la torpeur, les choses surprenantes qui nous environnent et que nos sens enregistraient machinalement» (Cocteau); *cf.* Ponge, Prévert...
- Le poète est un «voyant» qui a pour mission de «percer» le mystère des choses et du monde, par la création de liens inattendus («Correspondances» de Baudelaire).

Pour vous prépa[rer] à la dissertation[,] constituez **une fiche par objet d'étude** conten[ant] une **réserve d'exemples littéraires** class[és] chronologiquem[ent]. Notez précisém[ent] le titre de l'œuv[re,] l'auteur, consig[nez] quelques remar[ques] sur les textes. Relevez une courte citation significative.

2. La poésie engagée, «une arme chargée de futur» (Celaya)

- Le poète peut dépasser ses sentiments personnels et exprimer des sentiments plus humains, «universels».
- Il peut alors donner la parole à ceux qui ne l'ont pas ou qui ne savent pas l'utiliser («Melancholia» de Hugo; «Les dernières paroles du poète» de Daumal...).
- La force de la poésie en fait une arme à mettre au service de grandes causes de l'engagement politique (D'Aubigné, La Fontaine, *Les Châtiments* de Hugo, les poètes résistants) ou social («Les assis» de Rimbaud).
- La poésie joue alors de registres variés: satire, ironie, lyrisme, burlesque (Hugo, dans *Les Châtiments*, contre Napoléon III qui a assassiné la liberté et la République; Vian avec «Le Déserteur»).

«Et c'est assez pour le poète d'être la **mauv[aise] conscience** de son temps.» (Saint-John Per[se])

3. L'art pour l'art

La poésie peut avoir un but esthétique, la création d'un bel objet - principe de l'art pour l'art -, au même titre que peinture (la poésie peint des tableaux: *ut pictura poesis*, Horace), sculpture ou musique (jeu de rythmes et de sons) [+ EXEMPLES PERSONNELS].

4. Les atouts du genre pour remplir toutes ces fonctions

■ La poésie est un genre court, rapide et condensé, incisif auquel sa brièveté confère plus de force et d'efficacité [+ EXEMPLES PERSONNELS].

■ Un poème, grâce à ses rythmes, ses répétitions et sa concision se retient facilement et marque par là même les esprits [+ EXEMPLES PERSONNELS].

■ La langue poétique redonne du poids et de l'intensité aux mots et surprend [+ EXEMPLES PERSONNELS].

■ La poésie par ses images saisissantes (métaphores, allégories…) frappe les imaginations [+ EXEMPLES PERSONNELS].

« […] le poète n'*utilise* pas le mot, il ne choisit pas entre des acceptions diverses […]. Florence est ville et fleur et femme, elle est ville-fleur et ville-femme et fille-fleur tout à la fois. » (Sartre)

[CONCLUSION]

[SYNTHÈSE] Il est difficile de cerner la (ou les) mission(s) de la poésie. En fait, toutes ces missions ne supposent-elles pas, à des degrés divers, avec des moyens multiples, l'« expression des sentiments » du poète ? Le poète qui s'engage donne bien son sentiment. Le poète, comme tout artiste qui crée un bel objet, s'exprime à travers lui. [OUVERTURE] La poésie serait même l'art le plus complet, comme l'affirme Théodore de Banville : « La poésie est à la fois Musique, Statuaire, Peinture, Éloquence ; elle doit charmer l'oreille, enchanter l'esprit, représenter les sons, imiter les couleurs, rendre les objets visibles, et exciter en nous les mouvements qu'il lui plaît d'y produire ; aussi est-elle le seul art complet, nécessaire, et qui contienne tous les autres » *(Petit Traité de poésie française).*

SUJET 16 | La découverte de la poésie

ÉCRITURE D'INVENTION

Dans son journal intime, un détenu exprime l'expérience bouleversante qu'a constituée pour lui la découverte de la poésie. Vous rédigerez quelques pages de ce journal, situées à des dates différentes, qui rendent compte de cette rencontre.

DÉMARRONS ENSEMBLE

- Élaborez la « **définition** » (→ sujet 3) du texte à produire : *extrait de journal intime* [genre] *d'un détenu* [situation d'énonciation/auteur] *qui rend compte* [type de texte] *de son émerveillement devant la poésie* [thème], **?** [registre], *pour montrer les bienfaits de la poésie* [buts].
- Précisez la **situation d'énonciation** : qui ? *un détenu* ; à qui ? lui-même ; déduisez-en le **niveau de langue** : imagé, ni trop soutenu ni trop familier.
- Respectez les caractéristiques formelles du **journal intime** (dates, emploi du *je*...) et les types de textes : **argumentatif** (thèse : *J'ai été bouleversé par la poésie*, et plus généralement : *La poésie a une grande force émotionnelle et peut changer le lecteur*), **descriptif et narratif** (*expérience, la découverte de la poésie*).
- Vous devez **choisir les circonstances** de cette rencontre avec la poésie et le **registre** : *bouleversante* autorise le lyrisme (rendre sensible l'émerveillement du détenu), la situation de détenu peut créer un ton pathétique.
- Le texte doit comporter des **exemples de poèmes** qui ont marqué le détenu et des **citations précises** dont il émaillera son journal.

CORRIGÉ

EXTRAITS RÉDIGÉS

Nanterre, le 2 décembre 2005

Bien que la rentrée scolaire fût en septembre, c'est à partir du mois de décembre que j'ai aimé aller à l'école en prison... Au début de l'année, je m'ennuyais, je ne savais même pas ce que je faisais dans une salle de classe. Je me disais : « J'ai arrêté les cours quand j'étais dehors ; alors, pourquoi étudier en prison ? » Pour être honnête, je suis allé à l'école par intérêt : je pensais aux grâces qui allaient avancer ma date de libération.

Ne présentez pas les atouts de la poésie sous forme d'argumen[ts] ordonnés comme dans une dissertation[.] Habillez-les afin [de] **rendre sensible l'émerveilleme[nt] du détenu.**

Nanterre, le 15 décembre 2005

J'étais sceptique à l'idée de faire de la poésie, mais le déclic s'est produit quand j'ai commencé à lire les premiers vers de « Sensation » d'Arthur Rimbaud. J'ai tout de suite senti que la poésie était un genre littéraire d'une force particulière. Le poème a réveillé en moi des sensations que je croyais mortes, entre ces murs gris. L'espace d'un poème, j'ai oublié ma cellule...

[...]

La Santé, le 16 mai 2006

Baudelaire est mon frère!... « – Hypocrite lecteur, – mon semblable, – mon frère ! » C'est lui-même qui le dit...

Aujourd'hui, j'ai découvert « Spleen » : « Quand le ciel bas et lourd... ». J'ai été saisi : j'ai presque cru un moment que c'était moi qui avais écrit ces vers. Comment un être qui n'a pas connu la prison peut-il rendre avec autant d'acuité ce que je ressens tous les jours dans ma morne cellule ?

[...]

La Santé, le 21 juin 2006

Il y a le temps, mais aussi le silence. Parfois je me prends à parler tout haut : et pour n'être pas fou, je récite des poèmes.

[...]

La Santé, le 20 juillet 2006

J'ai relu aujourd'hui mon journal à partir du 1er mai... Et j'ai eu « honte » ! De quoi ? Depuis le jour où j'ai découvert la poésie à l'atelier, je crois au printemps. Je ne suis plus le même, il me semble que je deviens poète. Et si aujourd'hui j'écrivais un poème ? J'ai envie de « chanter mon mal pour t'enchanter »...

Quelques bienfaits de la poésie pour un prisonnier
1. Sa puissance d'évasion. **2.** Elle transfigure le réel. **3.** Elle est une présence qui meuble la solitude. **4.** Elle sollicite le lecteur qui devient créateur. **5.** Elle adoucit les mœurs. **6.** Elle a une force argumentative (poésie engagée). **7.** Elle contient tous les arts à la fois...

Le style doit rendre compte de la **personnalité** et des **émotions du locuteur** (le détenu) : le lecteur doit sentir une vraie personne derrière ce journal.

POINT MÉTHODE

Présenter arguments et exemples dans l'écriture d'invention argumentative

- Formulez au brouillon la/les **thèses.** Construisez une **argumentation solide** (il faut autant d'exemples et de connaissances littéraires que dans une dissertation).
- Vous pouvez tirer partie des textes du corpus pour la recherche d'arguments et d'exemples et le style à adopter.
- Arguments et exemples doivent **être présentés selon la dynamique du genre** du texte à produire (et non dans l'ordre rigoureux de la dissertation).

SUJET 17 | Adolescente et en prison…

ENTRAÎNEMENT À L'ÉPREUVE ORALE

Texte : « Il y a des mois que j'écoute », d'Albertine Sarrazin (→ document 3, p. 173).

Question : Comment Albertine fait-elle partager au lecteur sa vie et sa détresse en prison ?

DÉMARRONS ENSEMBLE

- *Vie […] en prison* invite à analyser l'image que le poème donne du **quotidien de la prison**, de la réalité concrète et humaine. *Détresse* suggère d'analyser les **états d'âme** d'Albertine et met sur la voie du **lyrisme**.
- *Comment* implique que vous commentiez les **moyens utilisés** pour rendre compte de ses divers états d'âme, notamment les **faits d'écriture poétique**.

CORRIGÉ

PLAN DÉTAILLÉ

POINT MÉTHODE

Respecter le déroulement de la lecture à l'oral

- L'**introduction**. Placez le texte dans son contexte (époque, mouvement, auteur, œuvre), donnez sa teneur (qui ? où ? quand ? de quoi « parle » -t-il ?)

N. B. S'il s'agit d'une **œuvre étudiée intégralement**, indiquez brièvement où en est l'intrigue (œuvres narratives), quel est le thème du débat (textes argumentatifs).

- La **lecture expressive du texte**. Pour un texte théâtral, ne signalez pas le nom des personnages avant les répliques, marquez leur changement par l'intonation.
- Le **rappel de la question posée** (à formuler avec vos propres termes), suivie de l'**annonce** de votre démarche, c'est-à-dire de votre **plan** (les axes).
- Le **corps de l'explication**. Respectez le principe ICQ (→ p. 136).
- La **conclusion**. Faites le bilan de votre réponse, puis trouvez une ouverture.

Attention ! Ne dépassez pas **10 minutes** pour l'ensemble de l'explication.

[INTRODUCTION]

Albertine Sarrazin, à dix-sept ans, lors d'une nuit d'insomnie en prison (pour vol), écrit un poème qui rend compte de son expérience. Elle mêle description du présent et rappel du passé et exprime sur un ton lyrique ses sensations, émotions et sentiments, notamment son désir d'échapper à la solitude.

I Le monde d'une prisonnière : chronique de prison

1. La réalité matérielle et humaine de la prison

- Les lieux sont vétustes : « cellule », « carreau [...] cassé », « lit » « manger la prison les vers ».
- La présence humaine consiste en une codétenue suggérée par la périphrase « l'heureuse dormeuse », les « pas de cellule en cellule ».
- Les peurs et l'état moral sont suggérés par « ombre cruelle » personnifiée, « manger les vers », « lasse ».

2. La monotonie, l'ennui et l'étirement du temps

- La versification et la typographie. L'absence de blancs qui rompraient l'uniformité (pas d'espace d'évasion), la régularité des octosyllabes et des rimes embrassées, les enjambements (v. 1-6, 6-7, 9-10...) créent la monotonie.
- La syntaxe. Les parallélismes (« c'est », v. 17, 19, 23 ; anaphore de « et », v. 3, 5 et 6), l'absence d'article défini et de ponctuation (« printemps étés », v. 7) donnent un ton uniforme.
- Les images fortes et originales. « Les nuits et les minuits tomber » (v. 2) sont assimilés à des gouttes d'eau angoissantes.

Les **rimes embrassées** (a/b/b/a) donnent l'impression d'enfermement ou d'intimité.
Les **rimes plates** (a/a/b/b) donnent l'impression de régularité, de déséquilibre et de monotonie.
Les **rimes croisées** (a/b/a/b) introduisent variété et fantaisie.

3. Un monde dont il faut s'évader

- A. Sarrazin reconstruit le monde extérieur à partir de bribes (les « camions » qu'elle personnifie et suit en imagination comme des compagnons d'évasion) en contraste avec le dedans (la « vitesse » s'oppose à sa propre immobilité).
- Le silence, l'immobilité amplifient les impressions sensorielles, auditives (« j'écoute », « camions », « grogner », bruit des « vers », « voix », cris de fièvre, « pas »), visuelles (« pâlit », « ombre »), olfactives (« sans parfum »), tactiles (« drap frais », « sans caresse »), parfois en synesthésie (« la nuit crisse » : vue/ouïe). Mais elles sont niées ou rejetées dans le passé.

Les cinq sens et leurs adjectifs :
vue, visuel ;
ouïe, auditif ;
odorat, olfactif ;
toucher, tactile ;
goût, gustatif.

II L'expression lyrique de la souffrance d'une femme enfant

1. Les fantômes du passé

L'irruption fantastique du passé par « le carreau » est évoquée avec lyrisme.

■ D'abord « choses » indéfinies, les souvenirs se métamorphosent en étoffe (« crisse et froisse » ; allitérations en [R] et [s]), s'animent (verbes de mouvement « s'engouffre, tourbillonnant »), sont personnifiés (« mille poses »).

Une **allitératio[n]** est la répétition intentionnelle d'un même son consonantique pour créer un effet : « Pour qu[i] sont ces serpen[ts] qui sifflent sur vos têtes ? »

■ **L'enfance se reconstitue** à partir de la réalité de la prison : le lit (v. 8-10) appelle l'enfance, la « voix maternelle », la « berceuse » et le décor de la chambre d'enfant. Des sensations familières remontent dans leur intensité (« drap frais » ; « dessin », « reposoir », « voix maternelle », « fièvre »).

■ Les **amours** sont suggérées sur le mode de l'ambiguïté : l'expression courtoise « grand jeu d'amant et maîtresse » suggère-t-elle élans de passion ? comédie ? Le bilan de cette période « bien pire » que l'enfance est négatif.

2. Le retour douloureux et lucide au présent

■ Le retour au présent et à la lucidité, marqué par les connecteurs logiques (« pourtant », « car », « mais ») révèle la **persistance du désir** sensuel, de la solitude, du manque (« peau », « sans parfum », « nue », « sans caresse »).

■ Le **désir de « s'évader » du présent** est marqué par la force du changement de ton (« veux »), l'aspect juridique de « ceci (le désir d'oublier) annule les précédents » (le passé) et débouche sur le désir de l'oubli par le sommeil.

■ L'**inutilité de ce sursaut** se marque dans le soupir « Ah m'évader / Dans les pavots » (plante à la base de somnifères) et donne au poème une fin pessimiste.

3. La vraie évasion : l'écriture poétique lyrique

La seule évasion est l'écriture poétique, qui **renvoie aux poètes lyriques** : ton médiéval de la suppression des articles (« Printemps étés automnes hivers »), modernité d'Apollinaire (absence de ponctuation et images fortes), rappel de l'« Art poétique » de Verlaine (choix de mots « approximatifs » – « *parmi* la fièvre » –, vocabulaire, syntaxe et rimes très simples).

Un **art poétiqu[e]** est un ensembl[e de] règles poétiques. C'est aussi un ouvrage exposa[nt] une conception [de] la poésie (princi[pes,] fonctions et finalités) : *Art poétique* d'Hora[ce,] de Boileau (XVIIe siècle), de Verlaine (XIXe siècle), de Queneau (XXe siècle).

[CONCLUSION]

Le poème est une sorte de page de journal intime. Mais ses thèmes (enfance, amour, solitude, désir d'ailleurs) et l'infinitif impersonnel des derniers vers lui donnent son intemporalité et traduisent les aspirations de tous les détenus.

La question de l'homme dans les genres de l'argumentation

FICHES

BILAN

SUJETS CORRIGÉS

39 Qu'est-ce que la « question de l'homme » ?

Depuis l'Antiquité, les écrivains, les philosophes et les artistes ont réfléchi sur la « question de l'homme » : en répondant aux interrogations essentielles que se pose tout être humain, ils ont tenté de se forger une conception de l'homme. Ces interrogations tournent autour de quelques pôles fondamentaux.

I Qu'est-ce qu'un homme ?

- **L'homme et l'animal**. Qu'est-ce qui distingue l'homme de l'animal ?
- **Le corps et l'âme**. L'homme est-il avant tout un corps, un esprit (intelligence, volonté, sensibilité), une âme ou un mélange des trois ? Quelle hiérarchie établir entre ces trois composantes ?
- **L'homme et la nature**. Quelle est la place de l'homme dans la nature ? Est-il une créature parmi les autres ou bien une créature privilégiée, « maître » de la nature ?

On regroupe sou[s] les expressions ***sciences de l'homme*** ou ***sciences humaines et sociales*** : histoir[e], archéologie, économie, sociologie, anthropologie (groupes humains), ethnologie ou ethnographie (cultures et ethnies), psychologie, linguistique, philosophie (morale, éthique et théologie)...

II Un homme ou des hommes ?

1. Moi et l'autre

- Existe-t-il une **nature humaine** universelle et éternelle ou chaque **individu** est-il différent ?
- Comment définir l'humain, compte tenu de la **diversité** des hommes ?
- L'homme peut-il se **reconnaître** dans les œuvres d'autres hommes qui ont vécu **dans un autre temps** (le passé) ou qui vivent **dans d'autres pays** et civilisations ?
- Dans la diversité de l'humanité, existe-t-il des **valeurs universelles** ?
- Comment l'individu trouve-t-il **sa place dans la société**, la famille... ?

2. Oppression, racisme et pouvoir

- L'homme a-t-il le droit d'établir une **hiérarchie entre les êtres humains** ?
- Certains hommes ont-ils des **droits** sur d'autres êtres humains ?
- Quelle est la **légitimité du pouvoir** d'un seul homme ?

III Qu'est-ce que la condition humaine ?

- **Le bonheur**. L'homme peut-il être heureux ?
- **La liberté**. Qu'est-ce qu'être libre ? L'homme dispose-t-il d'un libre arbitre ? L'homme est-il soumis à une force supérieure (une destinée) ou est-il maître de son destin, de son histoire ?
- **La religion**. Dieu existe-t-il ou est-il une création humaine ?
- **L'éthique**. Quelles valeurs doivent guider la vie des hommes ?

IV En résumé…

- S'interroger sur l'homme, c'est prendre en compte ses divers aspects en tant qu'**individu** (corps, sensibilité, esprit, conscience…) mais aussi en tant que **membre d'un groupe social** (famille, milieu et mœurs, travail, nation…).
- C'est aussi aborder concrètement les **questions** d'ordre social, politique, scientifique, éthique, religieux…
- En fonction du contexte historique, social, politique, de sa sensibilité ainsi que de ses goûts esthétiques, chaque époque apporte à ces questionnements fondamentaux des **réponses** qui définissent une **vision de l'homme** et privilégie certains **genres littéraires** et certaines **stratégies argumentatives** (→ fiches 40 à 43).

DES MOTS POUR PARLER DE L'HOMME

- L'être humain : *l'homme, l'humanité, l'espèce/la race humaine, le genre humain, l'habitant de la terre…*
- Les domaines de l'humain : *la société, la science, la morale, la religion, la politique, l'esthétique, la culture…*
- Le groupe social : *la société, le corps social, la collectivité, la communauté, le peuple, la peuplade, la hiérarchie…*
- Les coutumes : *les habitudes, les mœurs, les pratiques, les usages, la tradition, les lois, les institutions, les règles…*
- La morale : *l'éthique, la sagesse, les règles de vie, les valeurs, le bien, les qualités, le mal, les défauts, les vices, le devoir, la conscience…*
- Les croyances : *les convictions, la religion, la confession, la foi, le culte, la superstition…*

40 Argumenter, convaincre et persuader

Les écrivains s'inscrivent dans les débats de leur temps en exprimant à travers leurs œuvres des idées et des convictions. Pour cela, ils argumentent en s'efforçant de convaincre et de persuader leurs lecteurs.

I Les stratégies argumentatives

Dans un commentaire littéraire ou une dissertation, vou[s] devez **convainc[re]** votre lecteur. Dans une écritur[e] d'invention argumentative, il faut en généra[l] aussi le **persuad[er]**.

- **Argumenter**, c'est **soutenir** ou **contester** une opinion, une idée (la **thèse**) dans le but d'obtenir l'adhésion de celui à qui l'on s'adresse.
- Il existe **deux stratégies** pour argumenter : **convaincre** et **persuader**.

	Convaincre	Persuader
Comment obtient-on l'adhésion de l'interlocuteur ?	Par la **raison** et la **logique** : on sollicite ses facultés d'analyse et de réflexion intellectuelle.	En faisant appel à sa **sensibilité**, en agissant sur ses **sentiments** et ses **émotions**, pour le séduire.
À l'aide de quels outils ?	Un **raisonnement construit**, composé d'arguments et d'exemples, s'appuyant sur des faits vérifiables.	Des **procédés stylistiques et oratoires** (→ fiche 41) qui entraînent l'adhésion spontanée.
Exemple	« Parmi tant de splendeurs que la terre a créées, / Il y a l'homme, lui, la merveille du monde [thèse] ! / […] Ô génial inventeur [argument] ! Il attire ses proies dans ses pièges [exemple]. » Sophocle, *Antigone*	« Parce que vous êtes un grand Seigneur, vous vous croyez un grand génie !… […] Qu'avez-vous fait pour tant de biens ? Vous vous êtes donné la peine de naître, et rien de plus. » Beaumarchais, *Le Barbier de Séville*

- **Délibérer**, c'est **débattre** avec d'autres personnes ou en soi-même en vue de **prendre une décision** (et d'agir). Dans une délibération, on analyse tous les aspects de la question. La délibération prend parfois la forme du *pour et contre*.

Dans *Le Cid* de Corneille (acte I, scène 6), Rodrigue, seul, « délibère » : doit-il ou non venger son père ?

II Les éléments de l'argumentation

L'argumentation suit une progression – un circuit argumentatif – et comporte des éléments obligés.

- **Le thème ou sujet.** Pour trouver le thème d'une argumentation, il faut se poser la question : *de quoi parle ou traite le texte ?*

  Les textes du sujet 18 p. 216 traitent de la guerre.

- **La problématique.** Ce sont les questions portant sur ce sujet.

  La problématique du corpus p. 216 est : *Quelles sont les conséquences de la guerre ?*

- **La thèse.** C'est l'opinion, la proposition soutenue sur le thème autour duquel tourne l'argumentation.

  Dans l'article « Guerre », Voltaire soutient que la guerre est horrible, qu'il faut la bannir.

Pour vérifier que vous avez repéré une **thèse**, faites-la précéder de : *L'auteur veut prouver/soutient que...*

III Le paragraphe argumentatif

Un paragraphe argumentatif énonce en général la **thèse** et comporte des **arguments** et des **exemples**.

1. Les arguments

Ces éléments **servent de preuves** pour soutenir, démontrer ou contredire la thèse avancée.

N'oubliez pas d'utiliser des **connecteurs logiques** pour articuler les étapes du raisonnement.

« [Le corps politique] n'est […] dans son état naturel que lorsqu'il jouit de la paix ; […] elle favorise la population, l'agriculture et le commerce (Damilaville)

2. Les exemples

- Ces **illustrations concrètes et précises** renforcent les arguments.

« Quiconque a besoin d'un autre est indigent et prend une position [thèse]. Le roi prend une position devant sa maîtresse et devant Dieu ; il fait son pas de pantomime [exemple 1]. Le ministre fait le pas de courtisan, de flatteur […] devant son roi [exemple 2]. La foule des ambitieux danse vos positions […] devant le ministre [exemple 3]. (Diderot)

- Un exemple peut être **illustratif** (il confirme une proposition en la concrétisant) ou **argumentatif** (il a alors valeur d'argument).
- Vous pouvez emprunter des exemples à la **réalité** (historique, sociale, scientifique), à la **littérature** et aux autres **arts** ou à votre **expérience personnelle**.

IV Les raisonnements pour convaincre

1. Les raisonnements inductif et déductif

- Le raisonnement **inductif** part d'un exemple, de faits particuliers pour déboucher sur une thèse générale (on l'utilise dans les sciences expérimentales).
- Le raisonnement **déductif** part d'une idée générale pour déboucher sur des propositions particulières (c'est le raisonnement utilisé en mathématiques).

2. Le raisonnement par concession (ou concessif)

Il se construit en **deux temps**. L'auteur admet des arguments qui s'opposent à sa thèse (mouvement concessif) pour nuancer ou maintenir son propre point de vue, voire mieux défendre ses arguments (raisonnement argumentatif).

« Je consens qu'une femme ait des clartés de tout,
Mais je ne lui veux point la passion choquante
De se rendre savante afin d'être savante. (Molière)

3. Le raisonnement dialectique

Il pèse **le pour et le contre**, fournit des arguments favorables, puis défavorables à une thèse, **pour dépasser** et résoudre **cette contradiction**.

Le clonage présente des dangers... Il présente des avantages... Cependant, on peut l'admettre en observant certaines limites ou règles...

4. Le raisonnement par analogie

Il tire des conclusions similaires de deux réalités proches que l'on a comparées. Il se fonde sur la **comparaison** *(De même que... de même...)*.

5. Le raisonnement par l'absurde → fiche 3, dessin de Franquin

Il prouve la validité d'une thèse en montrant que la thèse adverse aboutit à des conclusions absurdes (c'est-à-dire contraires à la logique).

« Tout étant fait pour une fin, tout est nécessairement pour la meilleure fin. [thèse adverse] Remarquez bien que les nez ont été faits pour porter des lunettes [conclusion absurde], aussi avons-nous des lunettes. (Voltaire)

La thèse de Voltaire est donc : tout n'est pas nécessairement pour la meilleure fin.

41 Les procédés de la persuasion

La persuasion agit sur la sensibilité du destinataire par différents procédés stylistiques et oratoires pour obtenir son adhésion spontanée. Ce sont les procédés de l'énonciation et de la modalisation (→ fiches 1 et 2)**, les figures de style** (→ fiche 11)**, les procédés de l'éloquence oratoire** (→ fiche 44)**. Il existe différentes stratégies pour persuader.**

I Affirmer une présence et créer des liens affectifs

1. Impliquer le locuteur

- Pour atteindre l'affectivité de son lecteur, il faut que le locuteur crée des liens avec lui et, pour cela, **manifeste sa propre présence** en tant que personne.
- On peut utiliser les **marques de la 1re personne** *(je, me, moi ; mon, ma, mes ; le mien...)* et **de la subjectivité** (→ fiche 2), notamment l'exclamation (pour faire partager une émotion) et le vocabulaire appréciatif.

2. Impliquer l'auditeur ou le lecteur

- Pour que le lien s'établisse, il faut que le **destinataire** se sente directement **concerné**. On utilise pour cela les **marques de la 2e personne** (le singulier pour créer l'intimité, le pluriel pour marquer le respect).
- On peut également recourir aux **procédés de la sollicitation** : l'**apostrophe** interpelle le destinataire et donne un ton pressant *(Monseigneur, frères humains, hommes de bonne volonté...)*, tandis que la **question rhétorique** incite le destinataire à partager une opinion.

3. Inclure le destinataire dans l'énoncé

On peut réaliser la complicité entre le locuteur et le destinataire en associant ce dernier à l'énonciation par les **marques de la 1re personne du pluriel** *(nous, notre)* ou le **pronom *on***.

Le **pronom *on*** a diverses valeurs dans une argumentation. Il peut aussi désigner le parti adverse : *On vous dira que...*

II Insister, faire naître des émotions et surprendre

1. Insister avec les mots et la syntaxe

- La **répétition** d'un ou de plusieurs mots (appelée ***anaphore*** si elle se situe au début de phrases ou propositions successives) provoque un effet de martèlement. La répétition peut aussi se jouer au niveau d'une structure syntaxique (suite de subordonnées) ou d'un rythme de la phrase.

- Le **parallélisme** reproduit la même construction dans une succession de phrases.
- L'**amplification** donne de la force par l'**énumération** et l'**accumulation** (suite de termes de même nature grammaticale parfois synonymes), par la **gradation** ou l'**hyperbole**, exagération qui frappe l'imagination et l'esprit du destinataire (→ fiche 11).
- Certains éléments peuvent être mis **en relief** par des présentatifs *(voici... voilà, c'est... qui...)*.

2. Faire naître des émotions avec le lexique

La dramatisation, à travers des **mots forts et générateurs d'émotion**, paralyse l'esprit critique et la raison du destinataire.

3. Surprendre avec les figures d'opposition (→ fiche 11)

- L'**antithèse** oppose fortement deux termes qui se mettent en valeur.
- L'**oxymore** juxtapose deux termes contradictoires et crée le paradoxe.
- L'**ironie** déstabilise le destinataire et force sa réflexion.

III Un exemple d'analyse des procédés de la persuasion

« Nous devrions être assez convaincus de notre néant : mais s'il faut des coups de surprise à nos cœurs enchantés de l'amour du monde, celui-ci est assez grand et assez terrible. Ô nuit désastreuse ! ô nuit effroyable, où retentit tout à coup, comme un éclat de tonnerre, cette étonnante nouvelle : Madame se meurt ! Madame est morte ! Qui de nous ne se sentit frappé à ce coup, comme si quelque tragique accident avait désolé sa famille ? Au premier bruit d'un mal si étrange, on accourut à Saint-Cloud de toutes parts ; on trouve tout consterné, excepté le cœur de cette princesse. Partout on entend des cris ; partout on voit la douleur et le désespoir, et l'image de la mort. Le Roi, la Reine, Monsieur, toute la cour, tout le peuple, tout est abattu, tout est désespéré ; et il me semble que je vois l'accomplissement de cette parole du prophète : « Le roi pleurera, le prince sera désolé, et les mains tomberont au peuple de douleur et d'étonnement. »

Bossuet, *Oraison funèbre d'Henriette-Anne d'Angleterre.*

question rhétorique
lexique fort et générateur d'émotion (> II, 2)
répétition (procédé d'insistance > II, 1)
énumération, accumulation (procédé d'insistance > II, 1)
marques de la personne (inclusion du locuteur et du destinataire dans l'énoncé > I, 3)

42 Les genres de l'argumentation directe

Les œuvres littéraires s'inscrivent dans les débats de leur temps en exprimant des idées. Les auteurs ont alors le choix entre l'argumentation directe et l'argumentation indirecte. Certains genres se rapportent plus spécifiquement à l'une ou l'autre de ces argumentations. Dans l'argumentation directe, les thèses, explicites et clairement exprimées, sont prises en charge par l'auteur. Ses genres privilégiés sont l'essai, les lettres et le dialogue.

I Deux genres privilégiés

1. L'essai

- L'essai est un **texte** de réflexion personnelle où l'auteur argumente de façon subjective, sur un sujet historique, économique, moral, scientifique...
- Sa forme est très libre, son ton très personnel. La présence du ***je* de l'auteur** y est très sensible (→ fiche 1).
- L'auteur fait souvent référence aux **thèses adverses** pour en accepter certains points (→ fiche 40), les modifier, les discuter ou les réfuter.
- Ses formes sont multiples : **méditation** « à bâtons rompus » sur divers sujets (*les Essais* de Montaigne), **article**, **traité**, **pamphlet**, **lettre ouverte**.
- Il recourt à des **registres multiples** (→ fiches 12-13) : il est souvent didactique (*Discours sur l'origine et les fondements de l'inégalité parmi les hommes* de Rousseau), parfois polémique, humoristique – ironique au XVIIIe siècle – ou pathétique (*Commentaire sur le livre Des délits et des peines* de Voltaire).

L'**essai** est souvent très marqué par son **contexte** historique et social : Sartre, *L'existentialisme est un humanisme* (1946).

Les **lettres ouvertes** sont souvent très proches des essais (ex. : J. Gaillot, *Lettre ouverte à ceux qui prêchent la guerre et la font faire aux autres*).

2. Les lettres et la lettre ouverte

- Dès l'Antiquité, les philosophes et hommes politiques (Cicéron, Sénèque) ont exposé leurs idées dans des **lettres, substituts du dialogue**.
- Au-delà du destinataire désigné, la **lettre ouverte** s'adresse à plusieurs destinataires, passe du domaine privé au domaine public.
- La lettre ouverte est **destinée à être publiée** et lue par un large public. Elle instaure le **débat** (politique, philosophique, religieux, moral...) et se prête aux prises de position **polémiques** (« J'accuse » de Zola).
- Elle a parfois la longueur d'un livre (*Les Provinciales* de Pascal, *Les Lettres philosophiques* de Voltaire).

II Le dialogue, un genre hybride

Le dialogue argumentatif est la transcription littéraire au style direct d'une conversation réelle ou fictive.

Le **dialogue** est pratiqué dès l'Antiquité par les philosophes : au Ve siècle, Socrate enseigne à Athènes en discutant avec ses disciples. C'est un genre très en vogue au XVIIIe siècle où se multiplient les discussions dans les salons et cafés.

1. Le dialogue dans l'argumentation indirecte

Le dialogue peut apparaître dans **plusieurs genres littéraires** (le théâtre et le roman, notamment) : il appartient alors à l'argumentation indirecte (→ fiche 43).

2. Le dialogue dans l'argumentation directe

Mais c'est aussi un **genre littéraire à part entière** qui appartient à l'argumentation directe.

- Il s'agit alors d'un débat d'idées destiné à être lu. L'un des interlocuteurs représente en général l'auteur. Sa forme même permet de **multiplier les points de vue** et de confronter les idées.
- Le dialogue **didactique** met en présence un personnage qui a le savoir (maître, philosophe, vieillard) et qui le transmet à son interlocuteur.
- Dans le dialogue **polémique**, les deux interlocuteurs sont sur un pied d'égalité et se contredisent : chacun veut faire prévaloir son point de vue.
- Dans le dialogue **dialectique**, les interlocuteurs cherchent à résoudre une difficulté commune et progressent dans leur réflexion par un jeu de questions-réponses mutuelles qui les amènent à des conclusions communes.

3. Le dialogue dans l'exercice d'écriture d'invention

Certains sujets d'écriture d'invention vous demandent de composer un dialogue.

- Définissez nettement l'**identité** et la **personnalité** des interlocuteurs.
- Exposez clairement les **thèses** en présence et donnez une réelle **valeur argumentative** (présence d'arguments et d'exemples) au dialogue.
- Veillez à ce que le dialogue suive un fil **conducteur** et fonctionne bien (question-réponse).

43 Les genres de l'argumentation indirecte

Dans l'argumentation indirecte, les thèses sont soutenues indirectement par l'intermédiaire d'un récit, d'une fiction, et sont déléguées à un narrateur et des personnages. L'argumentation indirecte sollicite la participation active du lecteur. Son genre privilégié est l'apologue.

I Présentation

- Dans l'argumentation indirecte, le rôle de l'**implicite** est important (→ fiche 3).
- Le genre privilégié de l'argumentation indirecte est l'**apologue**, récit allégorique, qui comporte une histoire en vers ou en prose et dont le lecteur peut tirer une leçon morale (la fable, le conte).
L'apologue se lit donc à deux niveaux : il a un **sens littéral** (le récit, l'histoire) et un **sens symbolique** (la leçon à en tirer).
La **thèse** (ou morale) peut être **explicite** (exprimée clairement) ou **implicite** (non exprimée : le lecteur doit l'extraire du récit).

L'**allégorie** exprime une idée abstraite sous une forme concrète : la colombe représente la paix.

- Le roman (→ fiches 23-30) et le théâtre (→ fiches 15-22) sont aussi des genres de l'argumentation indirecte : les personnages argumentent et sont parfois porteurs des idées de l'auteur.

II La fable

- Court récit en vers, elle comporte des **personnages** (végétaux, animaux, hommes, dieux, abstractions - la mort, par exemple) souvent simplifiés, symboliques, du **merveilleux** ou du surnaturel, une **morale** ou leçon.
- Elle emprunte à plusieurs **registres**, généralement humoristique ou comique, prend parfois un ton parodique ou satirique et vise à la critique.
- **Jean de La Fontaine**, au XVIIe siècle, a fait de la fable un genre littéraire à part entière, en exploitant les ressources d'une versification expressive et en privilégiant le récit fantaisiste. Ses *Fables* observent et critiquent son époque.
- Des **écrivains modernes**, tels Anouilh (*Fables*, 1961) ou Queneau, ont souvent pratiqué la réécriture parodique (→ fiche 52) de fables de La Fontaine.

La fable est pratiquée **dès l'Antiquité** par le grec **Ésope** (VIe siècle av. J.-C.) puis le poète latin **Phèdre** (Ier siècle). Elle servait alors déjà de support dans les écoles pour enseigner la morale.

III Le conte philosophique

Court récit en prose, le conte philosophique est un mélange de conte traditionnel et de réflexions philosophiques. Voltaire, qui a porté le genre à sa perfection au XVIIIe siècle, les appelait des « petits morceaux de philosophie allégorique ».

1. Caractéristiques du conte philosophique

- Il comprend un **récit fictif** plaisant (action mouvementée, exotisme, merveilleux), plutôt court, un héros et des **personnages schématisés** (qui symbolisent un trait de l'homme : courage, couardise, amour…), une **leçon** morale ou philosophique.
- Il sollicite à la fois l'**imagination** et la **raison**.
- Il joue souvent sur l'**ironie** et allie les **registres humoristique** et **didactique** ou **critique**.
- Certains auteurs modernes ont donné au conte philosophique la longueur d'un roman.

Le Petit Prince (1943) de Saint-Exupéry
L'Alchimiste (1995) de Coelho

Le **héros** est souvent à l'image de l'auteur ou porteur de ses idées : dans *L'Ingénu* de Voltaire, le Huron est toléran[t], ouvert et généreu[x]. Dans *Zadig*, il est juste, humain et plein d'esprit.

2. L'utopie

Le conte philosophique prend parfois la forme de l'utopie.

- L'utopie est un récit qui présente les mœurs et l'organisation sociale et politique d'une **cité** ou d'un **monde imaginaire idéal** (et irréalisable) et qui met ainsi en évidence les travers de nos sociétés : elle a donc une **portée critique implicite**.
- On trouve des utopies dès l'**Antiquité**, chez les poètes épiques (le royaume idéal d'Alkinoos dans l'*Odyssée*) ou les philosophes (la *République* de Platon). À partir du XVe siècle, à la suite des grandes découvertes, les utopies abondent (→ fiche 49, p. 245).
- Au **XVIIIe siècle**, Montesquieu imagine dans les *Lettres persanes* (1721) la société idéale des bons Troglodytes et Voltaire fait voyager Candide dans l'Eldorado, pays de richesse, de justice et de paix.
- Au **XXe siècle**, les auteurs privilégient les **contre-utopies** qui présentent des sociétés organisées pour contrôler les individus et qui étouffent leur liberté de pensée.

Le Meilleur des mondes (1932) d'Huxley
1984 (1949) d'Orwell

Utopie est un mot inventé par l'humaniste anglais Thomas More dans *Utopia* (1516), essai social et politique qui prône tolérance et discipline au service de la liberté. Du grec o[u] (négation) et *top* (« lieu »), ce mot signifie « en aucu[n] lieu » ou « lieu qu[i] n'existe pas ».

IV Les atouts de l'argumentation indirecte

« Les meilleurs livres sont ceux qui font faire la moitié du chemin au lecteur. » (Voltaire)

L'argumentation indirecte présente de multiples avantages.

- Elle fait appel au **goût pour les histoires** et aux émotions.
- Elle touche un **public large** (les fables s'adressent aux enfants et aux adultes).
- Elle permet l'**évasion dans d'autres mondes** et admet le merveilleux.
- La **palette des registres** est large : humoristique, ironique, pathétique, polémique…
- Elle implique de la part du lecteur une **démarche inductive** (de l'exemple à la généralisation, du concret à l'abstrait → fiche 40) et un **effort d'interprétation**.

V Un exemple d'argumentation indirecte dans la peinture

- Dans les **vanités**, les objets prennent une valeur symbolique qu'il faut interpréter. Elles mettent en balance la mort et les œuvres humaines.

Simon Bernard de Saint-André, *Vanité* (XVIIe siècle).

- Le **crâne** est l'image de la mort, les bulles symbolisent la fragilité ; la **couronne** de lauriers indique l'inanité des conquêtes humaines et la victoire inévitable de la mort ; le **tissu** évoque la richesse, les **instruments de musique** renvoient aux connaissances humaines ainsi qu'aux plaisirs de l'existence, tous éphémères.
- Le tableau fait comprendre indirectement que **la vie humaine est vaine** (« Vanité des vanités, tout est vanité. » Ecclésiaste, 1, 2), qu'il faut se souvenir que nous sommes tous mortels. C'est un *memento mori* (« souviens-toi que tu mourras »), œuvre artistique qui rappelle à l'homme sa condition mortelle.

44 L'éloquence dans l'Antiquité

L'éloquence est l'art de persuader par la parole. L'homme éloquent est celui qui sait classer ses idées, parler avec clarté et émouvoir. La rhétorique et l'éloquence sont nées dans l'Antiquité mais sont encore pratiquées dans les lieux de culte (sermons…), dans les tribunaux (plaidoiries et réquisitoires) et dans le domaine politique (discours électoral…).

I Les origines de l'éloquence

- La civilisation antique grecque et latine reposait essentiellement sur la **communication orale** dans la vie politique, militaire ou juridique.
- L'éloquence apparaît comme genre littéraire à **Athènes**, aux **V^e^ et IVe siècles avant J.-C.** : elle est liée au développement de la démocratie où toutes les décisions font l'objet de discussions devant les assemblées populaires.
- L'**éloquence judiciaire** se nourrit de la passion des citoyens pour les procès en tous genres.
- Ces prises de parole ont lieu sur l'agora athénienne et, plus tardivement (IIe siècle av. J.-C.), sur le forum romain ou dans la curie qui abrite le sénat. Pour se faire entendre dans ces conditions difficiles, l'orateur dispose de la **force de la voix et du geste**, de la **qualité du style**, de la pertinence de ses arguments, de la clarté et de la vivacité de son argumentation.

La comédie d'Aristophane *Les Guêpes* fait la satire de la passion démesurée des Grecs pour les **procès**.

II À l'école des rhéteurs

1. Apprendre la rhétorique

- Les jeunes Romains de bonne famille vont chez un professeur d'éloquence, le **rhéteur**. Un séjour d'un an ou deux à Athènes, auprès d'un rhéteur réputé, équivaut à une fin d'études dans une grande université américaine pour un étudiant du XXIe siècle.
- L'exercice essentiel est la **controverse** (débat, discussion où s'opposent deux thèses), utilisée pour discipliner l'esprit et l'habituer à argumenter.
- Les élèves composent des déclamations sur des sujets variés, souvent artificiels ; ils rédigent et apprennent des dissertations modèles sur des ***topoi***, adaptées aux différents auditoires que l'on veut toucher, avec une réserve d'arguments types.

La **rhétorique** est l'art de composer et de prononcer de beaux discours et plaidoyers.

Les ***topoi*** (singulier : *topos*) sont de grandes idées générales ou thèmes récurrents

2. Rhéteur ou sophiste ?

- Le rhéteur est parfois appelé **sophiste** : le mot a généralement une nuance négative car le sophiste se prétend capable de soutenir avec succès deux thèses contraires, sans se soucier de préoccupations morales ni du respect de la vérité, quitte à recourir aux arguments les plus spécieux (des *sophismes*).
- Des philosophes comme Socrate condamnent cette **perversion de l'éloquence** qui ne devrait servir qu'à l'expression sincère d'une vérité profonde et non à manipuler l'auditoire.

Les **dictateurs** recourent dans leurs discours à l'arme redoutable et efficace qu'est l'éloquence.

III Les cinq étapes d'un discours

Le philosophe grec **Aristote** (IVe siècle av. J.-C.) distingue **cinq étapes** dans la composition d'un discours.

- L'***inventio*** (invention) est la recherche des arguments, des exemples ou des types de raisonnement pour convaincre ou persuader un public particulier.
- La ***dispositio*** (disposition ou structure du discours) est le plan, qui comprend l'*exorde* (introduction), la *narration* (rappel des faits), la *confirmation* (qui justifie les preuves choisies) et la *péroraison* (conclusion).
- L'***elocutio*** est la phase de transformation des arguments en phrases pour frapper le public : elle comporte l'*electio* (art de choisir les mots) et la *compositio* (art d'arranger les mots en phrases).
- La ***memoria*** (apprentissage par cœur du discours) permet à l'orateur de s'adapter aux réactions du public ou à la situation.
- L'***actio*** (mise en pratique) est la mise en scène par la voix, les gestes, les expressions et les jeux de regard.

IV De grandes figures de l'Antiquité

- **Gorgias** et **Protagoras** sont des professeurs **sophistes célèbres** du Ve siècle av. J.-C. à qui Platon a consacré deux de ses dialogues (dont l'un sur la rhétorique).
- **Démosthène** (IVe siècle av. J.-C.), avocat et homme politique athénien, a composé des discours inspirés par son idéal patriotique et son attachement à la démocratie (les *Philippiques*).
- L'**orateur** latin **Cicéron** (Ier siècle av. J.-C.), avocat et homme politique (consul en 63 av. J.-C.), fait échec, par ses discours politiques célèbres (les *Catilinaires*), à la conspiration de Catilina qui voulait renverser le sénat et la République. Il a aussi rédigé des traités de rhétorique qui faisaient autorité.

L'**orateur**, selon Cicéron, doit *prouver*, *plaire* et *émouvoir*.

45 La question de l'homme aux XVIe et XVIIe siècles

Au XVIe siècle, à la foi enthousiaste en l'homme succède le doute. Au XVIIe siècle, les visions baroque et classique de la condition humaine s'opposent.

I La Renaissance : foi et doutes en l'homme

« Pour moi donc, **j'aime la vie** et la cultive telle qu'il a plu à Dieu nous l'octroyer. » (Montaigne)

« **Science sans conscience** n'est que ruine de l'âme. » (Rabelais)

- Les **humanistes de la Renaissance** (→ fiches 50, 51 et 53) rejettent les valeurs du Moyen Âge et placent l'homme (plus que Dieu) au centre de leur réflexion.
- Ils retiennent l'idée antique d'une **harmonie nécessaire entre corps et esprit**.
- Ils croient en une **nature humaine universelle**, mais la découverte du nouveau monde leur enseigne aussi la **diversité des humains** qu'ils accueillent avec curiosité et tolérance.
- Les atrocités des **guerres de Religion** et de la **colonisation** introduisent un **doute sur l'homme** et sur la « misère de notre condition » (Montaigne).

DÉBATS ET GENRES PRIVILÉGIÉS

▶ **Débats.** L'éducation, le bonheur, le pouvoir, l'autre, la religion, la mort.

▶ **Genres.**

– Roman épique et comique : *Gargantua* et *Pantagruel* de Rabelais
– Apologue : *Éloge de la folie* d'Érasme, *Utopia* de Thomas More
– Essai : *Le Prince* de Machiavel, *Essais* de Montaigne
– Poème lyrique ou engagé : *Sonnets* de Ronsard, *Les Regrets* de Du Bellay, *Les Tragiques* d'Agrippa d'Aubigné

- **Une œuvre emblématique.** Le peintre a donné des formes et proportions identiques à l'homme et à Dieu.

Michelangelo Buonarroti dit Michel-Ange, *La Création d'Adam* (1508-1512).

II Le XVIIe siècle : deux visions contrastées de l'homme

Deux conceptions religieuses de l'homme et du monde s'opposent.
Pour les **jésuites**, qui mènent la Contre-Réforme, l'homme peut exercer sa liberté, son libre arbitre sur terre pour gagner son salut.
Pour les **protestants** et les **jansénistes**, Dieu a déterminé de toute éternité qui sera sauvé ou damné : l'homme lui est soumis.

1. La vision baroque

- Les **baroques** ont une vision du **monde instable**, emporté dans un perpétuel mouvement, où rien n'est irréversible. Dans ce chaos, l'**homme** est **maître de son destin**.
- Les **libertins** revendiquent la liberté de penser par eux-mêmes, contestent l'organisation sociale et politique et conçoivent un monde sans Dieu ; ils recherchent le **bonheur** sur terre.

« [La vie] est **un récit** conté par un idiot, **plein de bruit et de fureur**, et qui ne signifie rien. » (Shakespeare, *Macbeth*)

DÉBATS ET GENRES PRIVILÉGIÉS

- Débats. La dualité de l'homme, la nature et son renouvellement constant, l'illusion et la réalité, la fuite du temps, la mort.
- Genres.
  - Théâtre : *La vie est un songe* de Calderon, *Pyrame et Thisbé* de Th. de Viau, *Le Cid* de Corneille
  - Poésie lyrique et précieuse : « Et la mer et l'amour » de Marbeuf ou truculente et satirique : « Les Goinfres » de Saint-Amant (→ fiche 17)
  - Roman précieux [idéalise l'homme] : *Le Grand Cyrus* de Madeleine de Scudéry ou réaliste et burlesque [souligne les défauts de l'homme] : *Le Roman comique* de Scarron (→ fiche 24)

2. La vision classique (1661-1685)

- La réaction assez **pessimiste** des **classiques** appuie sa réflexion sur la notion de **nature humaine permanente et universelle** : l'homme a peu de prise sur un monde achevé, figé.
- Il **dépend de la volonté de Dieu**. Il est aussi victime des passions et de l'imagination qui le trompent, mais peut parfois atteindre à une certaine grandeur.
- Le modèle social idéal est l'**honnête homme**, qui fuit les attitudes extrêmes et soumet tout à sa raison.

« L'homme n'est qu'un roseau, le plus faible de la nature, mais c'est un **roseau pensant**. » (Pascal)

DÉBATS ET GENRES PRIVILÉGIÉS

▶ Débats. La nature humaine, le pouvoir, la fatalité, les passions.

▶ Genres

L'argumentation directe (→ fiche 42)

– Maxime morale : *Maximes* de La Rochefoucauld, *Pensées* de Pascal
– Portrait : *Les Caractères* de La Bruyère
– Sermon : *Sermons et Oraisons funèbres* de Bossuet

L'argumentation indirecte (→ fiche 43)

– Apologue : *Fables* de La Fontaine
– Théâtre : tragédies de Racine, comédies de Molière
– Roman d'analyse à portée morale : *La Princesse de Clèves* de Mme de Lafayette

3. Deux œuvres emblématiques

Le **mouvement**, la **complexité**, l'imbrication du baroque (Girardon) s'opposent à la **fixité** et à la **rigueur** géométrique du classicisme (Coysevox).

François Girardon,
L'Enlèvement de Proserpine par Pluton (1699).

Antoine Coysevox, *Flore* dite aussi
Flore et un amour, ou *Flore et Zéphir* (1708-1710

46 La question de l'homme au XVIIIe siècle

Après la grande stabilité politique du XVIIe siècle, le XVIIIe siècle, ou siècle des Lumières, apparaît comme une période d'intense fermentation intellectuelle et de contestation.

I Conscience de la relativité des mœurs et des valeurs

- Les **Lumières** désigne un mouvement européen du XVIIIe siècle : il s'agit des «lumières» de la raison, que l'homme doit exercer librement pour accéder à l'indépendance intellectuelle et morale.
- Le XVIIIe siècle bénéficie du **progrès** des économies, des sciences expérimentales, des **voyages** lointains et de la **circulation** des idées (développement de l'édition et de la presse).
- Les hommes des Lumières prennent **conscience de la diversité de l'homme** selon les lieux et les temps **et de la relativité** des mœurs, des lois, de la morale, de la littérature.

II Le philosophe éclairé, homme citoyen contestataire

- L'homme idéal des Lumières est le **philosophe**, **homme social**, contestataire qui, par un usage critique et méthodique de sa **raison**, remet tout en cause : privilèges, pouvoir politique, religion…
- Il veut mettre les **connaissances** humaines et les débats philosophiques à la portée de tous (les **vulgariser**).
- Il veut construire un **monde meilleur** fondé sur la tolérance, la paix, le recul de l'ignorance, la liberté de penser et de publier, le pluralisme religieux, le **progrès** scientifique, le développement de l'économie.
- Son but est que l'homme connaisse sur terre le **bonheur** et le **bien-être** matériel («Il faut cultiver notre jardin», *Candide*.)

«Aucun homme n'a reçu de la nature le droit de commander aux autres. **La liberté est un présent du ciel** […].» (Diderot)

«Noblesse, fortune, un rang, des places, tout cela rend si fier! **Qu'avez-vous fait pour tant de biens?** Vous vous êtes donné la peine de naître, et rien de plus.» (Beaumarchais, *Le Mariage de Figaro*)

III La variété pour « vulgariser »

DÉBATS ET GENRES PRIVILÉGIÉS

▶ Débats. La question politique et sociale (pouvoir et autorité, inégalités sociales), la question religieuse, la liberté, l'autre, le progrès et la science, le bonheur sur terre.

▶ Genres. Pour mettre ses idées à la portée de tous, la philosophie des Lumières recourt aux registres polémique, satirique, ironique, didactique (→ fiches 12-13) et à des genres variés.

La raison (→ fiche 42)

– Encyclopédie : *L'Encyclopédie* de Diderot et d'Alembert
– Dictionnaire : *Dictionnaire philosophique portatif* de Voltaire
– Traité : *Émile ou De l'éducation* de Rousseau
– Essai : *De l'esprit des lois* de Montesquieu
– Discours : *Discours sur l'origine et les fondements de l'inégalité parmi les hommes* de Rousseau
– Dialogue : *Entretiens sur la pluralité des mondes* de Fontenelle

La fiction à large diffusion sociale (→ fiche 43)

– Théâtre : *Le Mariage de Figaro* de Beaumarchais
– Apologue : *Les Lettres persanes* de Montesquieu, *Candide* (utopie de l'Eldorado au chap. 18) de Voltaire

IV Une œuvre emblématique

On se réunit dans les cafés, nouveaux lieux de débats.

Jean Huber, *Le Dîner des philosophes* ou *La Sainte Cène de Voltaire* (1772).

47 La question de l'homme aux XIXe et XXe siècles

Le XIXe siècle passe de l'individualisme romantique à la conscience de la nécessité de transformer le monde. Le XXe siècle, traversé par des conflits encore jamais vus, s'interroge sur la condition humaine et le sens de la vie.

I Le XIXe siècle : l'individu et ses passions

1. Le romantisme (1820-1850) : le moi et la conscience humanitaire

La réaction contre le rationalisme. Le romantisme refuse l'optimisme et la prédominance de la raison et du groupe social.

Le mal du siècle. L'homme est un être d'émotion qui fuit dans le rêve une société qui ne le comprend pas.

Le culte du moi. Le romantisme privilégie l'imagination, la sensibilité, l'individu et la communion avec la nature.

Une prise de conscience. À côté de cet individualisme, apparaît la volonté idéaliste de transformer le monde, d'aider les opprimés.

« On habite avec un cœur plein **un monde vide** [...]. » (Chateaubriand)

« Les plus désespérés sont les chants les plus beaux. / Et j'en sais d'immortels qui sont **de purs sanglots**. » (Musset)

DÉBATS ET GENRES PRIVILÉGIÉS

- **Débats.** Le moi, le mal de vivre ; l'amour, la souffrance et la mort ; la nature ; la révolte, la liberté, le refus de l'ordre social ; la lutte contre les injustices ; la place de l'artiste, incompris mais lucide.
- **Genres.**

– Poésie (lyrique) : *Les Contemplations* de Hugo, *Les Nuits* de Musset (→ fiche 33)
– Théâtre (drame romantique) : *Hernani* et *Ruy Blas* de Hugo, *Lorenzaccio* de Musset (→ fiche 18)
– Roman : *René* de Chateaubriand (autobiographique), *Les Misérables* de Hugo (→ fiche 25)

2. Réalisme et naturalisme (1848-1890) : l'homme et la science

La réaction contre l'idéalisme romantique. La **révolution industrielle**, la confiance en la science (positivisme de Comte), de nouvelles théories scientifiques (Darwin) et socio-économiques (Marx) changent le regard sur l'homme.

- L'homme est décrit comme le **produit de son hérédité et de son environnement socioculturel**.
- La littérature veut soit reproduire fidèlement la réalité dans sa dimension quotidienne (**réalisme**), soit analyser l'être humain et la société scientifiquement en appliquant les méthodes des sciences expérimentales (**naturalisme**).

DÉBATS ET GENRES PRIVILÉGIÉS

- **Débats.** Les mœurs, le contexte politico-social (argent, pouvoir, travail), la vie urbaine (Zola) et provinciale (Maupassant), la misère, l'ascension sociale.
- **Genre privilégié et œuvres majeures** (→fiche 25).
  Roman : *Le Rouge et le Noir* de Stendhal, *La Comédie humaine* (95 romans) de Balzac, *Madame Bovary* de Flaubert, *Bel-Ami* de Maupassant, *Les Rougon-Macquart* (« L'histoire naturelle et sociale d'une famille sous le Second Empire », 20 romans) de Zola

- **Une œuvre emblématique.** Des peintres, influencés par la vision réaliste et naturaliste des écrivains, s'opposent à une vision idéalisée du monde et représentent l'homme dans sa réalité quotidienne, sa brutalité, voire sa laideur.

Gustave Courbet, *Les Casseurs de pierres* (1849).

3. Le symbolisme (1885-1900) : la réaction contre le naturalisme

Les symbolistes refusent d'expliquer le monde par la science. Pour Verlaine, Rimbaud et Mallarmé (→fiche 33), le monde apparent masque des **réalités mystérieuses**, invisibles. Les symbolistes s'attachent à les décrypter et à exprimer les profondeurs cachées de l'être humain, la réalité spirituelle.

III Le xxe siècle : déshumanisation, nouvel humanisme

1. La conscience de l'absurde

Le traumatisme de deux guerres mondiales, les crimes des idéologies totalitaires, la disparition des repères religieux et des valeurs ont dégradé la notion d'homme et entraîné la **conscience de l'absurdité** de la vie et de l'**impossibilité de communiquer**.

« L'**absurdité** est surtout le divorc[e] de l'homme et du monde. » (Camus)

GENRES PRIVILÉGIÉS ET ŒUVRES MAJEURES

Argumentation directe (→ fiche 42). Essai : *Le Mythe de Sisyphe* de Camus

Argumentation indirecte (→ fiche 43).

– Théâtre : *Caligula* de Camus, *En attendant Godot* de Beckett

– Roman : *L'Étranger* de Camus, *La Nausée* de Sartre

– Autobiographie : *Et si c'est un homme* de Primo Levi, *Enfance* de Sarraute, *Lambeaux* de Juliet

2. Une foi en l'homme retrouvée ?

- Les progrès technologiques et scientifiques (transports, médecine, communication, information...) ont nourri une **foi en l'homme** mais aussi une **angoisse** face à l'exploitation immorale et inconsciente éventuelle des découvertes modernes.
- Les écrivains incitent à dépasser ce sentiment de l'absurde, à donner un sens à l'existence par l'**engagement politique** et un **humanisme moderne** fondé sur la résistance et la solidarité (*La Peste* de Camus, *La Condition humaine* de Malraux).

« **Hiroshima** a été pour moi une rupture philosophique de première importance parce que j'avais toujours appris que la science est toute bonne et seule bonne [...]. Cela a été pour moi un drame absolu. » (M. Serres)

DÉBATS MAJEURS

La condition humaine (solitude de l'homme, silence du monde), l'inconscient, le langage et la communication, les prodiges et les dangers de la science, l'action.

3. Des images qui témoignent. La photographie et le cinéma dénoncent et se mettent au service de l'argumentation.

Nick Ut, Viêtnam (1972).

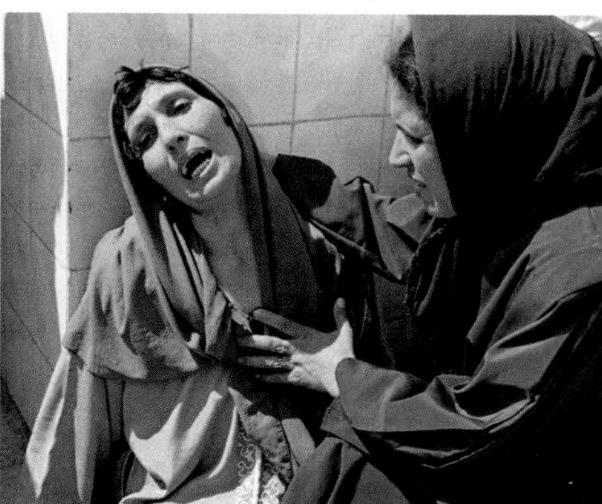

Hocine Zaouar, Bentalha, Algérie (1997).

Quiz express

Vérifiez que vous avez bien retenu les points clés des **fiches 39 à 47**.

Quelques définitions

1 Vrai ou faux ?

- ☐ **1.** Convaincre, c'est argumenter de façon rigoureuse en s'adressant aux facultés de raisonnement du destinataire.
- ☐ **2.** Persuader, c'est faire appel à la raison.
- ☐ **3.** Délibérer, c'est contredire l'opinion de son interlocuteur.
- ☐ **4.** Les arguments sont des preuves qui soutiennent une opinion.

2 Comment appelle-t-on l'opinion que l'on défend dans une argumentation ?

- ☐ **1.** la synthèse
- ☐ **2.** l'antithèse
- ☐ **3.** la thèse réfutée
- ☐ **4.** la thèse soutenue

3 Quel type de raisonnement part de l'exemple et en tire une thèse générale ?

- ☐ **1.** inductif
- ☐ **2.** déductif
- ☐ **3.** concessif
- ☐ **4.** analogique

Argumentation directe et indirecte

4 Quels genres littéraires relèvent de l'argumentation directe ?

- ☐ **1.** la fable
- ☐ **2.** l'essai
- ☐ **3.** la lettre ouverte
- ☐ **4.** le dialogue

5 Quels types de personnages les fables mettent-elles en scène ?

- ☐ **1.** allégoriques
- ☐ **2.** réels
- ☐ **3.** historiques
- ☐ **4.** fictifs

L'art de la rhétorique

6 Comment appelle-t-on la mise en scène par la voix, les gestes, les expressions et les jeux de regard dans l'éloquence antique ?

- ☐ **1.** l'*inventio*
- ☐ **2.** l'*elocutio*
- ☐ **3.** la *memoria*

Un peu d'histoire littéraire autour de l'homme

7 Lequel de ces philosophes n'appartient pas au XVIIIe siècle ?

- ☐ 1. Rousseau
- ☐ 2. Camus
- ☐ 3. Voltaire
- ☐ 4. Diderot

8 Lequel de ces écrivains a écrit de nombreux contes philosophiques ?

- ☐ 1. Montesquieu
- ☐ 2. Marivaux
- ☐ 3. Voltaire

9 Quel thème n'est pas privilégié par les philosophes du siècle des Lumières ?

- ☐ 1. le bonheur sur terre
- ☐ 2. l'injustice
- ☐ 3. la place du poète dans la société
- ☐ 4. les préjugés

10 Quel mouvement littéraire du XIXe siècle s'oppose au rationalisme du siècle des Lumières et revendique l'importance de l'individu et de la passion ?

- ☐ 1. le Parnasse
- ☐ 2. le naturalisme
- ☐ 3. le romantisme

11 Associez chaque écrivain à son siècle.

1. Camus
2. Montaigne
3. Zola
4. Diderot
5. La Rochefoucauld

a. XVIIe siècle
b. XVIe siècle
c. XXe siècle
d. XIXe siècle
e. XVIIIe siècle

12 Rendez à chaque auteur son affirmation.

1. « Science sans conscience n'est que ruine de l'âme. »
2. « L'absurdité est surtout le divorce de l'homme et du monde. »
3. « Les plus désespérés sont les chants les plus beaux,
Et j'en sais d'immortels qui sont de purs sanglots. »
4. « Qu'avez-vous fait pour tant de biens ?
Vous vous êtes donné la peine de naître, et rien de plus. »

a. Beaumarchais
b. Rabelais
c. Camus
d. Musset

CORRIGÉS

1. **1** Vrai **2** Faux : c'est faire appel à la sensibilité. **3** Faux : c'est chercher des arguments pour aboutir à un choix, une décision. **4** Vrai. • **2.** Réponse **4**. Une synthèse fait le point sur un sujet, en dit les idées principales. Une antithèse est une figure de style de l'opposition ou la thèse inverse d'une autre. La thèse réfutée est la thèse adverse que l'on combat. • **3.** Réponse **1**. • **4.** Réponses **2**, **3** et parfois **4** (dialogue littéraire). • **5.** Réponses **1** et **4**. • **6.** Réponse **2**. • **7.** Réponse **2** : Camus est du XXe siècle. • **8.** Réponse **3**. • **9.** Réponse **3**. • **10.** Réponse **3**. • **11.** **1**c, **2**b, **3**d, **4**e, **5**a. • **12.** **1**b, **2**c, **3**d, **4**a.

SUJET 18 | Dénoncer la guerre

QUESTION SUR LE CORPUS

À quels genres et à quels registres recourent ces différentes dénonciations de la guerre ?

DOCUMENTS

1. Voltaire, « Guerre » (extrait), *Dictionnaire philosophique* (1764)
2. Arthur Rimbaud, « Le Mal », *Poésies* (1870)
3. Jean Giraudoux, *La guerre de Troie n'aura pas lieu* (1935)
4. Plantu, *Le Monde*, 6 février 1994

DÉMARRONS ENSEMBLE

- Vous devez identifier le **genre** et le **registre** (→ fiches 12-13) de chaque document argumentatif. Certains documents combinent plusieurs registres.
- Il ne suffit pas de nommer les genres et les registres ; il faut en préciser les **indices**, les **caractéristiques**, les **faits d'écriture** qui ont permis de les identifier, puis dégager l'**impression produite** par ces genres et registres, leur efficacité.
- Essayez de **justifier les choix** des artistes (contexte, visée...).
- Pour les registres, n'analysez pas les documents l'un après l'autre ; **groupez** autant que possible ceux qui présentent le même registre ou des registres proches. Commencez par les registres communs à plusieurs documents, puis étudiez à part les registres qui n'apparaissent que dans un ou deux document(s).
- N'oubliez pas le **document iconographique** dont les moyens sont un peu différents de ceux de la littérature (→ fiche 14).

DOCUMENT 1

« Misérables médecins des âmes[1], vous criez pendant cinq quarts d'heure sur quelques piqûres d'épingle, et vous ne dites rien sur la maladie qui nous déchire en mille morceaux ! Philosophes moralistes, brûlez tous vos livres. Tant que le caprice de quelques hommes fera loyalement égorger des milliers de nos frères, 5 la partie du genre humain consacrée à l'héroïsme sera ce qu'il y a de plus affreux dans la nature entière.

Que deviennent et que m'importent l'humanité, la bienfaisance, la modestie, la tempérance, la douceur, la sagesse, la piété, tandis qu'une demi-livre de plomb tirée de six cents pas me fracasse le corps, et que je meurs à vingt ans

10 dans des tourments inexprimables, au milieu de cinq ou six mille mourants, tandis que mes yeux, qui s'ouvrent pour la dernière fois, voient la ville où je suis né détruite par le fer et par la flamme, et que les derniers sons qu'entendent mes oreilles sont les cris des femmes et des enfants expirants sous des ruines, le tout pour les prétendus intérêts d'un homme que nous ne connaissons pas ?

Voltaire, « Guerre » (extrait), *Dictionnaire philosophique* (1764).

1. **Médecins des âmes** : métaphore qui désigne les prêtres prêcheurs.

DOCUMENT 2

Le Mal

Tandis que les crachats rouges de la mitraille
Sifflent tout le jour par l'infini du ciel bleu ;
Qu'écarlates ou verts[1], près du Roi[2] qui les raille,
Croulent les bataillons en masse dans le feu ;

5 Tandis qu'une folie épouvantable, broie
Et fait de cent milliers d'hommes un tas fumant ;
– Pauvres morts ! dans l'été, dans l'herbe, dans ta joie,
Nature ! ô toi qui fis ces hommes saintement !... –

– Il est un Dieu, qui rit aux nappes damassées[3]
10 Des autels, à l'encens, aux grands calices[4] d'or ;
Qui dans le bercement des hosannah[5] s'endort,

Et se réveille, quand des mères, ramassées
Dans l'angoisse, et pleurant sous leur vieux bonnet noir,
Lui donnent un gros sou lié dans leur mouchoir !

Arthur Rimbaud, *Poésies* (1870).

1. **Écarlates ou verts** : les uniformes des Prussiens étaient verts, ceux des Français rouges. 2. **Le Roi** : désigne Napoléon III et le roi Guillaume. 3. **Damassées** : tissées comme le damas, étoffe en taffetas et satin (ou soie) ornée à l'envers et à l'endroit. 4. **Calices** : vases sacrés qui contiennent le vin à la messe. 5. **Hosannah** : hymnes de louange dans la liturgie religieuse.

DOCUMENT 3

Le héros et général troyen Hector – au fond pacifiste – doit prononcer un discours aux morts, alors que les ennemis grecs sont en train de débarquer.

« HECTOR – Ô vous qui ne nous entendez pas, qui ne nous voyez pas, écoutez ces paroles, voyez ce cortège. Nous sommes les vainqueurs. Cela vous est bien égal, n'est-ce pas ? Vous aussi vous l'êtes. Mais, nous, nous sommes les vainqueurs vivants. C'est ici que commence la différence. C'est ici que j'ai
5 honte. Je ne sais si dans la foule des morts on distingue les morts vainqueurs par une cocarde. Les vivants, vainqueurs ou non, ont la vraie cocarde[1], la double cocarde. Ce sont leurs yeux. Nous, nous avons deux yeux, mes pauvres amis. Nous voyons le soleil. Nous faisons tout ce qui se fait dans le soleil. Nous mangeons. Nous buvons… Et dans le clair de lune !… Nous
10 couchons avec nos femmes… Avec les vôtres aussi…

DEMOKOS. – Tu insultes les morts, maintenant ?

HECTOR. – Vraiment, tu crois ?

DEMOKOS. – Ou les morts, ou les vivants.

HECTOR. – Il y a une distinction…

15 PRIAM. – Achève, Hector… Les Grecs débarquent…

HECTOR. – J'achève… Ô vous qui ne sentez pas, qui ne touchez pas, respirez cet encens, touchez ces offrandes. Puisque enfin c'est un général sincère qui vous parle, apprenez que je n'ai pas une tendresse égale, un respect égal pour vous tous. Tout morts que vous êtes, il y a chez vous la même propor-
20 tion de braves et de peureux que chez nous qui avons survécu et vous ne me ferez pas confondre, à la faveur d'une cérémonie, les morts que j'admire avec les morts que je n'admire pas. Mais ce que j'ai à vous dire aujourd'hui, c'est que la guerre me semble la recette la plus sordide et la plus hypocrite pour égaliser les humains et je n'admets pas plus la mort comme châtiment
25 ou comme expiation au lâche que comme récompense aux vivants. Aussi, qui que vous soyez, vous absents, vous inexistants, vous oubliés, vous sans occupation, sans repos, sans être, je comprends en effet qu'il faille en fermant ces portes excuser près de vous ces déserteurs que sont les survivants, et ressentir comme un privilège et un vol ces deux biens qui s'appellent, de
30 deux noms dont j'espère que la résonance ne vous atteint jamais, la chaleur et le ciel.

Jean Giraudoux, *La guerre de Troie n'aura pas lieu* (1935), acte II, scène 5, © Grasset.

1. **Cocarde** : insigne rond aux couleurs nationales.

DOCUMENT 4

Plantu, *Le Monde*, 6 février 1994.

CORRIGÉ

CORRIGÉ RÉDIGÉ

POINT MÉTHODE

Éviter les répétitions au moment de rédiger

- Les questions tournent souvent autour d'**une ou de plusieurs notions**. Vous serez donc amené à utiliser ces termes fréquemment.

  Ici : *violence, guerre, réquisitoire, registre.*

- Avant de rédiger, constituez une **réserve de mots** et expressions en rapport avec cette/ces notion(s), sans vous limiter à des synonymes, en en variant la classe grammaticale (verbes, noms, adjectifs, subordonnées relatives...).

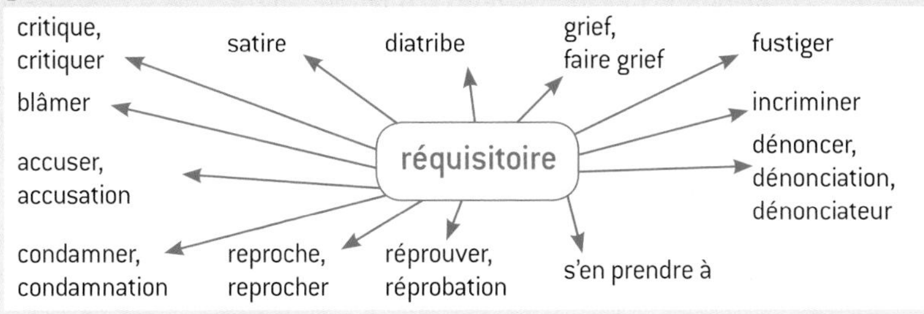

N. B. Ces mots sont repérés dans la réponse ci-après.

- Au moment de rédiger, **piochez dans cette réserve** pour varier l'expression.

La première partie de cette réponse est rédigée et peut servir de modèle. La seconde partie prend la forme d'un plan : exercez-vous à la rédiger.

D'abord considérée positivement comme un moyen de devenir un héros, la guerre, à partir du XVIIIe siècle, apparaît surtout comme une plaie dont les artistes ont dénoncé les méfaits. Ainsi Voltaire, philosophe du XVIIIe siècle, le jeune poète Rimbaud dans « Le Mal » au XIXe siècle, le dramaturge et diplomate Jean Giraudoux au XXe siècle et enfin le dessinateur de presse Plantu composent des réquisitoires contre ce fléau.

La **guerre** est présentée positivement da[ns] l'Antiquité (*L'Iliade* d'Hom[ère]) dans l'épopée médiévale (*La Chanson de Roland*), et plus tard dans d'autres œuvre[s] littéraires (*Le C[id]* de Corneille, ...) comme une occasion de s'illustrer, de montrer sa bra[voure] et de défendre sa patrie.

I Des genres variés

[IDENTIFICATION] Voltaire opte pour l'article de dictionnaire, genre favori des Lumières, réputé fiable pour son objectivité. Mais – si le lecteur ne connaissait pas le titre de l'œuvre dont il est extrait – *Le Dictionnaire philosophique* –, il pencherait plutôt pour le genre du discours. Le texte comporte en effet deux discours : d'abord celui de Voltaire aux prêcheurs, puis celui du mourant au lecteur et, par-delà, à tous les hommes. Il n'a pas l'objectivité attendue du dictionnaire et en est d'autant plus surprenant et accusateur : [INDICES] les deux locuteurs et l'interlocuteur sont fortement impliqués, comme en témoignent la multiplication des indices personnels de la première et de la deuxième personne et les apostrophes au destinataire.

Rimbaud recourt à la poésie en vers, genre privilégié du XIXe siècle pour dénoncer. Curieusement, ce jeune poète révolté compose un sonnet régulier (→ fiche 35), court et percutant, structuré en deux tableaux symétriques, donc très classique dans sa forme, ce qui donne une impression de retenue sans ôter de sa force à la critique et autorise la description frappante par les images et l'expression des sentiments.

Ne renvoyez pas aux textes par *document 1*, *document 2*... mais par des tournures élégantes comm[e] ***Rimbaud, dan[s] son sonnet...***

Le texte de Jean Giraudoux est une tirade de théâtre (on note en effet la présence de didascalies ; les noms des personnages sont consignés avant leurs répliques). Le théâtre, genre « incarné », suscite l'émotion directe et permet la confrontation d'idées. Mais le texte ressortit aussi du genre du discours et dans une de ses formes traditionnelles : l'éloge officiel aux morts à la guerre. Faire parler directement un personnage de général combattant renforce l'efficacité de la condamnation, car sa parole semble avoir valeur de témoignage.

■ Enfin, dans un siècle où l'on est particulièrement sensible à l'image, Plantu recourt au dessin de presse : il combine image et texte, le second donnant son sens à la première (comme une vignette de bande dessinée).

II Des registres variés

Bien que de genres et d'époques variés, les différents documents recourent à certains registres communs. Par ailleurs, ils mêlent en général plusieurs registres.

■ Le lyrisme des trois textes suscite l'émotion du lecteur (Voltaire : vocabulaire affectif, longues périodes, accumulations du paragraphe 2 ; Rimbaud : apostrophe aux « pauvres morts », à la nature personnifiée ; Giraudoux : adresse directe aux morts, apostrophes « Ô vous qui… », anaphores). Le pathétique des trois textes éveille la pitié du lecteur (Voltaire : paroles et souffrances atroces du jeune soldat agonisant vécues en direct ; Rimbaud : les « tas » de « pauvres morts », la douleur des mères « pleurant » ; Giraudoux : évocation pitoyable des morts).

■ Le ton épique des textes de Voltaire et de Rimbaud impressionne le lecteur (description grandiose des deux champs de bataille évoqués avec des hyperboles ; paysages dévastés en toile de fond).

■ La parodie du texte de Giraudoux entraîne une distanciation critique. La tirade d'Hector déforme les discours aux morts pour les caricaturer.

■ Le dessin de Plantu se démarque par son humour noir grinçant : il ne présente pas la violence directement, mais la suggère dans l'image (le lance-roquettes au premier plan) ainsi que dans les mots. Le lecteur doit déchiffrer l'absurdité de la logique des soldats. Le décalage entre l'enjeu tragique – la mort potentielle d'enfants – et le ton familier, le contraste entre la joie innocente des enfants et la cruauté inhumaine des soldats, ainsi qu'entre les deux parties du dessin – soldats à gauche (partie sombre) et enfants en arrière-plan à droite (partie claire) – provoquent le lecteur. L'humour cynique et corrosif est ici la base de la dénonciation.

Le **ton épique** se caractérise par l'amplification, la simplification, la portée symbolique, la personnification et la référence aux éléments naturels, le vocabulaire du combat et un style emphatique.

Le **cynisme** adopte une attitude ou des propos impudents qui, par provocation, s'opposent aux valeurs morales et aux conventions sociales.

SUJET 19 | La révolte d'un jeune poète

COMMENTAIRE
SÉRIES TECHNOLOGIQUES

Vous commenterez le sonnet de Rimbaud (➜ document 2, p. 217).

1. Vous analyserez les effets produits par les deux tableaux qu'il peint.
2. Vous montrerez comment, derrière ces descriptions, se marque l'engagement de Rimbaud.

DÉMARRONS ENSEMBLE

- Dans la première piste, *deux tableaux* et *peint* vous invitent à étudier le **côté pictural** des deux descriptions et à préciser les **impressions** produites. **Analysez** les thèmes, les atmosphères, les techniques empruntées à la peinture (composition, couleurs, personnages...). **Comparez** ces deux tableaux pour donner une cohérence à votre première partie.
- ***Derrière** ces descriptions* vous invite à aller au-delà de ce qui est donné à voir et d'en dégager le **message, l'implicite**. *Engagement* implique que vous repériez **pour ou contre qui ou quoi** Rimbaud s'engage et quels sont les **griefs** qu'il adresse à ses **cibles**.
- À la lecture de ces pistes, de nouvelles questions apparaissent.

CORRIGÉ

PLAN DÉTAILLÉ

POINT MÉTHODE

Commenter un poème en vers ou en prose

Lorsque vous commentez un poème, pensez à analyser l'**écriture poétique**.

- **Pour tout type de poème, y compris en prose** : observez la mise en page, la typographie, mais aussi les sonorités, les images et les figures de style (➜ fiche 11).
- **Pour un poème en vers**, commentez les effets produits par le choix des différents types de vers (pairs, impairs, libres...) (➜ fiche 35), de strophes (régulières ou non), mais aussi le rythme (lent, harmonieux ou rapide, heurté), les sonorités (dures, douces...), les rimes...

N. B. Ne signalez jamais un fait d'écriture sans analyser les impressions qu'il produit (➜ p. 136).

- Interrogez-vous enfin sur la **définition** et le **rôle de la poésie** que révèle le poème (poésie des sentiments, poésie engagée, poésie jeu sur le langage...).

[INTRODUCTION RÉDIGÉE]

[AMORCE] En 1870, au moment où Victor Hugo, à soixante-huit ans, écrit son poème « Depuis six mille ans la guerre... », Arthur Rimbaud, à seize ans, compose plusieurs poèmes contre ce fléau : « Morts de quatre-vingt-douze », « Le Dormeur du val »... [PRÉSENTATION DU TEXTE] Dans « Le Mal », sonnet de structure classique composé d'une seule longue phrase, il décrit l'horreur de la bataille, puis peint l'indifférence de Dieu aux malheurs des « mères ». [ANNONCE DU PLAN] À travers ces deux tableaux en fort contraste, le jeune poète exprime sa pitié pour les victimes et pour la douleur des familles éprouvées par ce fléau, mais aussi, après un hymne à la nature mère, sa révolte contre le pouvoir et la religion.

1870 est l'année de la guerre entre la France et la Prusse, menée par l'empereur Napoléon III.

I Deux tableaux symétriques en opposition

Pour mieux frapper son lecteur, Rimbaud peint deux tableaux : un champ de bataille, l'intérieur d'une église. Ils sont à la fois symétriques et en contraste.

1. Deux tableaux symétriques

- Les **personnages** sont des figures de puissants responsables (le « Roi », « un Dieu » [noter la majuscule et le singulier] et les victimes (« les bataillons », « cent milliers d'hommes », « des mères »).
- Les **sensations** sont mentionnées : couleurs (v. 1, 2, 3, 9, 10 13, presque toujours en fin de vers), sons (v. 1, 2, 11, 13), odeurs (« tas fumant », « à l'encens »).
- Le **rire** dans les deux « scènes » est signe de mépris et de supériorité (« qui les raille », « qui rit »).
- L'enjambement (v. 5-6) donne l'impression de **durée** et le rejet (v. 8) provoque la **surprise**.

[TRANSITION] Mais ces tableaux, au-delà de leurs similitudes, sont en fort contraste et ont des tonalités opposées.

« Signalons [...] l'insensibilité qui accompagne d'ordinaire le **rire**. [...] L'indifférence est son milieu naturel. Le comique exige donc [...] quelque chose comme une anesthésie momentanée du cœur. » (Bergson)

2. Le champ de bataille : un violent tableau d'extérieur

- **L'amplification épique** naît de l'impression d'un temps et d'un espace sans limite (« tout le jour », « par l'infini »), du tableau collectif (le pluriel, « en masse », « cent milliers ») ainsi que des hyperboles, expression d'une épopée dérisoire (« tout le jour », « en masse», « épouvantable », « cent milliers »).

■ La violence se marque dans les actions («croulent», «broie», verbes aux sonorités brutales), dans l'entrechoquement des couleurs chaudes et froides qui jurent entre elles («rouges», «écarlates ou verts») et les bruits («mitraille», «sifflent» en rejet).

■ L'influence de l'écriture et de la vision hugoliennes apparaît dans la personnification et l'animalisation des canons («crachats rouges», «sifflent») et, en contraste, la réification des hommes («en masse», «un tas fumant»), dans les harmonies imitatives («crachats rouges, mitrailles; sifflent, ciel; fait, tas fumant») et l'enjambement expressif qui déstructure le vers 5 et figure l'élan que rien ne saurait arrêter, mais aussi la violence impétueuse: le chaos de la syntaxe rend compte du chaos du champ de bataille.

La **réification** (ou chosificatio[n]) transforme un être vivant (ou une abstraction) en chose.

3. L'Église: un tableau d'intérieur intimiste

■ Une scène intime. Le temps et l'espace sont limités («autels», «ramassées», «*sous* leur vieux bonnet», «*dans* leur mouchoir»). Le tableau est fait de gros plans qui, contrairement aux scènes d'ensemble, individualisent et émeuvent («nappes», «calices», «bonnet», «un gros sou», «mouchoir»).

■ Une atmosphère feutrée. Les actions et les mouvements sont à peine perceptibles (sonorités de «bercement», «s'endort», «pleurant», «donnent» «lié»...), les bruits feutrés («hosannah», «pleurant») et le rythme ne présente aucune coupe forte.

■ Un tableau en **clair-obscur**. Les couleurs symboliques s'opposent: elles connotent la richesse d'une part («damassées», «d'or»), la pauvreté et le deuil d'autre part («noir»).

Le **gros plan** bouleverse les repères du spectateur et est générateur d'émotion. La **scène d'ensem[ble]** permet de se repérer et crée u[n] effet de recul.

Le **clair-obscur** est une techniqu[e] picturale qui juxtapose des zones d'ombre et de lumière pour les mettre en valeur par contraste.

II Une double émotion, une double dénonciation

[TRANSITION] À travers ces deux descriptions, Rimbaud exprime ses émotions et ses révoltes d'adolescent.

1. L'émotion du jeune poète

Rimbaud exprime ici les mêmes émotions que dans «Le Dormeur du val».

■ La pitié pour des soldats de son âge. La jeunesse des victimes est suggérée par l'allusion au passé de ces hommes (v. 7-8) et par le groupe ternaire lyrique des symboles de la jeunesse: l'«été», l'«herbe», la «joie».

L'**émotion** se marque dans le vocabulaire affectif («pauvres»), dans l'apostrophe «Pauvres morts!», dans la ponctuation (les tirets indiquent que Rimbaud ne peut se retenir d'intervenir), dans l'appel solennel (interjection lyrique à la nature, tutoyée, comme une mère, à travers la métaphore «fis» pour «enfantas»).

Les **tirets** marquent le changement d'interlocuteur dans le dialogue ; ils servent de parenthèses pour donner une explication ; ils marquent un brusque changement de point de vue, d'énonciation ; ils isolent une partie de la phrase pour la mettre en relief.

- **La compassion pour les vieilles mères : le pathétique**. Le portrait des mères est **émouvant** : vocabulaire de l'angoisse («angoisse», «pleurant»); dessin de la silhouette («ramassées») qui rend compte de la détresse morale ; rythme saccadé des vers qui reproduit les sanglots. L'**affliction des mères** est mise en relief par le contraste entre les «zones» du tableau, l'une riche, éclairée («nappes», «damassées», «or», «hosannah»), l'autre pauvre, sombre («vieux bonnet», «noir» couleur du deuil, «mouchoir»).

2. La révolte et l'engagement d'un jeune poète

- **L'engagement explicite du poète**. Rimbaud exprime sa révolte contre les pouvoirs, notamment le «Roi» dont il critique la cruauté, l'inconscience, le mépris («qui raille» : le rire est destructeur). Il dénonce aussi la guerre et les nationalismes («écarlates ou verts» sont des métonymies, claires à l'époque, pour désigner Prussiens et Français), la religion (le «Dieu» commet plusieurs des sept péchés capitaux – cupidité, avarice, paresse, orgueil, mépris des hommes –, son rire fait écho à celui du Roi).

- **L'engagement implicite du poète**. Rimbaud fait un plaidoyer pour la réaction et la nature. Malgré sa pitié, il est révolté par la crédulité populaire (exclamation) : implicitement son poème est une incitation à la révolte. C'est aussi un hymne à la nature, seule vraiment «sainte» («saintement»), à l'inverse de Dieu. La vraie religion n'est pas dans les représentants officiels de la religion, les vraies valeurs sont dans la nature (souvenir de Hugo).

Un **plaidoyer** est un discours qui défend une cause, une idée ou une personne.

[CONCLUSION]

[SYNTHÈSE] L'influence de Hugo est visible dans le poème, mais l'image de la guerre donnée ici porte la marque de la jeunesse et de la passion de son auteur [OUVERTURE] qui sait donner toute son efficacité à la poésie dans l'engagement politique et social par sa brièveté et son pouvoir évocateur. Rimbaud en tirera parti aussi, mais différemment, dans «Le Dormeur du val».

SUJET 20 | Un discours aux morts

COMMENTAIRE

Vous commenterez le texte de Giraudoux (→ document 3, p. 218)**.**

DÉMARRONS ENSEMBLE

- Élaborez la « **définition** » du texte (→ sujet 3) : *tirade de théâtre* [genre] *sous forme de discours* [type], *lyrique, pathétique, mais aussi parodique des éloges funèbres* [registres], *déroutant, inspiré de l'Antiquité, mais aussi modernisé* [adjectifs] *pour dénoncer l'artifice des cérémonies aux morts et l'absurdité de la guerre, pour faire l'éloge de la vie* [buts].
- Repérez dans le texte les **caractéristiques d'un discours traditionnel** (fond et forme). Mais cherchez **ce qui surprend le spectateur**. Étudiez par exemple l'originalité de la **situation d'énonciation** (→ fiche 1), du personnage d'**Hector**.
- Exploitez l'analyse des **registres** faite précédemment (→ sujet 18).
- Dégagez le **message** que Giraudoux veut faire passer par son personnage.

CORRIGÉ

PLAN DÉTAILLÉ

[INTRODUCTION]

Les guerres du XXe siècle ont exercé une influence notoire sur la littérature : de nombreux écrivains en ont dénoncé l'horreur. Ainsi, en 1935, Giraudoux, soldat lui-même en 1914-1918, reprend la légende de la guerre de Troie, pour prévenir une catastrophe imminente en écrivant *La guerre de Troie n'aura pas lieu*. Il y met en scène un personnage singulier : Hector, ancien combattant qui a vécu l'horreur de la guerre ; dans la scène 5 de l'acte II, il prononce avec réticence [1] le traditionnel discours aux morts ou éloge funèbre, se pliant apparemment aux exigences du genre ; [2] mais en réalité il s'agit d'un anti-discours, parodie [3] engagée particulièrement vigoureuse et poétique.

Un **éloge funè[bre]** est un discours généralement public prononc[é] à la mémoire d'une personn[e] disparue, souv[ent] lors de son enterrement ou d'une cérémonie de commémoratio[n]. Le nom *éloge* e[st] **masculin**.

I La tradition du discours funèbre dramatique et lyrique

Hector semble composer un discours traditionnel – l'hommage rendu aux disparus après chaque guerre – mais sa sincérité génère l'émotion.

1. Des apostrophes aux morts et des formules de discours émouvantes

La **tendresse** et la **mélancolie** des apostrophes aux morts suscitent la pitié du spectateur pour les victimes : « pauvres amis », « vous absents, [...] oubliés ».

2. Un ton solennel et dramatique « à l'antique »

Le ton du discours rappelle les épopées (l'*Iliade*) ou les tragiques grecs (Eschyle) par les **apostrophes oratoires** (« Ô vous qui ne nous entendez pas... », « Ô vous qui ne sentez pas »), l'**impératif dramatique** presque religieux pour interpeller et implorer les morts (« respirez cet encens... » qui donne une tonalité sacrée) et de nombreux **termes négatifs** (« sans occupation, sans repos, sans être », « oubliés ») qui dramatisent l'instant.

3. Une structure classique

Hector suit les règles du genre oratoire, notamment dans la structure : **équilibre** de deux parties presque symétriques sous le signe de l'invocation et de l'imploration, **longues périodes** au rythme travaillé, éloquent et lyrique.

[TRANSITION RÉDIGÉE] On reconnaît Hector tel qu'il apparaît dans l'*Iliade* et on comprend pourquoi Giraudoux l'a choisi pour exprimer ses convictions profondes sur les grandes questions humaines (amour, guerre, mort).

L'*Iliade* est l'épopée homérique (VIIIe siècle av. J.-C.) qui raconte la guerre de Troie. Elle est suivie de **l'*Odyssée***, épopée du retour (qui dure dix ans) du Grec Ulysse dans son île d'Ithaque.

II Un anti-discours

À côté de cet aspect traditionnel, le discours aux morts d'Hector est insolite : Giraudoux l'a modernisé, autant dans le ton que dans les idées.

1. Affection sans artifice et pitié pour les absents

- Habituellement un **discours** s'adresse à un public présent et vivant. Ici, il s'adresse à des **absents**.
- Mais Hector rend son invocation si expressive qu'elle semble un **vrai dialogue** entre le général et ses soldats disparus.
- Il a face aux morts une attitude originale pour un général : il exprime des sentiments humains (**pitié**, **amitié** profonde : « pauvres amis ») pour ses soldats qu'il voit comme des compagnons et non comme des « héros ».

2. Une sincérité inhabituelle et un réalisme cru

■ Hector refuse l'habituel hommage inconditionnel de ce type de discours. Il fait une constatation sincère («il y a chez vous la même proportion de braves et de peureux que chez nous qui avons survécu») et avoue une certaine partialité: «apprenez que je n'ai pas [...] un respect égal pour vous tous».

■ Des constatations crues. Hector frise en outre l'irrespect par son langage familier et réaliste («mangeons», «buvons», «couchons») et fait un aveu direct inconvenant («Nous couchons avec nos femmes... Avec les vôtres aussi...»).

L'adjectif ***réaliste*** signifi
1. qui voit ou représente la réalité comme elle est, sans l'idéaliser, qui peint les aspec prosaïques du réel *(un langag réaliste)* ;
2. qui se rapporte au mouvement du réalisme (XIXe siècle) ;
3. (pour une personne) qui sens des réalit

3. Un discours aux vivants?

■ Il n'y a pas de malice de la part d'Hector mais bien un désir d'honnêteté et le refus de l'artifice des discours de circonstance stéréotypés, des clichés héroïques et des louanges.

■ Cela provoque la réaction surprise et prude de Démokos, le poète officiel, seul à prendre cette sincérité pour des «insultes».

■ Démokos perçoit sous cela une attaque directe aux vivants: et, en effet, Hector fait ressortir le ridicule des traditions des vivants, en parodiant leurs rites inutiles.

[TRANSITION] À travers Hector, c'est Giraudoux qui s'exprime: le discours prend alors un tour polémique, philosophique.

III Le discours militant et polémique d'un pacifiste

1. Hector, une figure d'anti-général

■ Hector fait preuve d'affection et de sincérité («c'est un général sincère qui vous parle»), ce qui n'est pas de mise dans l'armée.

■ Il ne se prend pas au sérieux: il a conscience de l'inanité de parler de valeurs morales à des morts («Cela vous est bien égal, n'est-ce pas?»).

2. La haine de la guerre et le pacifisme de Giraudoux

■ Le texte dresse un réquisitoire d'une part contre la guerre, «sordide» et «hypocrite» (termes forts), où il n'y a aucun vainqueur réel, mort ou vivant, d'autre part contre les bellicistes indifférents aux dangers qui pèsent sur l'Europe en 1935, et qui planifient la guerre comme une «recette» (métaphore culinaire).

■ **Une ode à la paix et à la vie**. Giraudoux fait de ce discours une revendication de pacifisme inconditionnel, la célébration des bonheurs simples et naturels (« Nous voyons le soleil ») et des plaisirs des sens (« Nous, nous avons deux yeux » ; présence du champ lexical des sens).

POINT MÉTHODE

Relever, étudier et présenter des champs lexicaux

■ L'étude d'un champ lexical éclaire un texte et enrichit le commentaire.

■ Utilisez des **surligneurs** pour repérer les mots à associer, apprécier l'importance du champ lexical, faire des remarques sur la fréquence ou la place des mots relevés.

■ Ne faites pas de listes catalogues. **Classez** les mots par ressemblance dans le champ lexical. **Qualifiez** chaque sous-ensemble de mots : domaines, niveau de langue (familier, soutenu, technique...), nuance péjorative, méliorative...

Le champ lexical de la médecine inclut des mots qui désignent la maladie et son évolution, les traitements, les personnes soignantes, les lieux de soins...

■ Incluez chaque groupe **entre guillemets** dans vos propres phrases et accompagnez-le de sa **qualification**.

■ Indiquez toujours l'**effet produit** par ce champ lexical.

3. L'écriture de Giraudoux : des tons variés et des procédés originaux

■ L'**ironie** et l'**humour** soulignent la lucidité de Giraudoux par rapport aux honneurs dérisoires rendus aux victimes.

■ Le **réalisme** frappant présente la **mort** dans sa brutalité aveugle : la mort est la perte d'un bien précieux – la vie –, et non une glorification suprême.

■ **En contraste, une certaine poésie** se dégage de l'emploi d'un vocabulaire très simple, de la mention de la nature (« la chaleur et le ciel »), et de la métaphore anachronique des « cocardes » (en assimilant les deux yeux à des cocardes, elle transforme ce symbole républicain, nationaliste et guerrier).

Anachronique signifie : qui marque une confusion entre deux époques, qui est déplacé dans son époque (un avion au Moyen Âge, par exemple).

[CONCLUSION]

Ainsi ce discours original, plus qu'un éloge des morts, est une ode à la vie et à la paix qui s'adresse à l'humanité entière. Cependant, dans cette « guerre de Troie », ce n'est plus une fatalité divine qui pousse au conflit, mais la folie meurtrière des hommes.

SUJET 21 | La fiction pour réfléchir sur l'homme et le monde

DISSERTATION

Pourquoi une œuvre de fiction est-elle efficace pour inciter à réfléchir sur l'homme et sur le monde ? Vous vous appuierez sur des exemples tirés du corpus et sur vos exemples personnels.

DÉMARRONS ENSEMBLE

- ***Fiction*** renvoie aux apologues (→ fiche 43) et à tout genre qui comporte une histoire fictive (roman, théâtre, poésie allégorique) ou encore aux bandes dessinées et au cinéma. ***Inciter à réfléchir*** implique la notion d'idées, donc d'argumentation.
- La **thèse** que vous devez soutenir est : *Le recours à la fiction en art est efficace pour transmettre des idées sur le monde.*
- ***Pourquoi*** suggère de chercher les raisons qui rendent la fiction efficace, donc d'analyser ses atouts et ses moyens pour argumenter.
- Reformulez la **problématique** : *Pourquoi une argumentation qui repose sur une fiction (une « histoire ») est-elle efficace pour susciter la réflexion ?*
- Vous n'avez pas à préciser les **limites** de l'efficacité de la fiction, mais vous pouvez, en ouverture, les évoquer rapidement.
- Pour **trouver des idées et construire le plan**, répertoriez les éléments d'une fiction : personnages, péripéties, éventuellement merveilleux... Puis, prenez plusieurs points de vue : celui du créateur et celui du lecteur.

CORRIGÉ

PLAN DÉTAILLÉ

[INTRODUCTION]

[AMORCE] Pour éduquer les enfants et forger leur vision de la vie, on recourt souvent à la fiction, aux histoires peuplées de personnages inventés, aux apologues. L'adulte oublie un peu ce goût du récit, réputé moins sérieux que les autres formes d'argumentation, mais le retrouve et le satisfait par le théâtre, le cinéma ou le roman. [SUJET À TRAITER] Pourquoi la fiction est-elle efficace pour donner une vision de l'homme et du monde ? Quels atouts présente-t-elle ? [ANNONCE DU PLAN] [1] Une grande liberté pour le créateur. [2] Le plaisir de la fiction pour le lecteur. [3] Une façon originale d'« instruire », de faire passer sa vision de l'homme et du monde.

Champ lexical de *fiction* : *imaginaire, imagination, imaginer ; fable ; inventer, invention ; irréel, irréalité ; mythe ; légende ; fantaisie, fantaisiste ; illusion ; conte...*

I Du côté de l'écrivain : variété et liberté

1. La variété des genres littéraires de fiction pour argumenter

■ Les genres de la fiction sont variés : l'apologue (fables, contes philosophiques), à travers une histoire merveilleuse, délivre un message. Pour Hugo, « le théâtre est une tribune » (Giraudoux, dans *La guerre de Troie n'aura pas lieu*, plaide pour la paix). Certains romans ont une portée sociale (*Germinal* de Zola).

■ Le recours à une histoire permet de varier les types de personnages (bons et méchants, proches de la réalité ou fantaisistes...), les registres (humour de Plantu, pathétique du « Mal »).

L'**apologue** est un court récit allégorique qui renferme un enseignement, une leçon morale.

2. La marge de liberté laissée au créateur

■ L'auteur peut adapter situations, événements et personnages à sa démonstration pour apitoyer (Fantine dans *Les Misérables*) ou dénoncer (Javert dans *Les Misérables*) ou pour faire rire.

■ L'auteur peut simplifier et grossir à sa guise pour démontrer de façon plus évidente (Harpagon de *L'Avare*, Candide de Voltaire).

3. La reconstitution d'une époque et l'illusion du réel

POINT MÉTHODE

Construire un paragraphe de dissertation et y intégrer des exemples

■ Un **paragraphe de dissertation** n'est complet qu'avec **trois composantes indispensables** : l'argument avancé, l'exemple qui l'illustre et son commentaire.

I — *idée,* E — *exemple,* C — *commentaire*

N. B. Les expressions du paragraphe rédigé suivant sont surlignées selon ce code.

■ **Développez l'exemple** en retenant les **détails concrets** qui appuient l'argument. **Attention !** Il ne faut **pas raconter l'œuvre**, mais **faire des commentaires** directement reliés à l'argument à démontrer.

■ [PARAGRAPHE RÉDIGÉ] La création d'un monde fictif permet d'**élargir son champ d'argumentation**. Ainsi Beaumarchais peut, dans son *Mariage de Figaro*, critiquer plusieurs types de la société du XVIIIe siècle – les aristocrates (le comte Almaviva), les gens de justice (Brid'oison) – mais aussi prendre la défense des femmes (Marceline) et des valets (Figaro) : toute la société du XVIIIe siècle est réunie sur le plateau dans la scène 15 de l'acte III pour dénoncer les privilèges et défendre les faibles.

Variez les **mots de liaison** reliant l'argument à l'exemple : connecteurs *(ainsi, comme, par exemple...)*, expressions *(comme en témoigne[nt], au contraire...)*.

- **La fiction semble parfois plus vraie que le réel.** Le traitement de l'intrigue et des personnages, le style de l'écrivain font parfois croire qu'il s'agit d'histoires vraies (romanciers réalistes et naturalistes). Balzac, pour « faire concurrence à l'état civil », donne à ses personnages (fictifs) de la *Comédie humaine* un nom et un prénom, une origine, un passé, un physique très précis, une situation sociale qui font que le lecteur y « croit ».
- Les **personnages mythiques**, parce qu'ils incarnent un aspect universel de l'être humain et renaissent au fil du temps, acquièrent une consistance telle qu'ils semblent réels (Antigone de Sophocle, d'Anouilh) et en prennent plus de force persuasive.

II Du côté du lecteur : la fiction suscite l'intérêt et le plaisir

1. Le goût des histoires

- L'œuvre de fiction satisfait le **goût pour les histoires** : le lecteur s'intéresse aux personnages, aux rebondissements, à l'action [+ EXEMPLES PERSONNELS] et se laisse prendre par le plaisir du « divertissement » de la lecture ou du spectacle.
- Elle permet l'évasion dans **d'autres mondes** : les **utopies** (monde idéal, repoussoir à notre société), les contes et la science-fiction attirent le lecteur en le transportant dans un monde merveilleux.
- Le charme de la fiction tient parfois à une façon **poétique** de présenter le monde à travers certaines situations et certains personnages (Giraudoux introduit dans *Électre* le Jardinier, un personnage fantaisiste ; voir aussi *Regain* de Giono → sujet 8).

Quelques utopies : *Utopie* T. More, l'abbaye de Thélème de Rabelais *(Gargantua)*, l'Eldorado de Voltaire (*Candide*, chap. 18), *L'Île des esclaves* et *La Colonie* de Marivaux.

2. La force d'identification

- La fiction entraîne la **sympathie** (prise au sens propre) ou l'**identification** avec le(s) personnage(s) : le lecteur vibre avec émotion au gré de ce qui arrive aux personnages auxquels il s'attache [+ EXEMPLES DU CORPUS]. Les spectateurs pleurent au théâtre ou au cinéma [+ EXEMPLES PERSONNELS].
- Le lecteur qui s'identifie ainsi à un personnage adhère à sa conception du monde ; il subit inconsciemment l'**influence** de ce modèle [+ EXEMPLES PERSONNELS].
- [TRANSITION] Tout cela est plus propre à **persuader** qu'à convaincre : le récit fictif est efficace car il s'adresse à l'imagination et à l'affectivité.

L'identification à un être fictif peut aller loin : à force de lire des romans de chevalerie, Don Quichotte croit être un chevalier et perd la raison. Emma Bovary croit pouvoir être une héroïne romanesque.

III La fiction transmet le message de façon originale

La comparaison avec l'argumentation directe (→ fiche 42) met en relief la spécificité de la fiction pour faire passer un message sur l'homme et le monde.

1. Un message concrètement perçu : des idées incarnées

- La fiction **donne corps à des abstractions** en les incarnant. Les idées « en action » (allégories animales de La Fontaine ; Lantier, symbole de la révolution) sont concrètement perçues, le message est plus facile à comprendre et à mémoriser. Au théâtre, la fiction s'impose avec d'autant plus de force que le personnage est vu et entendu : l'illusion théâtrale joue par le biais des sensations.
- Dans le cas des **personnages non humains**, le lecteur est « piégé » par la fiction. Dans les apologues (fables, par exemple), le recours à des personnages allégoriques (animaux, végétaux…) facilite le passage à la critique que le lecteur admet aisément contre un personnage différent de lui, présenté comme fictif. Le récit fini, la transposition dans le monde humain lui est imposée (le Lion représente le Roi).

2. Le lecteur sollicité

- **Une démarche inductive**. Le cheminement de la réflexion va de l'exemple à la généralisation, du concret à l'abstrait (force et vertu de l'exemple). La fiction parle à l'imagination avant de parler à l'esprit. Le lecteur se laisse entraîner par l'histoire et surprendre par la logique du raisonnement inductif.
- **Un lecteur actif**. Le recours à la fiction oblige le lecteur à un **effort d'interprétation** : il doit réfléchir pour « traduire » le récit (→ documents 3 et 4) et le transposer, en trouver les implications dans notre monde (même plaisir que dans la devinette).

Le **raisonnement inductif** part de faits particuliers pour en tirer un principe, une idée générale.

Le raisonnement **déductif** part d'une idée générale, d'un principe, pour en tirer une conséquence particulière.

[CONCLUSION]

Les œuvres de fiction qui transportent dans l'imaginaire touchent un large public, de tous âges, et permettent souvent de mieux comprendre le monde en remplissant une double mission : « plaire et instruire ». Cependant, l'argumentation à travers la fiction a des limites : elle ne doit être ni trop simple ni artificielle ; elle doit éviter que la séduction du récit ne fasse passer la « morale » à l'arrière-plan ou l'occulte ou qu'elle ne banalise des situations parfois tragiques ; enfin, elle doit s'adapter au public qu'elle vise.

SUJET 22 | Une image vaut mille mots !

ÉCRITURE D'INVENTION

Le rédacteur du journal de votre lycée vous a désigné pour interviewer le caricaturiste politique Plantu (→ document 4, p. 219)**. Vous êtes chargé de l'interroger sur son métier, sur la conception qu'il s'en fait, sur le choix du dessin comme moyen d'expression plus efficace que le texte écrit pour traiter de la « question de l'homme » et marquer son engagement. Écrivez l'article qui comportera cette interview; vous pourrez interrompre le dialogue par de brèves informations sur son déroulement.**

DÉMARRONS ENSEMBLE

- Élaborez la **définition** du texte à produire (→ sujet 3): *article de presse et interview de presse* [genre] *de Plantu qui argumente* [type] *sur le métier de caricaturiste politique, le dessin* [thèmes], ? [registre], *vif et alerte* [adjectifs] *pour faire l'éloge du dessin engagé* [but].
- Imaginez les **questions que vous allez poser** à Plantu (ses débuts, sa manière de travailler, les caractéristiques d'un dessin réussi, les moyens spécifiques de l'image pour émouvoir, argumenter...).
- Vous avez le **choix du registre** de cette interview, mais le dessin de Plantu indique sa tournure d'esprit : ironique, cynique, humoristique.
- Précisez la thèse de Plantu : *Le métier de caricaturiste politique est intéressant. /Le dessin est un moyen supérieur à l'écrit pour argumenter et s'engager.*
- L'interview doit donner l'impression du direct et avoir **valeur argumentative**. Plantu doit s'appuyer sur des arguments, des exemples. Il peut donner des **détails techniques** sur l'image (apprentissage nécessaire pour la comprendre, sens des codes et des éléments symboliques dans l'image...). Il peut aussi **nuancer sa thèse** et reconnaître les dangers de l'image, concéder une certaine force à l'écrit.
- **Pour finir**, Plantu peut réconcilier image et mots (voir le rôle du texte dans le dessin).

CORRIGÉ

EXTRAITS RÉDIGÉS

Une image vaut mille mots !

Nous avons interrogé le caricaturiste Plantu à son domicile sur son métier, sur son choix du dessin comme moyen d'expression. Intérieur simple, accueil chaleureux et détendu…

– Monsieur Plantu, vous êtes la vedette du Monde, *à la griffe duquel personne n'échappe : hommes politiques, personnalités du monde juridique, industriel… Bref, vous égratignez tout le monde de votre crayon redoutable qui dénonce les injustices et les « magouilleurs »…*

[…]

– J'ai lu quelque part cette affirmation : « Une image vaut mille mots. » Vous croyez, vous, que l'image est plus contestataire que les mots, plus efficace dans le combat politique et social ? Hugo, tout de même, il s'est engagé à fond, mais avec ses livres, ses mots, non ?

Plantu – Ne me comparez pas à Hugo, vous allez me donner la grosse tête ! L'image plus efficace ?… *(Visiblement, nous avons posé une colle à notre interlocuteur ; il semble perplexe. L'ombre de Hugo peut-être… qui l'intimide.)* C'est un beau sujet de dissertation que vous me posez là… Plus efficace, non… Plutôt… différente !

Vous voyez, la réception d'une image se fait par les sens : elle est rapide. Elle ne demande pas de savoir lire ni de connaître la langue ; en ce sens, elle est accessible à tout le monde. Avant de savoir écrire, les hommes ont dessiné. À la limite, même un analphabète a accès à l'image qui, théoriquement – je dis bien théoriquement – ne fait pas de clivage entre personnes illettrées et personnes cultivées. Elle est comme un langage universel qui n'opère apparemment pas de distinction entre les âges, les nationalités.

Et puis, comme elle sollicite les sens, elle chatouille l'imaginaire, la sensibilité. Et elle frappe fort, je vous assure. La photographie de Phan Thi Kim Phúc (➜ p. 213), une petite fille de 9 ans, sévèrement brûlée par une attaque au napalm, fuyant sur une route du Sud-Vietnam, symbolise douloureusement la guerre. Dans le monde entier elle a éveillé l'horreur et la haine de la guerre, de façon infiniment plus puissante que des douzaines de pages…

Il faut respecter la **mise en page** et les **caractéristiques formelles du genre** auquel appartient le texte à produire : un article comporte un titre, les questions d'une interview se distinguent typographiquement des réponses. (Ici, vous pouvez souligner les questions, par exemple.)

Des arguments qui montrent l'**efficacité argumentative de l'image** : facilité d'accès, immédiateté de la compréhension, violence de la photographie, appel à l'imaginaire…

D'ailleurs, les gouvernements totalitaires limitent l'accession à l'image – parce qu'ils en connaissent les pouvoirs. Certains régimes communistes en ont restreint la diffusion, considérée comme subversive; les Soviétiques refusaient l'accès aux images américaines jugées dangereuses; la télévision de Slobodan Milosevic, pendant la guerre du Kosovo, a ainsi «filtré» les images auxquelles les Serbes avaient accès.

[...]

– *Alors, pour vous, l'image surpasse résolument les mots?*

– Là, je vous arrête: il ne faut pas mettre le dessin d'un côté, les textes de l'autre. J'utilise beaucoup les mots, moi aussi, dans mes dessins: dans les bulles, en légende... Et l'un éclaire l'autre, le complète, dans un même effort pour essayer d'améliorer notre pauvre monde... (→ p. 219) [+ EXEMPLES PERSONNELS]

– *Nous avons abusé de votre temps. Encore un mot: le secret de votre réussite ou, si vous voulez, une devise qui guide votre vie et votre art?...*

– Un acteur confiait que le secret de la réussite d'un comédien pour mettre le public dans sa poche, c'est de le faire rire... Je crois que cette devise est valable aussi pour le dessinateur de presse. Mes dessins m'ont valu bien des pressions et des menaces... Mais j'ai les rieurs de mon côté... Alors...

L'écriture d'invention argumentative doit s'appuyer sur des **exemples**. Ici, il faut mentionner des images. Les arts – notamment l'**image (fixe ou animée)** – font partie du programme. Constituez une réserve d'exemples iconographiques.

POINT MÉTHODE

Soigner l'expression et relire pour corriger le style et l'orthographe

- Une écriture d'invention exige autant de travail qu'un commentaire ou une dissertation, car on attend de vous une **expression travaillée**.
- **Relisez votre devoir** au moins **deux fois** avec des **objectifs précis**:

– Veillez à la **correction grammaticale**. Vos phrases doivent comporter au moins un verbe conjugué. Évitez les phrases trop longues. Bannissez les subordonnées sans proposition principale.

N. B. Si la situation met en scène des personnages qui, dans la réalité, emploieraient un langage familier (deux lycéens, par exemple), vous pouvez vous autoriser un style pittoresque et alerte, mais gommez toute familiarité excessive (*rigoler* passe, mais pas *se marrer*).

– Vérifiez l'**orthographe**. Soyez particulièrement attentif aux accords majeurs (sujet/verbe, déterminant/nom, nom/adjectif, participe passé) et aux mots essentiels des objets d'étude (*théâtre, héros, champ lexical, personnage...*).

SUJET 23 | Faire la guerre à la guerre…

ENTRAÎNEMENT À L'ÉPREUVE ORALE

Texte : *Guerre*, de Voltaire (→ document 1, p. 216)**.**

Question : D'où vient l'efficacité de cet étrange article de dictionnaire bien représentatif du siècle des Lumières ?

DÉMARRONS ENSEMBLE

- *Efficacité* fournit la **problématique**, *étrange* et *Lumières* suggèrent des axes.
- Cherchez en quoi ce texte ne ressemble pas vraiment à un **article de dictionnaire** ordinaire. Répertoriez les caractéristiques et éléments d'un dictionnaire « normal », puis mesurez la **différence** avec le texte.
- Dégagez les caractéristiques qui ancrent ce texte dans son siècle. Pour cela, récapitulez les principaux traits de la **contestation des philosophes au XVIIIe siècle** (cibles, griefs, ton…) et repérez ceux que vous retrouvez dans le texte.

CORRIGÉ

PRISE DE NOTES

L'explication n'est pas rédigée : elle vous donne un exemple de réelle prise de notes élaborées à l'oral en trente minutes (avec des abréviations).

Quelques abréviations : bcp (beaucoup), cm (comme), cpdt (cependant), ctre (contre), ds (dans), ex. (exemple), métaph. (métaphore), ms (mais), pr (pour), ptt (pourtant), svt (souvent), tjs (toujours), tt (tout), initiale de l'auteur (V. pour Voltaire)…
Faites votre propre liste d'abréviations.

[INTRODUCTION]

Les philosophes des Lumières luttent contre ttes les atteintes à la liberté, pr le progrès et le bonheur des hommes. Ds lutte contre « l'infâme », V. préfère aux lourds volumes de l'*Encyclopédie*, en 1764, format du *Dictionnaire philosophique portatif*, arme plus adaptée aux besoins du lecteur pressé. Ds dernières lignes de l'article « Guerre », V. fait « la guerre à la guerre ».

Un article 1. original par les moyens très personnels utilisés pr frapper le lecteur ; 2. qui s'inscrit ds combat des Lumières.

L'Encyclopédie : 28 volumes, plus de 60 000 articles, 2 900 planches d'images. Le « monument des progrès de l'esprit humain » (Voltaire) est composé de 1750 à 1772 par Diderot, Rousseau, d'Alembert, Voltaire…

I Un article de dictionnaire étrange aux registres variés

V. semble se plier au goût des Lumières pour la forme rationnelle du dictionnaire (exhaustivité, objectivité, rigueur). Ms ici rien de tt cela.

1. 1er § : violent discours ctre responsables de la guerre

Prise à partie directe, au style direct.

- 2e pers du pl théâtrale : V. semble, en plein sermon, apostropher avec mépris le prêtre… Allitération insistante en *m*.
- Apostrophe critique (« misérables médecins des âmes »), sarcastique (le sermon devient un bruit inutile : « vous criez »).
- Paradoxe ironique : le médecin (prêtre) crie, le patient (soldat) ne dit rien.

Sarcastique signifie : qui se moque avec ironie et méchanceté.

Expression imagée, concrète, presque familière.

- Métaph. filée : prêtres = « médecins ». Maux du corps en parallèle avec maux de l'âme : « la maladie ».
- Images très concrètes : « piqûres d'épingles », « morceaux », « brûlez tous vos livres ».

Amplification, exagération.

- Bcp d'hyperboles.
- Antithèses : jeu sur chiffres : « rien »/« mille morceaux », « quelques hommes »/« milliers de nos frères ».
- Contraste ironique : « loyalement égorger ».
- Mots très forts : « égorger », « affreux », « nature entière ».

[TRANSITION] Après réquisitoire *ad hominem* du 1er §, changement de perspective : ex. concret de leurs méfaits sur un champ de bataille.

Un **réquisitoire *ad hominem*** est un discours nommément dirigé contre un adversaire, qui s'attaque directement à la personne à qui il s'adresse.

2. 2e § : ex. des effets pathétiques de la guerre

V. cherche à susciter émotion en faisant vivre « en direct » la mort d'une victime anonyme, avec moyens proches du théâtre (passion de V. pour théâtre).

Monologue dramatique d'un héros de théâtre.

- Changement brutal et saisissant de l'énonciation : « je » (= le mourant).
- Contours d'un personnage – « vingt ans », lieu de naissance –, assez généraux pour en faire la victime universelle.

Éléments de mise en scène.
- Décors: « ville […] détruite », « femmes », « enfants » « expirants ».
- Amosphère sonore (« cris ») et visuelle (« flamme »).

Dramatisation pathétique.
- Hyperboles (« fracasse », « tourments inexprimables »), reprise (« dernière fois », « derniers sons »).
- Effets d'écho, de reprise avec § précédent: « brûlez »/« flamme », « vous criez »/« cris », « milliers »/« cinq ou six mille ».
- Début du discours du mourant (énumération des qualités chrétiennes) renvoie aux sermons des « misérables médecins » (transition entre les 2 §).

Violence transposée ds registre théâtral – pas réaliste – et ptt très efficace.
- Question rhétorique en période au rythme ample, régulier.
- Périphrase: « une demi-livre […] pas » (= un boulet).

[TRANSITION] Tous ces effets mis au service des idées des Lumières.

Une **période** est une longue phrase oratoire rythmée qui crée l'attente et comporte une phase ascendante (la protase), un point culminant (l'acmé), puis une phase descendante (l'apodose) et une clausule (chute ou conclusion).

II Un réquisitoire au service du combat des Lumières

1. Antimilitarisme de Voltaire

Condamnation des guerres cm négation de l'objectif essentiel des Lumières: bonheur sur terre.
- Guerre nie progrès moral: survivance de pratiques primitives (bestialité des combats, « une maladie » morale).
- Guerre empêche progrès matériel (désastre humain et économique, villes en « flamme », des milliers de « mourants »).

V. condamne aussi:
- « la partie du genre humain consacrée à l'héroïsme »: périphrase pr soldats (*cf. Candide*: guerre = « boucherie héroïque »);
- des valeurs dépassées, absurdes: « loyalement égorger » (antiphrase);
- les responsables des guerres.

Textes dans lesquels **Voltaire dénonce la guerre**: chap. 3 de *Candide*, article « Guerre » du *Dictionnaire philosophique*, chap. 7 de *Micromégas*.

2. La dénonciation des puissants: l'Église et le pouvoir

Anticléricalisme de V.
- « Misérables médecins des âmes »: métaph. pr prêtres et moines, qui cautionnent le « caprice » des rois, célèbrent victoires militaires par *Te Deum (Candide)* et oublient message de tolérance, de paix.

– V. ne met pas en cause responsabilité divine : pr lui, Dieu lointain et pas impliqué directement ds affaires des hommes (déiste).

Un **déiste** reconnaît l'existence d'un Être suprême ordonnateur et créateur de l'univers, mais e[n] dehors de toute religion. « L'univ[ers] m'embarrasse, e[t] je ne puis songe[r] que cette horlog[e] existe et n'ait point d'horloger. » (Voltaire)

Critique du mauvais usage du pouvoir.
– Pouvoir = un « caprice » de roi égoïste, soucieux de ses « prétendus intérêts » (et non intérêt de ses sujets qu'il ne connaît pas).
– Contraire du modèle de despote éclairé des philosophes.

3. Critique des faux philosophes

– « Philosophes moralistes » : bavards, rêveurs, hommes de système (Pangloss dans *Candide*) ; spéculateurs qui oublient dans des « livres » la vie réelle, l'action au service du progrès.
– Paradoxalement, c'est V. philosophe déiste qui rappelle les valeurs chrétiennes : « nos frères ».

[CONCLUSION]

V. démontre que, ds sa lutte, « tous les genres sont bons sauf le genre ennuyeux ». De l'église au champ de bataille, le lecteur accompagne V., s'indigne avec lui contre les responsables, sourit de son ironie cinglante, partage son émotion devant les souffrances des victimes. Texte ancré dans les combats de son siècle, mais qui invite à réfléchir : « la maladie » guerrière n'est pas éradiquée, religion et « caprice » de qqs hommes font tjrs bon ménage, pour l'intérêt des gouvernants et le malheur de victimes innocentes.

POINT MÉTHODE

Réussir l'entretien

On peut vous interroger sur une œuvre intégrale, une lecture cursive, des documents complémentaires, un objet d'étude, des activités de la classe (sorties, exposés), etc.

- Pendant la préparation, **anticipez** les questions de l'examinateur (sur l'objet d'étude, l'œuvre, le genre, le mouvement...). Dressez une rapide liste des **références** et **citations** qui vous permettront d'illustrer vos réponses.
- **Commentez les exemples**, les citer ne suffit pas (principe IEC → p. 231).
- **Écoutez** l'examinateur, **relancez** la discussion avec à-propos ; **ne récitez pas** un cours sans rapport avec les questions.

N. B. Si la réponse ne vous vient pas tout de suite, prenez le temps de la réflexion. Si vous avez un doute sur une réponse, modalisez-la *(il me semble que...)*.

Vers un espace culturel et européen : Renaissance et humanisme (série L)

FICHES

BILAN

SUJETS CORRIGÉS

48 Le contexte du renouveau intellectuel à la fin du Moyen Âge

Les grandes découvertes, le foisonnement intellectuel, artistique et scientifique à la fin du Moyen Âge créent un contexte favorable à un renouveau qui va donner lieu à l'épanouissement d'un mouvement culturel européen : l'humanisme.

I L'ouverture au monde

1. Les progrès techniques et scientifiques

- **Les grandes découvertes**. Les progrès techniques de la navigation (boussole, astrolabe) permettent aux navigateurs espagnols et portugais d'affronter les grandes traversées vers des territoires inconnus. Le monde connu change brutalement de dimension : les récits de voyages suscitent l'émerveillement par la description de nouveaux pays – l'Amérique ou Extrême-Orient – ainsi que de nouvelles cultures.

Les **grands explorateurs** : l'Italien Christophe Colomb (1451-1506) découvre l'Amérique ; le Portugais Vasco de Gama (1469-1524), les Indes. Le Portugais Magellan (1480-1521) fait le tour de la Terre en passant par l'ouest.

- **L'afflux des richesses en Europe**. Ces richesses permettent à des mécènes d'entretenir des artistes, de financer des églises et des palais somptueux.
- **L'imprimerie (vers 1450)**. Mise au point par l'Allemand Gutenberg, elle met les textes anciens et la Bible – le savoir et la foi – à la portée d'un lectorat élargi.
- **La révolution copernicienne (1543)**. Copernic bouleverse l'astronomie et la conception de l'Univers. Il démontre que la Terre n'est pas le centre de l'Univers : toutes les planètes – dont la Terre – tournent autour du Soleil.
- **Les progrès de la médecine**. Elle devient expérimentale et fait progresser la connaissance de l'anatomie humaine grâce à la pratique de la dissection.

Les **grands médecins** : Vésal (1514-1564) révolutionne l'anatomie, Ambroise Paré (1510-1590) est le fondateur de la chirurgie modern

2. Le modèle italien

- **L'Italie foyer intellectuel et artistique européen**. Principale puissance économique européenne, l'Italie connaît, dès le XVe siècle (le quattrocento), un extraordinaire essor culturel, intellectuel et artistique qui, au XVIe siècle, gagne la France et le reste de l'Europe.

La prise de Constantinople par les Turcs (1453). Des savants fuient cette ancienne capitale de l'Empire romain d'Orient et apportent en Italie des manuscrits anciens qui stimulent le retour aux sources de l'Antiquité.

Les guerres d'Italie (1494-1559). Les aristocrates français sont fascinés par les artistes et l'art de vivre à l'italienne, les manières, les costumes, le vocabulaire (ils adoptent des mots italiens). De retour en France, ils veulent retrouver et recréer cette atmosphère.

II Le rejet du Moyen Âge et le sentiment de Renaissance

Les hommes du XVIe siècle ont alors la conviction de vivre un nouvel âge d'or, une véritable ***Renaissance***. Par ce terme, ils marquent leur **rejet du Moyen Âge**, comme une époque de mort et de ténèbres.

Ils marquent aussi leur **désir de s'approprier la totalité du monde**, passé ou présent : ils renouent avec les cultures et les littératures de l'Antiquité gréco-latine – les **humanités** – d'où ils tirent leur nom d'*humanistes*, scrutent les espaces infinis du cosmos (le macrocosme) et se penchent sur l'homme vu comme un monde en réduction (le microcosme).

III Les inquiétudes européennes de la fin du siècle

Deux inquiétudes assombrissent cette atmosphère d'optimisme.

1. La colonisation

La brutalité de la colonisation et la conversion forcée au catholicisme des nouveaux peuples choquent l'idéal de justice des humanistes.

2. Les guerres de Religion (1562-1598)

Elles finissent dans la tragédie un siècle commencé dans la ferveur et l'euphorie.

Grâce à l'imprimerie, la lecture individuelle de la Bible se généralise. En France, les **évangélistes** autour de Lefèvre d'Étaples (1450-1537) encouragent une lecture authentique de la Bible et souhaitent un retour de l'Église au christianisme primitif.

En Allemagne, la **Réforme** protestante naît de la contestation menée par le moine Luther (1483-1546) et gagne l'Europe du Nord. En France, **Calvin** (1509-1564) prêche la Réforme puis s'installe à Genève. L'Europe change en partie de religion. Les guerres de Religion se déchaînent de 1562 à 1598 (édit de Nantes).

« Avant l'**imprimerie**, la Réforme n'eût été qu'un schisme, l'imprimerie l'a faite révolution. […] Gutenberg est le précurseur de Luther. » (Hugo)

49 La vision du monde et les valeurs de l'humanisme européen

Le rejet du Moyen Âge s'accompagne d'un retour à l'Antiquité. L'humanisme a une grande foi en l'homme, en l'éducation, et veut construire un monde meilleur, ouvert. Mais les circonstances tempèrent cet enthousiasme.

I Le rejet du Moyen Âge, le culte de l'Antiquité

- Les humanistes se tournent vers la **culture antique**, vers les *humanités*.
- Pour imiter voire dépasser l'Antiquité, ils reviennent aux **textes antiques originaux** – philosophiques, scientifiques, artistiques –, débarrassés des commentaires du Moyen Âge.

« C'est aux sources mêmes que l'on puise la pure doctrine ; aussi avons-nou revu le Nouveau Testament tout entier d'après l'original grec [...]. » (Érasme)

II La foi en l'homme

1. L'homme au centre des études

- **Le siècle de l'homme**. Le Moyen Âge centrait le monde sur Dieu. Le XVIe siècle le centre sur l'homme et fait sienne la devise du latin Térence.

« Je suis homme et rien de ce qui est humain ne m'est étranger. (Térence)

Comme Montaigne, l'humaniste s'étudie lui-même car écrire sur soi, c'est aussi écrire sur les autres.

« Je suis moi-même la matière de mon livre. (Montaigne)

Les humanistes croient en une **nature humaine universelle**.

« Chaque homme porte la forme entière de l'humaine condition. (Montaigne)

2. L'importance de l'éducation et l'appétit de connaissances

- L'**éducation** devient un enjeu primordial sur lequel chacun prend position.
- **Une nouvelle pédagogie**. L'humaniste rejette l'enseignement traditionnel médiéval. Pour former l'homme nouveau, il prend en compte toutes ses dimensions (morale, intellectuelle, mais aussi physique).

« En somme que je voie en toi un **abîme de scienc** (Rabelais)

« Mieux vaut une **tête bien faite** qu'une têt bien pleine. » (Montaigne)

III De l'optimisme à la sagesse lucide

1. Un monde meilleur pour un homme nouveau

Les écrits des humanistes reflètent leur **confiance en l'homme et en sa capacité à édifier un monde meilleur**.

- **Des mondes de fantaisie**. Ils traduisent leur vision optimiste d'une société idéale. Dans son essai fantaisiste *Éloge de la folie* (1511), Érasme donne la parole à la Folie qui vante la façon dont elle mène le monde.
- **Des utopies**. Elles décrivent des pays imaginaires au gouvernement idéal qui rend le peuple heureux (➜ p. 202). Elles font apparaître implicitement les imperfections des sociétés réelles.

2. De nouvelles valeurs pour un homme nouveau

- De **nouvelles valeurs** inspirent les humanistes : ils revendiquent la liberté de penser, de croire, d'obéir.
- Ouverts et tolérants, ils s'efforcent de **concilier** l'héritage païen antique et un christianisme ouvert, la croyance en Dieu et en l'homme, le cosmopolitisme et une conscience nationale.

Règlement de l'abbaye de Thélème, chez Rabelais : « **Fais ce que** [tu] **voudras**. » *(Gargantua)*

3. Vers la sagesse lucide

- La tragédie des **guerres de Religion** et les **crimes des conquistadors** modèrent l'enthousiasme des humanistes.
- Ils prennent conscience à la fin du siècle de l'instabilité, des contradictions du monde et de l'homme et pressentent les **dangers qui les menacent**.

« Science sans conscience n'est que ruine de l'âme. (Rabelais)

- Comme Montaigne, ils aiment la vie, mais comprennent que « Philosopher, c'est apprendre à mourir » *(Essais)*.

4. La naissance d'une conscience européenne

EN BREF

- Allemagne : Copernic (1473-1543), Dürer (1471-1528), Kepler (1571-1630)
- Angleterre : More (1478-1535), Shakespeare (1564-1616)
- Espagne : Sepulveda (1490-1573)
- France : Rabelais (1483-1553), Bodin (1430-1496), Lefèvre d'Étaples (1453-1537), Budé (1468-1540), Montaigne (1533-1592)
- Hollande : Érasme (1469-1536)
- Italie : Ficin (1433-1499), Pic de la Mirandole (1463-1494), Machiavel (1469-1527), Giordano Bruno (1548-1600)

50 La Renaissance littéraire

Le XVIe siècle voit un changement dans le statut des écrivains qui enrichissent la langue française, mêlent divers genres et registres et créent une littérature qui marquera la pensée européenne.

I Langues anciennes et valorisation de la langue française

1. Le nouveau statut de l'écrit et de l'écrivain

- **François Ier**, roi humaniste, crée le Collège des lecteurs royaux, futur Collège de France.
- Le **statut des écrivains** change. On reconnaît la valeur d'un écrit littéraire et on privilégie les auteurs : ils ne sont pas encore autonomes financièrement (la plupart sont pensionnés par des mécènes) mais sont respectés à la cour et dans les milieux aristocratiques.

Mécène : homme politique romain (Ier siècle av. J.-C.) qui a consacré sa fortune à l'entretien d'artistes et d'intellectuels. Un **mécène** est une personne qui encourage et subventionne les arts, les lettres, les sciences.

2. Vers une langue moderne

- **Le latin, langue commune**. Les humanistes européens communiquent en latin. Guillaume Budé organise un réseau de soutien aux traducteurs et éditeurs et multiplie les travaux sur la langue pour retrouver les textes anciens.
- **L'intérêt pour la langue nationale**. Parallèlement, les humanistes enrichissent leur langue nationale pour mettre l'art, le savoir et la foi à la portée de leurs compatriotes.

Dans sa ***Défense et illustration de la langue française*** (1549), Du Bellay recommande de s'inspirer des Anciens, mais aussi d'enrichir le français, appauvri par le Moyen Âge.

Les humanistes retrouvent des mots anciens, empruntent des mots aux dialectes provinciaux, aux langues étrangères (*banque, lavande, brigand, caprice* viennent de l'italien), inventent des mots composés...

II Des genres et des registres variés

Les œuvres humanistes marquent le début de la littérature et de la poésie modernes.

1. La poésie humaniste et la Pléiade

- Réunis autour de **Ronsard** (1524-1585) - le «prince des poètes et poète des princes» - et de **Du Bellay**, les poètes de la **Pléiade** multiplient dans leurs œuvres les références aux poètes antiques, grecs et latins - Homère, Virgile, Horace - qu'ils imitent pour les dépasser.

La **Pléiade** réunit sept poètes : Ronsard, Du Bellay, Belleau, Jodelle, Baïf, Pontus de Tyard, Peletier du Mans.

- Ils empruntent des **formes poétiques** aux **Anciens** (églogues, épîtres...) et aux **autres pays** : le sonnet vient d'Italie, où Pétrarque en a fait la forme aboutie de la poésie amoureuse.
- Les thèmes privilégiés de ces poètes sont l'**amour** et les **émotions lyriques**.

« Heureux qui, comme Ulysse, a fait un beau voyage,
Ou comme celui-là qui conquit la toison[1],
Et puis est retourné, plein d'usage[2] et raison,
Vivre entre ses parents le reste de son âge!

Du Bellay, *Les Regrets.*

1. Le héros mythologique Jason, qui emmena les Argonautes conquérir la Toison d'or.
2. **Usage** : expérience.

Du Bellay, enthousiasmé de partir en Italie, se trouve à Rome, mais ressent vite le mal du pays qu'il exprime dans *Les Regrets*.

« Donc, si vous me croyez, mignonne,
Tandis que votre âge fleuronne[1]
En sa plus verte nouveauté,
Cueillez, cueillez votre jeunesse :
Comme à cette fleur la vieillesse
Fera ternir votre beauté.

Ronsard, *Odes.*

1. **Fleuronne** : s'épanouit comme une fleur.

« Vivez, si vous m'en croyez, n'attendez à demain.
Cueillez dès aujourd'hui les roses de la vie.

Ronsard, *Sonnets pour Hélène.*

Ronsard, dans ces vers, invite les jeunes Cassandre et Hélène à jouir de l'instant et des plaisirs de la vie et de l'amour en reprenant le thème du *Carpe diem* (« Cueille le jour ») du poète latin Horace (Ier siècle av. J.-C.) et des philosophes épicuriens.

- Leurs œuvres **témoignent** des **guerres de Religion** et reflètent leurs **prises** de position pour l'un ou l'autre camp : catholique pour **Ronsard** (les *Discours*), protestant pour **Agrippa d'Aubigné** (1552-1630) *(Les Tragiques)*.

« Je veux peindre la France une mère[1] affligée,
Qui est, entre ses bras, de deux enfants[2] chargée.
[...] Puis, aux derniers abois[3] de sa proche ruine,
Elle dit : « Vous avez, félons, ensanglanté
Le sein qui vous nourrit et qui vous a porté ;
Or[4] vivez de venin[5], sanglante géniture[6],
Je n'ai plus que du sang pour votre nourriture ! » Agrippa d'Aubigné, *Les Tragiques*

1. Sous les traits d'une mère. 2. Personnification des deux partis en présence : catholiques et réformés (protestants). 3. **Aux derniers abois** : terme de chasse. À la dernière extrémité. 4. **Or** : maintenant. 5. **Venin** : poison. 6. **Géniture** : progéniture.

Le poète Agrippa d'Aubigné a lutté aux côtés du futur roi Henri IV dans les rangs protestants, mais il n'en déplore pas moins les ravages des guerres de Religion.

2. L'optimisme de Rabelais

- **François Rabelais** (1483-1553). Médecin et écrivain, disciple d'Érasme, il écrit les aventures extraordinaires des rois géants Gargantua et Pantagruel, sous une **forme littéraire hybride**, à la fois conte, roman d'aventures et parodie d'épopée.
- Il y introduit, sur un ton **comique et satirique**, ses idées pédagogiques, politiques, morales, qu'il faut chercher, dit-il, comme un chien suce la « substantifique moelle » renfermée dans un os.
- Son œuvre est pleine d'**enthousiasme** et prône la **tolérance**, la paix, le retour aux valeurs antiques.

Devises de Rabelais
« Mieux est de ris que de larmes écrire, / Pour ce que rire est le propre de l'homme »

« Je ne bâtis que pierres vives, ce sont hommes. » *(Tiers Livre)*

3. Montaigne, un homme « divers et ondoyant »

- **Michel de Montaigne** (1533-1592). Écrivain, philosophe, moraliste et homme politique, il écrit les ***Essais***, œuvre qui a influencé toute la culture occidentale.
- Ses *Essais* tiennent à la fois de l'**autobiographie** (il y retrace ses « expériences » : « Je n'ai d'autre objet que de me peindre moi-même ») et de l'**essai philosophique** (il y aborde tous les sujets – éducation, amitié, douleur, religion... – et peint ses pensées : « Ce ne sont pas mes actes que je décris, c'est moi, c'est mon essence [nature] ») **pour mieux se connaître et connaître l'homme**.
- Ses expériences l'amènent à adhérer à diverses conceptions de l'homme : stoïcisme, scepticisme, enfin épicurisme modéré.

Devises de Montaigne
Stoïcisme :
« Que philosoph[e]r c'est apprendre [à] mourir. »
Scepticisme :
« Que sais-je ? »
Épicurisme :
« Pour moi donc j'aime la vie et l[a] cultive telle qu'[il] a plu à Dieu no[us] l'octroyer. »

51 La Renaissance artistique

Sous l'impulsion de l'Italie, le statut de l'artiste change. Les artistes européens de la Renaissance traduisent dans leurs œuvres les mêmes valeurs que la littérature humaniste.

I Le modèle italien

- **La renaissance artistique.** Elle commence en Italie au XVe siècle, le **quattrocento.** Après les **guerres d'Italie** (1494-1559), les rois de France veulent vivre au XVIe siècle dans un luxe semblable à celui des grands d'Italie.
- **Les Italiens en France.** François Ier fait venir en France des artistes italiens célèbres : Léonard de Vinci, les peintres Le Primatice, Le Rosso, Dell'Abate, le sculpteur et orfèvre Benvenutto Cellini, eux-mêmes inspirés par des grands maîtres comme Michel-Ange et Raphaël. Ils influencent les architectes, peintres et sculpteurs français.
- **Une renaissance architecturale.** Cette renaissance et la politique artistique royale se manifestent par la rénovation des résidences du roi (Fontainebleau) et la construction des châteaux de la Loire, à la décoration exubérante.

II Une nouvelle conception de l'art

1. De l'artisan au créateur

- **Des humanistes polyvalents et complets.** L'humanisme transforme radicalement la place de l'art et de l'**artiste** dans la société : l'artiste, considéré comme un artisan au Moyen Âge, prend un **statut de créateur**, respecté pour son érudition et son inventivité, et acquiert une position sociale.
- **L'essor du mécénat.** De riches mécènes fournissent aux artistes les moyens d'exercer leur art : atelier, matériaux, pension.
- **Un moyen d'expression pédagogique et personnelle.** L'art permet désormais de véhiculer l'enseignement social et religieux et est aussi un moyen d'expression personnelle, au même titre que la littérature. Les œuvres d'art portent un message (politique, social, philosophique, esthétique) qu'il faut **interpréter**.

Léonard de Vinci est peintre, sculpteur, architecte, botaniste, musicien, anatomiste, ingénieur, poète, philosophe, écrivain...

2. De nouveaux thèmes

Une rupture avec le Moyen Âge. Alors que le Moyen Âge empruntait ses thèmes à la religion et à la chevalerie, les artistes renaissants, comme les écrivains humanistes, mêlent **retour aux motifs antiques**, **peinture de la réalité** (décors riches et variés, portraits de personnalités, mais aussi de personnes ordinaires) et représentation des événements marquants de l'actualité (massacre de la Saint-Barthélemy).

François Ier a ainsi été représenté par Clouet, le « peintre du roi »

Une représentation repensée de la religion. Les artistes mêlent références à l'Antiquité, représentations des divinités et scènes chrétiennes.

L'homme au centre de l'inspiration artistique. Comme la littérature, les arts graphiques se centrent sur l'homme, dont les proportions sont considérées comme la mesure idéale.

En sculpture comme en peinture, le motif du nu rappelle les statues de l'Antiquité, mais manifeste aussi la place primordiale accordée à l'homme et l'intérêt pour l'exploration du corps humain.

Léonard de Vinci, *Schéma de proportions du corps humain d'après Vitruve* (vers 1492).

III Un mouvement artistique européen

EN BREF

- En Italie : Donatello (sculpteur, 1386-1466), Botticelli (peintre, 1444-1510), Léonard de Vinci (1452-1519), Raphaël (1483-1520), Michel-Ange (1475-1564)
- En France : F. Clouet (peintre, 1485-1541), G. Pilon (sculpteur, vers 1525-1590), J. Goujon (sculpteur, 1510-1566)
- En Allemagne : Dürer (peintre et graveur, 1471-1528), Holbein (portraitiste, 1497-1543), Cranach (peintre et graveur, 1472-1553)
- Dans les pays flamands : Van Eyck (peintre, 1390-1441), Bruegel (peintre, 1530-1569)
- En Espagne : Le Greco (peintre d'origine grecque, 1541-1614)

Sandro Botticelli. *Allégorie du Printemps ou La Primavera* (1477-1478).

1. **Vénus**, déesse de l'amour (en statue romaine)
2. **Zéphyr**, dieu du vent
3. **Chloris**, juste avant sa transformation en Flore par Zéphyr
4. **Flore**, déesse des fleurs
5. **Mercure**, messager des dieux (casque, caducée et sandales ailées)
6. les trois **Grâces**
7. **Cupidon**

■ Ce célèbre tableau de Botticelli reflète les thèmes philosophiques et littéraires de la Renaissance. Cette scène païenne est peinte avec le même sérieux que si Vénus était une incarnation de la Vierge Marie.

■ **L'inspiration antique profane**. On repère des figures allégoriques mythologiques dans un jardin, peut-être celui des Hespérides (le jardin des pommes d'or).

■ **L'inspiration religieuse chrétienne**. La figure centrale ressemble à la Vierge (les arbres forment une auréole) et aux beautés de la Renaissance. Cupidon ressemble à la représentation picturale des anges dans les églises.

■ **Les motifs de la Renaissance**. Le tableau rassemble les motifs chers à la Renaissance artistique : le nu, le jardin exubérant, la possible allégorie des villes italiennes (Cupidon pour Rome, les trois Grâces pour Pise, Naples et Gênes, Mercure pour Milan, Flore pour Florence, Vénus pour Mantoue).

Quiz express

Vérifiez que vous avez bien retenu les points clés des **fiches 48 à 51**.

Le contexte de la Renaissance

1 Le mouvement humaniste est né :
- ☐ **1.** en Allemagne
- ☐ **2.** en France
- ☐ **3.** en Italie

2 Pendant la Renaissance, il y a eu des guerres :
- ☐ **1.** contre l'Allemagne
- ☐ **2.** contre l'Italie
- ☐ **3.** de Religion

3 Ambroise Paré est :
- ☐ **1.** médecin
- ☐ **2.** navigateur
- ☐ **3.** philosophe

4 La Réforme est un mouvement :
- ☐ **1.** scientifique
- ☐ **2.** religieux
- ☐ **3.** littéraire

5 Qui est le roi humaniste de la Renaissance protecteur des arts ?
- ☐ **1.** Louis XIV
- ☐ **2.** François Ier
- ☐ **3.** Louis XIII

6 Le nom *humaniste* vient de :
- ☐ **1.** *humeur*
- ☐ **2.** *humanités*
- ☐ **3.** *humilité*

La Renaissance des idées et de la littérature

7 Quel est le plus important pour les humanistes ?
- ☐ **1.** Dieu
- ☐ **2.** l'homme
- ☐ **3.** le travail

8 Quelle est la devise humaniste ?
- ☐ **1.** Je pense, donc je suis.
- ☐ **2.** Rien de ce qui est humain ne m'est étranger.
- ☐ **3.** Un petit particulier humain m'intéresse plus que l'humain général.

9 Rendez chaque œuvre à son auteur.

1. Rabelais
2. Montaigne
3. Thomas More
4. Érasme
5. Du Bellay

a. *Éloge de la folie*
b. *Gargantua*
c. *Essais*
d. *Utopia*
e. *Défense et illustration de la langue française*

10 Rendez chaque affirmation à son auteur.

1. Rabelais	a. « Que philosopher, c'est apprendre à mourir »
2. Montaigne	b. « C'est aux sources mêmes qu'il faut puiser la doctrine. »
3. Érasme	c. « Mieux est de ris que de larmes écrire, Pour ce que rire est le propre de l'homme »

11 Vrai ou faux ? Les humanistes...

1. privilégient les dogmes chrétiens.
2. reviennent exclusivement à la vision païenne antique du monde.
3. concilient la vision païenne antique du monde et le christianisme.

La Renaissance artistique

12 Comment l'art est-il considéré pendant la Renaissance ?

1. Comme une activité artisanale technique.
2. Comme un moyen pédagogique et une conception de la vie.
3. Comme une source de décoration.

13 Que fait un mécène ?

- ☐ 1. Il participe au gouvernement du pays.
- ☐ 2. Il encourage et subventionne les arts.
- ☐ 3. Il accompagne le roi dans ses décisions et entreprises guerrières.

14 Vrai ou faux ? Les artistes renaissants...

- ☐ 1. considèrent le nu comme choquant.
- ☐ 2. ne représentent que très rarement des paysages.
- ☐ 3. donnent une valeur allégorique aux personnages qu'ils représentent.

15 Rendez chaque artiste à son pays.

1. Van Eyck	a. Espagne
2. L. de Vinci	b. Allemagne
3. Dürer	c. France
4. Le Greco	d. Hollande
5. Clouet	e. Italie

CORRIGÉS

1. Réponse **3.** • **2.** Réponses **2** et **3.** • **3.** Réponse **1** (un médecin chirurgien). • **4.** Réponse **2** : religieux, initié par Luther en Allemagne. • **5.** Réponse **2.** • **6.** Réponse **2** : les humanités sont des textes que l'on étudiait en classe pour devenir plus *humain*. • **7.** Réponse **2.** • **8.** Réponse **2. 1** est de Descartes (XVIIe siècle), **3** est de Jules Renard (XXe siècle) • **9. 1b, 2c, 3d, 4a, 5e.** • **10. 1c, 2a, 3b.** • **11. 1** Faux. **2** Faux. **3** Vrai. • **12.** Réponse **2.** • **13.** Réponse **2.** • **14. 1** Faux : Le nu est très en vogue à la Renaissance. **2** Faux : les tableaux de la Renaissance représentent très souvent des paysages. **3** Vrai. • **15. 1d, 2e, 3b, 4a, 5c.**

SUJET 24 | Les valeurs humanistes

QUESTION SUR LE CORPUS

De quelles valeurs humanistes essentielles ces textes portent-ils témoignage ?

DOCUMENTS

1. Érasme, *Éloge de la folie* (1509-1511)
2. Rabelais, *Gargantua* (1535)
3. Montaigne, *Essais* (1580-1592)

DÉMARRONS ENSEMBLE

- ***Valeurs*** a ici un sens moral d'idées et principes fondamentaux qui guident le jugement moral et le comportement idéal dans une société.
- Il faut dégager les **règles morales** que ces textes proposent. Attention : certaines sont formulées **explicitement** ; d'autres passages les suggèrent **implicitement** par le blâme de comportements qui s'opposent à ces valeurs.
- Allez à l'**essentiel**, sans chercher à repérer toutes les valeurs : certaines d'entre elles, générales, en englobent d'autres, plus spécifiques.

DOCUMENT 1

Érasme donne la parole à la Folie qui vante la façon dont elle mène le monde.

« Depuis longtemps, je désirais vous parler des Rois et des Princes de cour ; eux, du moins, avec la franchise qui sied à des hommes libres, me rendent un culte sincère.

À vrai dire, s'ils avaient le moindre bon sens, quelle vie serait plus triste que la
5 leur et plus à fuir ? Personne ne voudrait payer la couronne du prix d'un parjure ou d'un parricide, si l'on réfléchissait au poids du fardeau que s'impose celui qui veut vraiment gouverner. Dès qu'il a pris le pouvoir, il ne doit plus penser qu'aux affaires politiques et non aux siennes, ne viser qu'au bien général, ne pas s'écarter d'un pouce de l'observation des lois qu'il a promulguées et qu'il fait
10 exécuter, exiger l'intégrité de chacun dans l'administration et les magistratures. [...] Enfin, vivant au milieu des embûches, des haines, des dangers, et toujours en crainte, il sent au-dessus de sa tête le Roi véritable[1], qui ne tardera pas à lui demander compte de la moindre faute, et sera d'autant plus sévère pour lui qu'il aura exercé un pouvoir plus grand.

15 En vérité, si les princes se voyaient dans cette situation, ce qu'ils feraient s'ils étaient sages, ils ne pourraient, je pense, goûter en paix ni le sommeil, ni la table. C'est alors que j'apporte mon bienfait : ils laissent aux Dieux l'arrangement des affaires, mènent une vie de mollesse et ne veulent écouter que ceux qui savent leur parler agréablement et chasser tout souci des âmes. 20 Ils croient remplir pleinement la fonction royale, s'ils vont assidûment à la chasse, entretiennent de beaux chevaux, trafiquent à leur gré des magistratures et des commandements, inventent chaque jour de nouvelles manières de faire absorber par leur fisc la fortune des citoyens, découvrent les prétextes habiles qui couvriront d'un semblant de justice la pire iniquité. Ils y joignent, pour se 25 les attacher, quelques flatteries aux masses populaires.

Érasme, *Éloge de la folie* (1509-1511).

1. **Le Roi véritable** : Dieu.

DOCUMENT 2

Picrochole, roi assoiffé de pouvoir, a déclaré la guerre au père de Gargantua. Vaincu, il s'enfuit. Gargantua reçoit les vaincus et leur adresse ce discours.

« Ne voulant donc en aucun cas manquer à la débonnaireté[1] héréditaire de mes parents, à présent je vous pardonne et vous délivre, je vous laisse aller francs et libres comme avant. De plus, en franchissant les portes, chacun d'entre vous sera payé pour trois mois, afin que vous puissiez rentrer dans vos foyers, au 5 sein de vos familles. Six cents hommes d'armes et huit mille fantassins vous conduiront en sûreté, sous le commandement de mon écuyer Alexandre, pour éviter que vous ne soyez malmenés par les paysans. Que Dieu soit avec vous ! Je regrette de tout mon cœur que Picrochole ne soit pas ici, car je lui aurais fait comprendre que cette guerre s'était faite en dépit de ma volonté et sans que 10 j'eusse espoir d'accroître mes biens ou ma renommée. Mais puisqu'il a disparu et qu'on ne sait où ni comment il s'est évanoui, je tiens à ce que son royaume revienne intégralement à son fils ; comme celui-ci est d'un âge trop tendre (il n'a pas encore cinq ans révolus), il sera dirigé et formé par les anciens princes et les gens de science du royaume. Et, puisqu'un royaume ainsi décapité serait 15 facilement conduit à la ruine si l'on ne réfrénait la convoitise et la cupidité de ses administrateurs, j'ordonne et veux que Ponocrates[2] soit intendant de tous les gouverneurs, qu'il y ait l'autorité nécessaire et qu'il veille sur l'enfant tant qu'il ne le jugera pas capable de gouverner et de régner par lui-même.

Rabelais, *Gargantua* (1535).

1. **Débonnaireté** : bonté. 2 **Ponocrates** : précepteur humaniste de Gargantua.

DOCUMENT 3

Montaigne a rencontré des « sauvages » venus visiter la France. Il raconte une conversation réelle qu'il a eue avec eux. De cette expérience personnelle, il tire une réflexion sur les sociétés primitives et civilisées.

« Trois d'entre eux, ignorant combien coûtera un jour à leur repos et à leur bonheur la connaissance des corruptions de deçà[1], et que de ce commerce naîtra leur ruine, comme je présuppose qu'elle soit déjà avancée, bien misérables de s'être laissé piper[2] au désir de la nouvelleté, et avoir quitté la douceur de leur 5 ciel pour venir voir le nôtre, furent à Rouen, du temps que leur feu roi Charles neuvième y était[3]. Le Roi parla à eux longtemps ; on leur fit voir notre façon, notre pompe[4], la forme d'une belle ville. Après cela, quelqu'un en demanda à leur avis, et voulut savoir d'eux ce qu'ils y avaient trouvé de plus admirable[5] ; ils répondirent trois choses, d'où j'ai perdu la troisième, et en suis bien marri ; 10 mais j'en ai encore deux en mémoire. Ils dirent qu'ils trouvaient en premier lieu fort étrange que tant de grands hommes, portant barbe, forts et armés, qui étaient autour du Roi (il est vraisemblable qu'ils parlaient des Suisses de sa garde), se soumissent à obéir à un enfant[6], et qu'on ne choisissait plutôt quelqu'un d'entre eux pour commander ; secondement (ils ont une façon de 15 leur langage telle, qu'ils nomment les hommes moitié les uns des autres[7]) qu'ils avaient aperçu qu'il y avait parmi nous des hommes pleins et gorgés de toutes sortes de commodités, et que leurs moitiés étaient mendiants à leurs portes, décharnés de faim et de pauvreté ; et trouvaient étrange comme ces moitiés ici nécessiteuses pouvaient souffrir une telle injustice, qu'ils ne prissent[8] les autres 20 à la gorge, ou missent le feu à leurs maisons.

Je parlai à l'un d'eux fort longtemps ; mais j'avais un truchement[9] qui me suivait si mal et qui était si empêché à recevoir mes imaginations par sa bêtise, que je n'en pus tirer guère de plaisir. Sur ce que je lui demandai quel fruit il recevait de la supériorité qu'il avait parmi les siens (car c'était un capitaine, et 25 nos matelots le nommaient Roi), il me dit que c'était marcher le premier à la guerre ; de combien d'hommes il était suivi, il me montra un espace de lieu, pour signifier que c'était autant qu'il en pourrait en un tel espace, ce pouvait être quatre ou cinq mille hommes ; si, hors la guerre, toute son autorité était expirée, il dit qu'il lui en restait cela que, quand il visitait les villages qui dépen- 30 daient de lui, on lui dressait des sentiers au travers des haies de leurs bois, par où il pût passer bien à l'aise.

Tout cela ne va pas trop mal : mais quoi, ils ne portent point de hauts-de-chausses !

Montaigne, *Essais* (1580-1592). I, 31, orth. modernisée, © Gallimard, coll. « Bibliothèque de la Pléiade.

1. **De deçà** : de notre côté de l'océan par rapport au nouveau monde, donc : de notre monde. 2. **Piper** : tromper. 3. En 1562. 4. **Notre pompe** : notre cérémonial, nos rituels. 5. **De plus admirable** : de plus remarquable et étonnant. 6. Charles IX accède au trône à douze ans. 7. Il considère tout homme comme la moitié d'un autre, témoignage de leur solidarité. 8. **Qu'ils ne prissent** : sans prendre. 9. **Un truchement** : un interprète.

CORRIGÉ

CORRIGÉ RÉDIGÉ

POINT MÉTHODE

Connaître les pièges de la réponse à la question sur le corpus

Il faut éviter :

- les réponses trop brèves ou trop longues
- les réponses non structurées et la juxtaposition d'analyses des documents
- les réponses non appuyées sur les textes et l'absence de citations ou de références aux documents
- la paraphrase des textes
- une introduction passe-partout ou plate, sans phrase d'accroche en relation avec la question
- le renvoi maladroit aux documents du type *Le document 1...*

Qu'il s'agisse d'un essai fantaisiste et ironique comme *L'Éloge de la folie* d'Érasme, d'un « roman », parodie d'épopée comme *Gargantua* de Rabelais, ou d'une autobiographie comme les *Essais* de Montaigne, ces trois textes, pourtant de dates différentes, portent la **marque des valeurs humanistes**. Tantôt ces valeurs sont explicites, tantôt le lecteur les déduit par opposition avec des personnages qui bafouent ces valeurs.

L'humaniste entend que la vie soit marquée par la juste mesure et l'**équilibre** : ces valeurs prennent la forme du « bon sens » et de la sagesse (« sages ») chez Érasme qui présente négativement les « princes » comme des personnes qui vouent un culte à la « folie ». Grangousier, père de Gargantua, veut « réfrén[er] la convoitise et la cupidité ». Montaigne critique la « pompe » des cérémonies autour du roi de France et déplore que certains sujets soient « pleins et gorgés de toutes sortes de commodités ».

L'idéal de la **juste mesure** est inspiré des Anciens, notamment du poète latin Horace qui vante dans ses *Odes* l'***aurea mediocritas*** (« le juste milieu aussi précieux que l'or »).

■ Le **respect de l'autre** découle de cette modération qui exclut tout abus. En effet, pour l'humaniste, les hommes, même s'ils sont différents, ont droit aux mêmes égards : pour Érasme, il faut « ne viser qu'au bien général » ; Gargantua n'humilie pas les vaincus, mais veut les renvoyer « francs et libres comme avant » ; les « sauvages » que Montaigne prend comme modèles considèrent tout être humain comme leur « moitié ». Ce respect amène à la **solidarité** et au **partage**, vertus que les mauvais rois oublient – ceux d'Érasme, guidés par la Folie, pillent la fortune de leurs sujets, et Picrochole veut soumettre sans pitié ses ennemis. Il en va de même chez Montaigne pour les riches insensibles à leurs moitiés « décharné[e]s de faim et de pauvreté ». C'est ce que l'on appelle l'**humanité** (dont on retrouve la racine dans *humaniste*).

■ Ce partage concerne les richesses, mais aussi le pouvoir. Les trois textes proposent une **conception humaniste de l'exercice du pouvoir** : pour gouverner, il faut être en pleine possession de sa raison et de sa maturité (le roi Charles IX est un « enfant » et Gargantua estime que le fils de Picrochole est « d'un âge trop tendre » pour être roi) et avoir conscience de ses responsabilités : les rois « fous » « laissent aux Dieux l'arrangement des affaires », Picrochole engage une guerre meurtrière sans aucune raison ; au contraire, le « capitaine » des « sauvages » « march[e] le premier à la guerre » pour défendre ses sujets.

■ Toutes ces valeurs vont de pair avec une **exigence de lucidité et d'authenticité** : le vrai humaniste ne doit pas se laisser abuser ni tromper les autres par les apparences et les futilités. Les rois « fous » « croient remplir pleinement la fonction royale », mais c'est un leurre ; ils usent de « flatteries » et de « prétextes habiles qui couvriront d'un semblant de justice la pire iniquité ». Gargantua parle de « tout [son] cœur » sans détours aux prisonniers. Montaigne déplore que les sauvages se laissent « piper » par la « nouvelleté », mais il loue leur franchise.

■ Enfin, l'**indulgence** et le **pardon** sont le signe de la mansuétude chère aux humanistes et héritée du respect de Dieu : « le Roi véritable [Dieu] qui ne tardera pas à [...] demander compte de la moindre faute » sera juste dans sa sévérité ; Gargantua calque sa conduite sur le Dieu qu'il invoque (« Que Dieu soit avec vous ! »).

Ces idéaux et ces valeurs humanistes ont ouvert la voie aux philosophes des Lumières qui reprendront, sous le signe de la raison plus que de la morale, le combat des sages du XVIe siècle.

Les **humaniste[s]** s'inspiraient de[s] idéaux anciens, notamment de la phrase du dramaturge lati[n] Térence : *Homo* ***et humani nihi[l a]* *me alienum pu[to]*** (« Je suis homm[e ;] rien de ce qui es[t] humain ne m'es[t] étranger. »)

Le roi **François** (1494-1547) concrétise l'idéa[l] humaniste et ressemble au Gargantua de Rabelais. Son rè[gne] est marqué par [un] développement important des a[rts] et des lettres.

SUJET 25 | L'œil « naïf » des sauvages

COMMENTAIRE

Vous commenterez le texte de Montaigne (→ document 3, p. 256).

DÉMARRONS ENSEMBLE

- Élaborez la **définition** du texte (→ sujet 3) : *extrait d'autobiographie* [genre] *qui raconte* [type] *une rencontre avec des sauvages* [thème], *satirique, épidictique* [registres], *vivant, critique et élogieux* [adjectifs] *pour dénoncer les mœurs françaises et faire l'éloge de la vie naturelle* [buts].
- Analysez ce qui donne de l'**authenticité**, de la **vivacité** à cette anecdote vécue.
- Explicitez le regard de Montaigne sur la société française, ses **critiques explicites et implicites**. Étudiez comment il présente les **sauvages**.

CORRIGÉ

PLAN DÉTAILLÉ

POINT MÉTHODE

Composer l'introduction et la conclusion d'un commentaire

- Dans l'introduction vous devez **intégrer** le texte dans un ensemble plus large en rapport avec lui (époque, mouvement...), **nommer et replacer** l'auteur dans son époque ; **replacer** l'extrait dans l'œuvre (qu'il faut caractériser) et répondre brièvement aux questions (qui ? quoi ? où ? quand ? comment ?) ; **présenter** le texte (quelle est sa teneur) ; **annoncer** votre plan (les centres d'intérêt que vous avez retenus).
- Dans la conclusion, vous devez faire une rapide **synthèse** des idées auxquelles vous êtes arrivé ; porter un **jugement** personnel sur le texte et son intérêt littéraire ; ouvrir des **perspectives** plus larges à partir du texte.

[INTRODUCTION RÉDIGÉE]

[AMORCE] À la suite de la colonisation du nouveau monde par les Européens, Montaigne se renseigne sur les civilisations dites primitives et, fidèle à sa méthode, privilégie l'expérience : [PRÉSENTATION DU TEXTE] il raconte dans ses *Essais* sa rencontre avec des « sauvages » venus en France. [ANNONCE DES AXES] Le récit vivant de cette anecdote l'amène à réfléchir sur notre société [I] : le « cannibale », par son regard décapant, souligne les défauts de notre monde [II] ; Montaigne semble faire du sauvage un modèle pour nos sociétés [III].

Évitez les détails biographiques inutiles. Faites des observations utiles, comme l'âge de l'auteur quand il écrit le texte, et laissez tout détail sans rapport direct avec le texte.

I Mise en scène d'une expérience vécue

1. Des indications précises qui donnent de la véracité

La scène racontée crée un effet de réel et d'authenticité.

- Montaigne indique le nombre des visiteurs : « trois ».
- La scène est précisément située dans le lieu, « à Rouen ».
- Elle est implicitement située dans le temps par la périphrase « du temps que leur feu roi Charles neuvième y était » (1562).

2. Une scène vivante

- Les paroles rapportées sont fréquentes : il n'y a pas de discours direct, mais de nombreux verbes de parole et du style indirect.
- Des tableaux pittoresques sont esquissés : celui du roi (enfant) qui « parla longtemps », l'excursion organisée (le groupe ternaire « façon / pompe / belle ville » est emphatique), le portrait esquissé des « Suisses »...
- Des interventions personnelles impliquent Montaigne, donnent de la spontanéité et créent la complicité avec le lecteur (sa mauvaise mémoire, ses ennuis avec l'interprète).

Un **groupe** ou **rythme ternai**[re] (succession de trois mots ou groupes de mots de même nature) crée l'amplification et donne un ton oratoire, insista[nt], emphatique.

[TRANSITION] Le texte prend au début l'allure d'une fable qui pourrait s'intituler « Les trois cannibales et le roi des Français... ». Or, toute fable implique une leçon, une réflexion.

II L'étranger comme révélateur : la critique de notre société

L'intention de tirer une réflexion de cette anecdote apparaît dès la construction oratoire de la première phrase ; Montaigne mêle au récit des notions abstraites (« repos, bonheur », « ruine, désir de nouvelleté »).

1. Critique implicite, critique explicite

- La critique implicite des Français apparaît dans la présentation de la scène (les Français font tout pour éblouir les sauvages, signe d'outrecuidance) et dans la façon tendancieuse dont la question est posée aux sauvages (« admirable » signifie « remarquable »).
- La critique explicite se trouve dans la réponse des sauvages : ils n'ont rien trouvé d'« admirable » au sens de remarquable, mais quelque chose « d'étrange » (jeu sur le sens de « remarquable »).

- La critique est soulignée par un vocabulaire faussement naïf décapant (une périphrase désigne les Suisses et en fait ressortir l'étrangeté – «grands», «barbe», «forts», «armés») et par les «traductions» entre parenthèses de Montaigne (l. 12-13, 14-15, 24-25).

2. La critique politique

- Elle met en évidence la situation paradoxale qu'amène la monarchie héréditaire : le pouvoir échoit à «un enfant» (Charles IX a douze ans).
- Le paradoxe est souligné par le jeu d'opposition et de disproportion des membres de phrase (longue description des Suisses opposée à un seul mot «un enfant», avec un verbe inattendu entre les deux [«obéir»] qui crée la surprise) et par la logique du raisonnement des sauvages qui proposent une solution à ce paradoxe, évidente : l'inversion des rôles.

[TRANSITION] Cependant, la critique politique est rapide et beaucoup moins appuyée que la critique sociale.

3. La critique sociale

- Montaigne dénonce l'injustice sociale, le manque de fraternité et de charité et le fait que ces injustices puissent se maintenir.
- La violence de la critique est soulignée par le réalisme des descriptions des pauvres en opposition avec les riches («pleins et gorgés», «mendiants à leurs portes, décharnés de faim et de pauvreté»), la répétition de «hommes» et «moitié» (qui rappellent le principe de solidarité) et le tableau final qui suggère qu'une telle injustice appelle logiquement la révolte («prissent à la gorge», «missent le feu» suggèrent des visions concrètes frappantes).

Le registre **épidictique** vise au blâme (portrait critique) ou à l'éloge (dans les oraisons funèbres, les blasons, les poèmes d'amour, la publicité). Il recourt souvent à l'amplification.

III L'image d'une société modèle ?

Pour Montaigne, «il n'y a rien de barbare et de sauvage en cette nation».

1. Un interrogatoire très différent

La deuxième scène rend compte d'un interrogatoire très différent. Les rôles sont renversés : les questions portent sur la civilisation cannibale.

- Montaigne est celui qui pose les questions (et non «quelqu'un», l. 7) : c'est un sage mû par le désir d'apprendre (et non d'éblouir) qui mène bien l'interrogatoire : trois questions précises (et non une seule vague), habiles, en progression logique, qui appellent des réponses concrètes.

- L'identité de son **interlocuteur, le « capitaine »**, suggère la comparaison implicite avec le roi de France dont il est tout l'opposé : le roi ne prenait pas la parole, était un enfant ; lui parle bien (rythme ample et calme de sa réponse, en une progression croissante).

2. Le roi idéal

- Le capitaine dresse, à l'aide de réponses concrètes, le **portrait du bon roi** : en âge d'agir en roi, il a la force nécessaire ; il n'a pas de privilèges, mais des devoirs et prend des risques (« marcher le premier à la guerre »). Il a la supériorité mais dans le dévouement.
- Le fondement de son autorité est son **ascendant personnel**, son esprit de fraternité, de solidarité et son charisme : c'est un **monarque éclairé** en temps de paix, préoccupé de son peuple (« il visitait les villages »).
- Les marques de **respect de la part de son peuple** ne sont pas exorbitantes, mais humaines, signe de leur reconnaissance (« on lui dressait des sentiers »).

3. Le portrait élogieux des « sauvages »

- L'**opposition entre les deux mondes** est soulignée par le jeu des pronoms, le contraste entre « repos », « bonheur » et « ruine », « corruption » et le vocabulaire péjoratif qui qualifie notre monde (« coûter », « ruine », « corruption », « piper »)
- Des notations éparses composent un **portrait élogieux des « sauvages »** : ce sont des esprits curieux (« désir de nouvelleté »), simples et concrets, qui ne se laissent pas éblouir, qui ont de la lucidité et de l'esprit critique, de la logique et de la rigueur dans la parole (leur réponse : « en premier lieu », « secondement »).
- L'**ironie** de la dernière phrase, détachée typographiquement, souligne l'attitude sectaire des Français : Montaigne feint de penser que des gens habillés en sauvages ne sont pas crédibles ; mais en fait, il montre par là qu'entre les cannibales et les Français, il n'y a qu'une différence vestimentaire.

[CONCLUSION]

Le texte a valeur de témoignage et est porteur des valeurs humanistes ; il est aussi précurseur du siècle des Lumières.

> Le XVIIIe siècle exploitera l'**idé[e] du despote éclairé** : c'est un monarque d[e] droit divin dont le comporteme[nt] politique est gu[idé] par la raison, qu[i] demande conse[il] aux philosophe[s] des Lumières p[our] mettre en œuvr[e] des réformes (le roi de l'Eldorad[o] dans *Candide* d[e] Voltaire).

> Montesquieu reprend dans *Le[s] Lettres persane[s]* (1721) le procé[dé] du regard naïf de l'étranger et le ton ironique de Montaigne (lettre 30 : « Comment peu[t-]on être persan ? »)

Les réécritures (série L)

FICHES

BILAN

SUJETS CORRIGÉS

52 Les types de réécriture

Écrire suppose généralement l'existence de modèles que l'on imite, déforme ou s'approprie. Tout texte porte la marque d'un héritage culturel, dont on peut repérer les influences multiples. Les formes de réécriture sont variées.

I La réécriture : définition et objectifs

- L'art – et la littérature en particulier – est réécriture en ce sens que l'homme y exprime ses préoccupations fondamentales (sa relation à la nature, aux autres, le sens de sa vie, sa peur de la mort et du temps qui fuit, l'existence du divin...). La **gamme de thèmes littéraires** est donc relativement **limitée**.
- Il n'y a pourtant pas de monotonie mais une variété littéraire extraordinaire, car chaque auteur fait entendre sa voix singulière : il **s'inscrit dans une tradition**, pour la suivre ou la contester, pour imiter ou innover. Ainsi, les réécritures peuvent adopter un **principe d'imitation** ou un **principe de recherche de l'écart**.

L'**intertextualit[é]** désigne les rapports entre u[ne] œuvre et d'autre[s] qui l'ont précéd[ée] ou suivie.

II Les formes de réécriture

Les modalités et les formes de réécriture changent en fonction des intentions de son auteur, du destinataire, du contexte historique et culturel.

1. Les emprunts

- **La citation.** L'auteur reprend une ou plusieurs phrases d'un autre auteur en signalant son emprunt par la typographie (italique ou guillemets), soit pour soutenir son idée (la citation sert alors d'argument d'autorité), soit pour la contester.

Pour soutenir sa méditation sur la mort, Montaigne cite en latin dans ses *Essais* le poète latin Horace (*Épîtres* I, 4) :

« Imagine-toi que chaque jour est le dernier qui luit pour toi : elle te sera agréable l'heure que tu n'espérais plus. Il est incertain où la mort nous attende, attendons-la partout.

- **L'allusion.** C'est une référence à un texte, un personnage, une situation connus, sorte de clin d'œil au lecteur qui crée une complicité avec lui.

Le titre de la fable de Queneau (1903-1976) « La grenouille qui voulait se faire aussi ronde qu'un œuf » est une allusion à la fable de La Fontaine « La grenouille qui veut se faire aussi grosse que le bœuf ».

La reprise. L'auteur puise dans les œuvres de ses prédécesseurs un sujet, un (des) personnage(s), une histoire... et se les approprie en les traitant à sa façon.

La Fontaine reprend bon nombre de fables d'Ésope ou de Phèdre.
Anouilh reprend la tragédie *Antigone* de Sophocle.

2. Les variations

Au sens propre. L'auteur réécrit un même énoncé mais en varie les modes ou faits d'écriture.

35 Variations sur un thème de Marcel Proust de Georges Perec (1974) propose de nombreuses variations (de l'alexandrin au lipogramme) sur la célèbre phrase de Proust : « Longtemps je me suis couché de bonne heure » :

« **Lipogramme en E**
Durant un grand laps l'on m'alita tôt

Dans un sens plus large. On désigne par ***variations sur...*** les réécritures successives sur un thème, un personnage, un mythe...

Variations sur le mythe de la création du monde, sur le personnage d'Œdipe, de Dom Juan...

Une scène, un thème souvent repris dans la littérature ou les arts deviennent un **topos** : scènes d'aveu, de rupture en littérature, crucifixion, descente de la croix, Nativité en peinture...

3. Les imitations

Le pastiche. C'est un **jeu littéraire** : l'auteur imite le style ou la manière d'un écrivain, sans intention agressive ou moqueuse, mais le plus souvent pour marquer l'**admiration** qu'il porte à son modèle. Il s'appuie sur une analyse littéraire fine. C'est un *À la manière de...*

Le **plagiat** est une reprise quasi intégrale du texte source, condamnée par la loi.

Proust a pastiché Balzac et Flaubert dans son ouvrage intitulé *Pastiches et Mélanges* (1919).

La parodie. C'est aussi l'imitation d'une œuvre, en général célèbre et sérieuse, ou d'un style, mais dans le registre comique ou humoristique. Elle déforme, caricature l'œuvre originale et mélange les registres et les genres. Elle repose sur des effets de décalage avec le texte source (→ exemple page suivante).

Le **burlesque** traite sur un ton familier et comique des sujets nobles ou sérieux : *Virgile travesti* de Scarron.

L'**héroï-comique** recourt au style noble pour traiter d'un sujet banal : *Le Lutrin* de Boileau.

Un exemple de parodie littéraire

« Les sanglots longs
Des violons
De l'automne
Blessent mon cœur
D'une langueur
Monotone

Verlaine, « Chanson d'automne »,
Poèmes saturniens (1866).

« Les tangos lents
Des violents
En dix tonnes
Laissent ma sœur
D'une minceur
Qui m'étonne

Michel Deville, « Verlaine sur l'autoroute »,
Poézies (1990), © Le Cherche-midi éditeur.

III Les procédés de réécriture

1. Transposition, adaptation

Le changement de genre

Corneille s'inspire pour sa tragédie *Horace* du récit en prose de l'historien latin Tite-Live.

Le changement de forme de discours, de point de vue et de narrateur

Voltaire met en œuvre ces trois changements lorsqu'il utilise *L'Histoire des voyages de Scarmentado par lui-même* comme premier état de son conte philosophique *Candide*: l'autobiographie imaginaire de Scarmentado qui tient en quelques pages devient un récit de plusieurs centaines de pages à la troisième personne.

Le changement de registre (fréquent dans la parodie)

Chimène, dans *le Cid*, avoue avec retenue à Rodrigue qu'elle l'aime encore, bien qu'il ait tué son père:

« Va, je ne te hais point.

Dans *La Négresse Blonde* (1909), Georges Fourest parodie *Le Cid*:

« Dieu!
Qu'il est joli garçon l'assassin de Papa!

Il faut connaître ces procédés pour traiter les sujets d'**écriture d'invention** (qui demandent des suites de textes o[u] la transposition d'un texte du corpus) et le **commentaire de texte** (la connaissance des rapports entre le texte et d'autres textes – sources, modèle, emprunt divers... – permet de saisir son originalité).

2. Amplification, réduction

L'amplification constitue une expansion du texte source. Ainsi, les auteurs rajoutent souvent des commentaires ou des variantes à la première version de leurs œuvres.

Montaigne a constamment enrichi ses *Essais* de 1580 à 1592.

La réduction. À l'inverse, les poètes ou auteurs de maximes procèdent plus souvent par élimination, à la recherche d'une concision plus frappante.

53 Petite histoire des réécritures

La pratique de la réécriture par emprunt et imitation a changé de visée et a été perçue différemment selon le contexte artistique et culturel : tantôt marque d'admiration, tantôt outil de dérision, tantôt champ d'expérience littéraire.

I Jusqu'au XVIIe siècle : l'imitation encouragée

Jusqu'à une époque récente, la littérature européenne ne considérait pas l'imitation des grandes œuvres antiques grecques et latines comme un plagiat.

1. Dans l'Antiquité : la réécriture, un exercice formateur

- **L'apprentissage de la rhétorique**. La pédagogie des rhéteurs antiques s'appuie sur l'imitation des grands orateurs, en reprenant les *topoi* (→ fiche 44).
- **L'apprentissage de la poésie**. La poésie latine du Ier siècle s'inspire des poètes grecs de l'école d'Alexandrie (IIIe et IIe siècles av. J.-C.) : les Latins Tibulle et Ovide s'inspirent des thèmes bucoliques et amoureux du grec Théocrite.

2. La Renaissance : l'imitation des Anciens

- L'humanisme du XVIe siècle se fonde sur l'**imitation des Anciens**, considérés comme des modèles à adapter. Elle est au cœur de l'esthétique de la **Pléiade**.
- L'**emprunt**, dans la **forme** (reprise des formes antiques : épîtres, églogues) ou dans les **sujets** (fuite du temps, amour…), est apprécié comme une qualité.

3. Le XVIIe siècle : querelle autour de l'*imitation-admiration*

- L'esthétique classique visait à **« plaire et instruire » en imitant les Anciens**. Ainsi Corneille et Racine s'inspirent des **tragédies antiques**, des récits des historiens et des mythes antiques.
- **La Fontaine** compose des fables inspirées du grec Ésope et du latin Phèdre. Il imite en conservant une grande liberté : comme il n'y a pas de règles pour la fable, genre hybride et mineur, il peut librement transposer ses sources dans son époque.
- Le talent de l'écrivain ou de l'artiste se mesure alors à sa **capacité à adapter son imitation à son temps** et par là à **innover**.
- À la fin du siècle, la réécriture *imitation-admiration* pratiquée par les auteurs classiques est au cœur de la **querelle des Anciens et des Modernes**, ces derniers voulant s'affranchir du modèle imposé des auteurs de l'Antiquité.

Les classiques puisent aussi dans les **épopées espagnoles** : *Le Cid* de Corneille (1636) reprend une épopée espagnole du XVIe siècle de Tomas Antonio Sanchez et une épopée dramatique, *Las Mocedades del Cid* (1618).

II Le XVIIIe siècle : entre dérision et sérieux

■ **Dérision et distanciation.** Le désir de tout critiquer et de se démarquer des modèles amène les écrivains du siècle des Lumières à imiter en pastichant ou en parodiant. Ces réécritures ont souvent une visée **polémique**.

Voltaire a pratiqué de nombreuses parodies : *Zadig* s'inspire des *Mille et Une Nuits*, alors très en vogue. *Candide* est une nouvelle *Odyssée* et une parodie, à travers Pangloss, de la philosophie de l'Allemand Leibniz.

■ **Des échos plus sérieux.** Les œuvres des philosophes portent parfois les marques d'inspiration plus sérieuse.

La base de l'*Encyclopédie* de Diderot est la traduction de la *Cyclopaedia or Universal Dictionary of Arts and Sciences* de l'Anglais Chambers (1680-1740). Le roman épistolaire de Rousseau *La Nouvelle Héloïse* s'inspire des *Lettres d'Héloïse et Abélard* (XIIe siècle).

III Le XIXe siècle : le désir de se distinguer

■ Au XIXe siècle, les écrivains romantiques privilégient le culte de l'individu, mettent en avant la **recherche de l'originalité** et pratiquent peu la réécriture.

■ Ils ne peuvent cependant pas échapper à l'**influence de certains modèles.**

Le drame romantique de Hugo est fortement inspiré du théâtre de Shakespeare. En pleine période positiviste et naturaliste, *Cyrano de Bergerac* d'Edmond Rostand a les allures et les accents du drame romantique.

IV Le XXe siècle : la réécriture tous azimuts

■ **Le goût du jeu impertinent.** Les jeux de réécriture sont de nouveau fréquents au XXe siècle : pour les surréalistes, c'est un moyen de se libérer, par l'humour d'une imitation parodique, des grandes œuvres du patrimoine et de la tradition.

■ **La réécriture comme champ d'expérience.** La réécriture redevient exercice de style à la fois ludique et sérieux pour l'OuLiPo (Ouvroir de Littérature Potentielle), fondé par Raymond Queneau, qui cherche à renouveler le langage.

■ **Les grands mythes réactualisés** (→ fiche 54). Plus sérieusement, pour rendre compte de leur réflexion sur la condition humaine et des préoccupations d'un siècle traversé par des événements dramatiques, les écrivains du XXe siècle reviennent aux mythes anciens en les modernisant, créant parfois des anachronismes volontaires.

54 Mythes et réécritures

La réécriture littéraire, aussi bien sérieuse que comique, imitation ou transformation, porte très souvent sur des mythes inspirés par les préoccupations humaines.

I Qu'est-ce qu'un mythe ?

1. Des mythes sacrés fondateurs...

- À l'origine, le mythe est lié à la religion et a une fonction explicative. C'est un **récit fabuleux** retranscrit dans les textes fondateurs (*Iliade, Odyssée* d'Homère, *Énéide* de Virgile, Bible...) destiné à **expliquer les énigmes et questions** que l'homme ne peut résoudre par la raison.

Le mythe de la création de l'univers (la Genèse), le mythe de l'âge d'or, le mythe de la descente aux enfers…

La **mythologie** est l'ensemble des mythes fondateurs d'une civilisation. Les mythes qui traitent de l'histoire des dieux sont des **théogonies**, ceux qui traitent de l'histoire du monde des **cosmogonies**.

2. ... au mythe littéraire

- Au fur et à mesure que la raison et la science résolvent les énigmes, le mythe **perd de sa dimension religieuse**, mais il est loin de disparaître : il change d'acception.
- En littérature, il désigne :

- un **récit allégorique transmis par la tradition** qui s'inscrit dans la mémoire collective et a une valeur universelle ;

Prométhée est puni pour avoir apporté aux hommes le feu, symbole du pouvoir divin.

Œdipe tue son père et épouse sa mère : l'inceste provoque des conséquences horribles sur toute sa descendance (→ sujet 6).

- ou l'**histoire d'un personnage** dont la portée a suscité de nombreuses réécritures, au point que l'on en oublie son créateur et qu'il devient une figure littéraire voire artistique (→ fiche 55).

Tristan, Faust, Pyrame et Thisbé, Roméo et Juliette, Dom Juan, Robinson Crusoé…

- Ainsi, la culture européenne se nourrit de **grandes figures littéraires** qu'elle a créées et qui sont des symboles, l'incarnation de pulsions profondes qui poussent les hommes.

Don Juan est le séducteur mais aussi celui qui revendique sa liberté par rapport aux lois de la société (→ sujet 26).

Un **personnage historique** réel, qui a inspiré de nombreuses œuvres littéraires, peut devenir un mythe littéraire : Alexandre le Grand, Roland, Jeanne d'Arc, Napoléon...

■ **Étudier la réécriture d'un mythe**, c'est mesurer ce que l'écrivain a gardé du mythe originel, ce qu'il a ajouté et modifié pour l'adapter à son contexte, et trouver le sens que l'auteur lui donne (→ sujet 26).

Le dialogue entre Antigone et sa sœur Ismène tourne chez Sophocle autour de ce qui est « juste », chez Anouilh autour du bonheur. L'enjeu de la pièce en est transformé.

II L'admiration pour l'Antiquité

Aux **XVIe et XVIIe siècles**, les mythes antiques servent de modèles.

■ Les **poètes du XVIe siècle** (→ fiche 50) y trouvent sources d'inspiration et motifs littéraires inépuisables : ils s'inspirent de la guerre de Troie et des dieux.

Dans son sonnet amoureux « Je ne suis point, ma guerrière Cassandre… », Ronsard réécrit en quelques vers la guerre de Troie.

■ Les **tragédies classiques** (→ fiche 17) réécrivent les histoires mythiques qui provoquent « terreur et pitié » et favorisent la *catharsis*.

Horace de Corneille, *Phèdre* et *Andromaque* de Racine…

■ **L'épopée** emprunte des figures de héros et des épisodes symboliques à la mythologie gréco-romaine et à la Bible.

Ronsard, dans sa *Franciade* (1572) à la gloire du roi Henri II, imagine la vie de Francus, prétendu fils du héros troyen Hector, qui aurait été à l'origine de la nation française.

Parfois, la réécriture prend un tour burlesque et comique.

Le Virgile travesti de Scarron est une parodie de l'*Énéide* de Virgile.

■ Mais ces réécritures de mythes portent la **marque de leur contexte**.

Racine donne à ses personnages (Iphigénie, Andromaque) un style classique.

III Le renouvellement moderne des mythes

Les XXe et XXIe siècles revisitent de nombreux mythes tout en leur donnant des **dimensions politiques, idéologiques et psychologiques** qui sont radicalement différentes de leurs modèles.

Antigone de Sophocle parle des relations de l'homme avec sa famille, sa cité et les dieux, du conflit entre les lois divines et les lois de la cité. Quinze siècles plus tard, *Antigone* d'Anouilh (1944) se révolte par idéalisme, par refus de vivre en acceptant les compromis dans une société trop matérialiste.

Giraudoux, dans sa pièce *La guerre de Troie n'aura pas lieu* (1935), s'appuie sur l'*Iliade* d'Homère mais pour adresser, avec humour et fantaisie, un message de paix et de raison, alors que les menaces de guerre avec l'Allemagne deviennent de plus en plus précises (→ sujet 20).

IV L'originalité de la réécriture de mythes

■ **La réécriture d'un mythe** présente des **particularités** par rapport à une réécriture usuelle car le mythe combine un sens originel précis, une part d'universalité et l'interprétation réactualisée qui lui donne une nouvelle dimension (c'est la part de singularité de chaque œuvre).

■ **À chaque époque ses mythes favoris**... Chaque siècle privilégie les mythes qui correspondent à sa vision de l'homme et à ses goûts esthétiques : quête de la beauté et de la connaissance à la Renaissance, instabilité et illusion pour les baroques, analyse de l'âme humaine universelle pour les classiques, déchirement intérieur et revendication de liberté chez les romantiques, sentiment de l'absurde et révolte de l'individu au XXe siècle. Le XVIIIe siècle – siècle de la raison et de la modernité – n'a repris que rarement les mythes anciens.

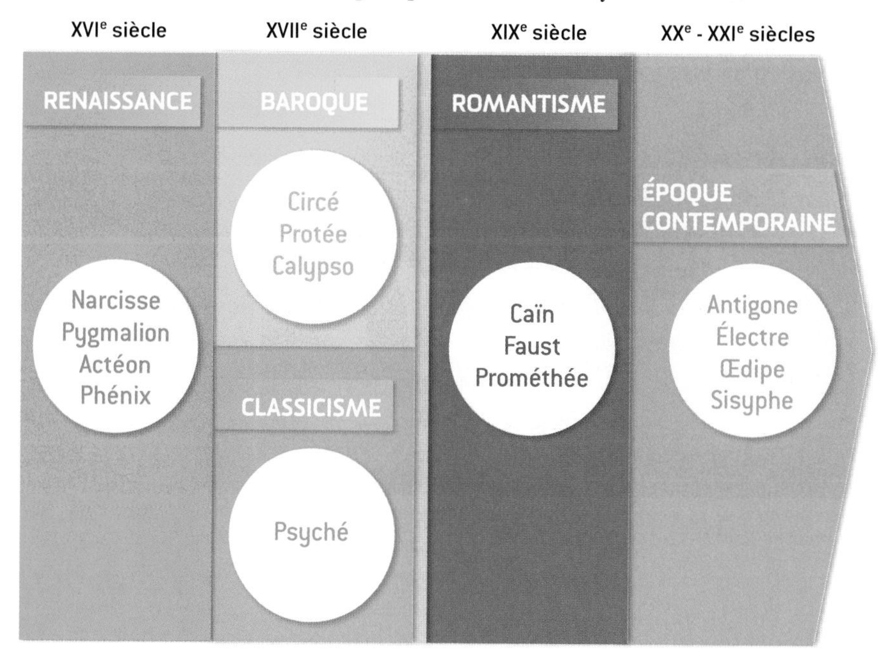

55 Les réécritures dans les arts

La réécriture est un phénomène qui ne se limite pas à la littérature, mais concerne tous les arts : celle-ci se pratique soit dans un même art, par imitation, soit d'un art à l'autre, par transposition.

I Les réécritures dans un même art (→ fiche 52)

On retrouve dans tous les arts les mêmes formes de réécriture qu'en littérature.

- La **citation** se pratique par exemple aussi en musique.

  En 1839, Schumann inclut la mélodie de la *Marseillaise* (de Rouget de Lisle) dans son *Carnaval de Vienne*. En 1967, dans la chanson *All You Need is love*, les Beatles citent les premières notes de la *Marseillaise*.

- Les **variations** sont fréquentes en peinture.

  Van Gogh fait de multiples autoportraits, selon son état d'âme.

- Les **imitations** de tableaux célèbres montrent les reprises successives : le **pastiche** imite (tableau 2) et la **parodie** déforme et caricature (tableau 3).

Léonard de Vinci, *La Joconde, portrait de Mona Lisa* (XVe siècle).

Jean-Baptiste Camille Corot, *La Femme à la perle* (XIXe siècle).

Philippe Halsman, *Portrait de Salvador Dalí en Mona Lisa* (1954).

Les deux tableaux sont inspirés de la Joconde : même attitude, même regard dirigé vers le spectateur. Mais le tableau de Corot est une transposition personnelle (le paysage a disparu) sans intention de caricature, alors que le portrait du surréaliste Dali est une parodie iconoclaste qui vise à se moquer de « l'art établi ».

II Les réécritures d'un art à l'autre

Les réécritures se font aussi souvent par **transposition** et par **adaptation** (→ fiche 52) **d'un art à l'autre**. Ainsi, la littérature entretient des liens étroits avec les autres arts.

1. De la littérature aux autres arts

- Les **pièces** de théâtre, les **romans** ou récits, voire des **poèmes**, ont été fréquemment **transposés en opéra ou en ballet**.

Le Barbier de Séville de Beaumarchais (1775) est adapté en opéra par Rossini (1816) et *Le Mariage de Figaro* (1778) par Mozart (*Le nozze di Figaro*, 1784). *Candide* (1759), le conte philosophique de Voltaire, l'a été plus récemment – contre la rigueur du maccarthysme – par Léonard Bernstein (1956).
Roméo et Juliette de Shakespeare (1597) a donné naissance à un ballet de Sergueï Prokofiev (1935). Le poème de Mallarmé « L'après-midi d'un faune » (1876) est mis en musique par Debussy et adapté en ballet par Nijinski (1912).

L'intention est parfois parodique : *La Belle Hélène* (1864) d'Offenbach ridiculise la guerre de Troie.

- Dans une civilisation où domine aujourd'hui l'image, nombre de **romans**, voire de **pièces**, sont **transposés au cinéma**. Les adaptations cinématographiques restent en général fidèles à l'œuvre mais jouent souvent sur des effets de décalage.

En 1959, Roger Vadim transpose librement le roman épistolaire *Les Liaisons dangereuses* (1782) de Laclos dans le film *Les Liaisons dangereuses* (1960). Gérard Oury, dans *La Folie des grandeurs* (1971), fait une adaptation burlesque du drame de Hugo, *Ruy Blas* (1838).

De 1967 à 2000, il y a eu treize adaptations au cinéma des *Misérables* de Hugo, cinq adaptations télévisuelles et une adaptation en comédie musicale.

2. Les arts source d'inspiration pour la littérature

- Inversement, **la littérature se nourrit des autres arts.**

Un tableau, un morceau de musique peuvent être décrits dans un poème ou un roman.

Dans son poème « Vénus Anadyomène » (1870), Rimbaud *réécrit* en s'en moquant le tableau de Botticelli, *La Naissance de Vénus* (1485).

- Certaines œuvres littéraires ***racontent* le travail de l'artiste.**

« Les phares » de Baudelaire évoque successivement les tableaux de Rubens, Léonard de Vinci, Rembrandt, Michel-Ange…

Le tableau de Vermeer *La Jeune Fille à la perle* (1665) a inspiré le roman historique de T. Chevalier (2000) qui imagine l'histoire de la création du tableau. Le roman a été lui-même adapté au cinéma (2003).

Quiz express

Vérifiez que vous avez bien retenu les points clés des **fiches 52 à 55.**

Qu'est-ce qu'une réécriture ?

1 Parmi ces mots, lesquels ne sont pas des synonymes de *réécriture* ?

☐ **1.** reprise
☐ **2.** imitation
☐ **3.** simulation
☐ **4.** interprétation
☐ **5.** illusion

Quelques définitions

2 Associez chaque mot à sa définition.

1. parodie
2. intertextualité
3. pastiche

a. rapports qu'un texte peut avoir avec d'autres textes
b. imitation sans intention moqueuse d'une œuvre ou d'un style
c. imitation comique ou humoristique d'une œuvre sérieuse ou d'un style

3 Associez chaque mot à sa définition.

1. burlesque
2. mythe
3. citation
4. amplification
5. allusion

a. reprise d'une ou de plusieurs phrases d'un autre auteur
b. expansion d'un texte modèle
c. récit allégorique à valeur universelle transmis par la tradition
d. référence à un texte, un personnage, une situation
e. transposition comique de sujets sérieux et nobles

Les formes de réécriture

4 Quelle est la réécriture la plus proche de son modèle ?

☐ **1.** le plagiat
☐ **2.** la parodie
☐ **3.** la citation
☐ **4.** la variation
☐ **5.** l'allusion

Les visées des réécritures

5 Associez sa visée essentielle à chaque type de réécriture.

1. la correction
2. l'allusion
3. la citation
4. le pastiche

a. s'exercer ou exprimer son admiration pour son modèle
b. améliorer le modèle
c. créer une complicité avec le lecteur
d. donner du poids à son propre propos ou soutenir/contester les propos d'un auteur

Histoire des réécritures

6 De qui s'est inspiré La Fontaine pour ses fables ?

☐ 1. Ésope ☐ 2. Socrate ☐ 3. Phèdre ☐ 4. Anouilh

7 Vrai ou faux ?

1. La querelle des Anciens et des Modernes oppose les partisans et les détracteurs de la réécriture.
2. Certains personnages historiques ont inspiré des œuvres littéraires.
3. Le XIXe siècle, et notamment le romantisme, est favorable à la réécriture.
4. Il y a eu au XXe siècle une réécriture du mythe d'Antigone.

8 Vrai ou faux ?

1. La parodie est condamnée par la loi de nos jours.
2. L'héroï-comique traite de sujets banals sur un ton noble.
3. Les mythes qui traitent de l'histoire du monde sont des cosmogonies.
4. Scarron a parodié l'*Énéide* de Virgile.

9 Associez chaque modèle à sa réécriture.

1. « La Cigale et la Fourmi » de La Fontaine
2. L'*Iliade* d'Homère
3. *Robinson Crusoé* de Defoë
4. *Candide* de Voltaire

a. *Vendredi ou la Vie sauvage* de Tournier
b. « La cimaise et la fraction » de Queneau
c. *La guerre de Troie n'aura pas lieu* de Giraudoux
d. *L'Histoire des voyages de Scarmentado par lui-même* de Voltaire

10 Rendez son personnage mythique favori à chaque siècle et mouvement.

1. Faust
2. Antigone
3. Protée
4. Psyché

a. XVIIe siècle, baroque
b. XIXe siècle, romantique
c. XVIIe siècle, classique
d. XXe siècle

CORRIGÉS

1. Réponses **3** (action de feindre) et **5** (à ne pas confondre avec *allusion*). • **2. 1c, 2a, 3b.** • **3. 1e, 2c, 3a, 4b, 5d.** • **4.** Réponse **3**, puis par ordre de « distance » prise par rapport au modèle : 1, 4, 2, 5. • **5. 1b, 2c, 3d, 4a.** • **6.** Réponses **1** et **3** : fabulistes antiques, le premier grec, le second latin. Socrate est un philosophe. Anouilh a écrit au XXe siècle. • **7. 1** Faux : les Anciens prônaient l'imitation des Anciens, les Modernes voulaient s'en affranchir mais ne refusaient pas la réécriture en soi. **2** Vrai. **3** Faux : les romantiques revendiquent leur originalité. **4** Vrai. • **8. 1** Faux : c'est le plagiat qui est condamné. **2** Vrai. **3** Vrai. **4** Vrai. • **9. 1b, 2c, 3a, 4d.** • **10. 1b, 2d, 3a, 4c.**

SUJET 26 | Le personnage de Dom Juan

QUESTION SUR LE CORPUS

En allant à l'essentiel, précisez ce qui caractérise le personnage de Don Juan et ses transpositions dans les cinq documents proposés.

DOCUMENTS

1. Molière, *Dom Juan ou le Festin de pierre* (première représentation le 15 février 1665), acte V, extrait de la scène 5 et scène 6
2. Eugène Delacroix, *Le Naufrage de Don Juan* (1839)
3. Charles Baudelaire, « Don Juan aux Enfers », *Les Fleurs du mal* (1857)
4. Jules Barbey d'Aurevilly, « Le plus bel amour de Don Juan », *Les Diaboliques* (1874)
5. Guy de Maupassant, *Mont-Oriol* (1887)

DÉMARRONS ENSEMBLE

- *Ce qui caractérise* ***le*** *personnage de Don Juan* implique de dégager les **points communs** entre les différents Don Juan ; *ses transpositions* invite à préciser **ce que chacun d'eux a d'original** (on vous demande d'analyser le problème de fond des réécritures : faire du nouveau avec du connu).
- En travail préliminaire, relevez dans un **tableau** à quatre colonnes les caractéristiques essentielles de chaque Don Juan.
- **Comparez ces quatre colonnes** et extrayez de votre tableau les **points communs**. Il restera alors dans votre tableau les **traits originaux** de chacun.
- N'oubliez pas le **tableau** de Delacroix ; Baudelaire s'en est inspiré pour écrire son poème. Analysez son titre et les techniques propres à la peinture pour caractériser un personnage : couleurs, attitude, personnages... (→ fiche 14).

DOCUMENT 1

Visitant le tombeau du Commandeur qu'il a tué, Dom Juan se moque du monument et de sa statue « en habit d'empereur romain ». Par dérision, il invite la statue à partager son souper ; elle accepte l'invitation puis invite Dom Juan pour le lendemain. Juste avant l'apparition de la statue, un spectre annonce à Dom Juan qu'il est perdu s'il ne se repent pas.

« [...] DOM JUAN. – Non, non, rien n'est capable de m'imprimer de la terreur, et je veux éprouver avec mon épée si c'est un corps ou un esprit.

Le spectre s'envole dans le temps que Dom Juan le veut frapper.

SGANARELLE. – Ah ! Monsieur, rendez-vous à tant de preuves, et jetez-vous vite
5 dans le repentir.

DOM JUAN. – Non, non, il ne sera pas dit, quoi qu'il arrive, que je sois capable de me repentir. Allons, suis-moi.

Scène VI

LA STATUE, DOM JUAN, SGANARELLE

LA STATUE. – Arrêtez, Dom Juan : vous m'avez hier donné parole de venir manger avec moi.

10 DOM JUAN. – Oui. Où faut-il aller ?

LA STATUE. – Donnez-moi la main.

DOM JUAN – La voilà.

LA STATUE. – Dom Juan, l'endurcissement au péché traîne une mort funeste, et les grâces du Ciel que l'on renvoie ouvrent un chemin à sa foudre.

15 DOM JUAN. – Ô Ciel ! que sens-je ? Un feu invisible me brûle, je n'en puis plus, et tout mon corps devient un brasier ardent. Ah !

Le tonnerre tombe avec un grand bruit et de grands éclairs sur Dom Juan ; la terre s'ouvre et l'abîme[1] ; et il sort de grands feux de l'endroit où il est tombé.

SGANARELLE. – Ah ! mes gages[2] ! mes gages ! Voilà par sa mort un chacun
20 satisfait. Ciel offensé, lois violées, filles séduites, familles déshonorées, parents outragés, femmes mises à mal, maris poussés à bout, tout le monde est content ; il n'y a que moi seul de malheureux, qui, après tant d'années de service, n'ai point d'autre récompense que de voir à mes yeux l'impiété de mon maître punie par le plus épouvantable châtiment du monde. Mes
25 gages ! mes gages ! mes gages !

Molière, *Dom Juan* (1665), acte V, extrait de la scène 5 et scène 6.

1. **L'abîme** : l'engloutit. 2. **Mes gages** : mon salaire.

DOCUMENT 2

Eugène Delacroix, *Le Naufrage de Dom Juan* (1839).

DOCUMENT 3

« Quand Don Juan descendit vers l'onde souterraine
Et lorsqu'il eut donné son obole[1] à Charon[2],
Un sombre mendiant, l'œil fier comme Antisthène[3],
D'un bras vengeur et fort saisit chaque aviron.

5 Montrant leurs seins pendants et leurs robes ouvertes,
Des femmes se tordaient sous le noir firmament,
Et, comme un grand troupeau de victimes offertes,
Derrière lui traînaient un long mugissement.

Sganarelle en riant lui réclamait ses gages,
10 Tandis que Don Luis[4] avec un doigt tremblant
Montrait à tous les morts errant sur les rivages
Le fils audacieux qui railla son front blanc.

Frissonnant sous son deuil, la chaste et maigre Elvire[5],
Près de l'époux perfide et qui fut son amant,
15 Semblait lui réclamer un suprême sourire
Où brillât la douceur de son premier serment.

Tout droit dans son armure, un grand homme de pierre
Se tenait à la barre et coupait le flot noir ;
Mais le calme héros, courbé sur sa rapière[6],
20 Regardait le sillage et ne daignait rien voir.

Charles Baudelaire, *Les Fleurs du mal* (1857).

1. **Obole** : pièce de monnaie. 2. **Charon** transporte les morts (qui doivent lui donner une obole) dans les Enfers antiques. C'est habituellement lui qui conduit la barque. 3. **Antisthène** : philosophe antique selon qui l'homme libre est celui qui a su dominer ses désirs, qui ne se préoccupe pas des devoirs imposés par la société, mais se conforme à une vertu idéale. 4. **Don Luis** : père de Dom Juan. Ce dernier répond avec insolence et hypocrisie à ses reproches. 5. **Elvire** : religieuse que Dom Juan a séduite et enlevée après lui avoir promis de l'épouser. 6. **Rapière** : longue épée.

DOCUMENT 4

« Le comte de Ravila de Ravilès [...] était bien l'incarnation de tous les séducteurs dont il est parlé dans les romans et dans l'histoire, et la marquise Guy de Ruy – une vieille mécontente, aux yeux bleus, froids et affilés[1], mais moins froids que son cœur et moins affilés que son esprit – convenait elle-même que,
5 dans ce temps, où la question des femmes perd chaque jour de son importance,

s'il y avait quelqu'un qui pût rappeler Don Juan, à coup sûr ce devait être lui ! Malheureusement, c'était Don Juan au cinquième acte. [...] Ravila avait eu cette beauté particulière à la race Juan, – à cette mystérieuse race qui ne procède pas de père en fils, comme les autres, mais qui apparaît çà et là, à de certaines
10 distances, dans les familles de l'humanité.

C'était la vraie beauté – la beauté insolente, joyeuse, impériale, juanesque enfin ; le mot dit tout et dispense de la description ; et – avait-il fait un pacte avec le diable ? – il l'avait toujours... Seulement, Dieu retrouvait son compte ; les griffes de tigre de la vie commençaient à lui rayer ce front divin, couronné
15 des roses de tant de lèvres, et sur ses larges tempes impies apparaissaient les premiers cheveux blancs qui annoncent l'invasion prochaine des Barbares et la fin de l'Empire... Il les portait, du reste, avec l'impassibilité de l'orgueil surexcité par la puissance ; mais les femmes qui l'avaient aimé les regardaient parfois avec mélancolie. Qui sait ? elles regardaient peut-être l'heure qu'il était
20 pour elles à ce front ? Hélas, pour elles comme pour lui, c'était l'heure du terrible souper avec le froid Commandeur de marbre blanc, après lequel il n'y a plus que l'enfer – l'enfer de la vieillesse, en attendant l'autre !

Jules Barbey d'Aurevilly, *Les Diaboliques* (1874).

1. **Affilés** : aiguisés.

DOCUMENT 5

« Gontran, depuis deux ans, était harcelé par des besoins d'argent qui lui gâtaient l'existence. Tant qu'il avait mangé la fortune de sa mère, il s'était laissé vivre avec la nonchalance et l'indifférence héritées de son père, dans ce milieu de jeunes gens, riches, blasés et corrompus, qu'on cite dans les journaux chaque
5 matin, qui sont du monde et y vont peu, et prennent à la fréquentation des femmes galantes des mœurs et des cœurs de filles[1].

Ils étaient une douzaine du même groupe qu'on retrouvait tous les soirs au même café, sur le boulevard, entre minuit et trois heures du matin. Fort élégants, toujours en habit et en gilet blanc, portant des boutons de chemise
10 de vingt louis changés chaque mois et achetés chez les premiers bijoutiers, ils vivaient avec l'unique souci de s'amuser, de cueillir des femmes, de faire parler d'eux et de trouver de l'argent par tous les moyens possibles.

Comme ils ne savaient rien que les scandales de la veille, les échos des alcôves et des écuries, les duels et les histoires de jeux, tout l'horizon de leur pensée était
15 fermé par ces murailles.

Ils avaient eu toutes les femmes cotées sur le marché galant, se les étaient passées, se les étaient cédées, se les étaient prêtées, et causaient entre eux de leurs mérites amoureux comme des qualités d'un cheval de course. Ils fréquentaient aussi le monde bruyant et titré dont on parle, et dont les femmes, presque
20 toutes, entretenaient des liaisons connues, sous l'œil indifférent, ou détourné, ou fermé, ou peu clairvoyant du mari; et ils les jugeaient, ces femmes, comme les autres, les confondaient dans leur estime, tout en établissant une légère différence due à la naissance et au rang social.

À force d'employer des ruses pour trouver l'argent nécessaire à leur vie, de
25 tromper les usuriers[2], d'emprunter de tous côtés, d'éconduire les fournisseurs, de rire au nez du tailleur apportant tous les six mois une note grossie de trois mille francs[3], d'entendre les filles conter leurs roueries[4] de femelles avides, de voir tricher dans les cercles, de se savoir, de se sentir volés eux-mêmes par tout le monde, par les domestiques, les marchands, les grands restaurateurs et autres,
30 de connaître et de mettre la main dans certains tripotages de bourse ou d'affaires louches pour en tirer quelques louis, leur sens moral s'était émoussé, s'était usé, et leur seul point d'honneur consistait à se battre en duel dès qu'ils se sentaient soupçonnés de toutes les choses dont ils étaient capables ou coupables.

Tous, ou presque tous devaient finir, au bout de quelques ans de cette exis-
35 tence, par un mariage riche, ou par un scandale, ou par un suicide, ou par une disparition mystérieuse, aussi complète que la mort.

Guy de Maupassant, *Mont-Oriol* (1887).

1. **Filles** : prostituées. 2. **Usuriers** : personnes qui prêtent de l'argent à intérêt. 3. Une scène du *Dom Juan* de Molière montre Dom Juan recevant avec une fausse sympathie M. Dimanche, un marchand à qui il doit de l'argent, et de le faire partir sans le payer. 4. **Roueries** : ruses cyniques.

CORRIGÉ

CORRIGÉ RÉDIGÉ

[INTRODUCTION]

Dom Juan est l'un des mythes les plus traités dans la littérature et les arts; depuis Tirso de Molina jusqu'aux dramaturges modernes, il a inspiré des créateurs très divers, notamment Molière au XVIIe siècle; il a connu une grande vogue au XIXe siècle: le peintre romantique Delacroix et le poète Baudelaire l'imaginent aux «enfers», des romanciers – Barbey d'Aurevilly dans «Le plus bel amour de Don Juan» ou Maupassant dans *Mont-Oriol* – s'en inspirent. Ainsi a-t-il pris de multiples visages au gré des contextes où il renaît toujours le même et pourtant à chaque fois différent.

« Avoir toujours été celle que je suis et être si différente de celle que j'étais ! » (Beckett, *Oh les beaux jours*)

[RÉPONSE]

I Les points communs

Nous donnons ici quelques exemples mais chaque point commun dégagé doit être assorti d'au moins un exemple ou un indice textuel emprunté à chaque texte.

- C'est la **figure de l'amoureux séducteur** – trait dominant du Dom Juan originel de Tirso de Molina – («l'incarnation de tous les séducteurs», d'Aurevilly), ses succès sont dus à sa beauté («C'était la vraie beauté», d'Aurevilly), son élégance (son riche costume au milieu du tableau, Delacroix) ou sa prestance.
- Ce **personnage dédaigneux et provocateur** veut se distinguer par mépris de «l'autre»; il campe dans une attitude de défi à la société ou à la famille («filles», «familles», «parents», «femmes», «maris», Molière), à la religion, et de volonté d'outrager les lois.
- Il fait preuve à la fois d'**aplomb**, d'**insensibilité** («calme», «ne daignait rien voir», Baudelaire; «blasés», Maupassant) et d'une **absence de sens moral** («il ne sera pas dit [...] que je sois capable de me repentir», «endurcissement au péché», Molière).
- C'est un personnage/**héros du mal**, qui a un côté satanique («pacte avec le diable», d'Aurevilly).
- Mais il est **vulnérable**; il ne peut en tout cas pas échapper à la «vieillesse» (d'Aurevilly) et est soumis à la fatalité: c'est un personnage qui a affaire à la mort (abondance du champ lexical de la mort et des allusions aux enfers), qui reste donc un homme.

II Les différences et transformations

- Cependant, la différence de contexte de chaque création et des buts des créateurs entraîne des transformations du personnage.
- Chez **Molière**, l'accent est mis sur le **libertin** – de mœurs mais surtout d'esprit –, le hors-la-loi, le révolté (contre la société et surtout la religion). Sa seule valeur positive est le courage que lui inspire le défi rationaliste du libertin qui revendique son libre arbitre («non, non» deux fois; «je veux *éprouver* [...] si c'est un corps ou un esprit»).
- Le tableau de **Delacroix** peint un personnage (central) qui attire la lumière (tache blanche) et contraste par son élégance avec les personnages qui l'entourent et semblent l'admirer (tous les regards convergent vers lui). Il est marqué par le contexte romantique (une «force qui va», Hugo).

Le **libertin d'esprit** est un **libre penseur** dont l'esprit critique, essentiellement expérimental, remet en cause les lois établies et les dogmes religieux, affirme l'autonomie morale de l'homme.

■ Chez Baudelaire – inspiré par le tableau de Delacroix –, le trait le plus remarquable de Dom Juan est l'indifférence à tout, un calme en contraste avec l'agitation de ses victimes : le personnage est une image du héros romantique poussé par son destin qu'il assume avec une certaine grandeur.

■ Barbey d'Aurevilly souligne sa beauté. Son originalité est de décrire un Don Juan vieillissant mais encore beau, indifférent (« impassibilité ») dans son orgueil. Il a les traits du dandy, qui suit la mode venue d'Angleterre à la fin du XVIIIe siècle : le dandysme revendique élégance, originalité et impertinence, dans le langage et la tenue.

Le **dandysme** est défini par Baudelaire comme le « dernier acte d'héroïsme » dans un contexte de décadence.

■ Chez Maupassant, au contraire, la multiplication des Don Juan (marquée par le rapide passage de l'individu[el] [« Gontran »] au pluriel [« ils »]) banalise l'image du personnage : ce n'est plus un héros, mais un médiocre, qui n'a de beau que son « habit », vicieux, sans dimension métaphysique ; sa seule valeur est matérielle : l'argent (contexte de la bourgeoisie du Second Empire).

[CONCLUSION]

Le corpus témoigne de la vitalité du personnage et fait bien saisir ce qu'est un mythe littéraire. Dom Juan présente bien toutes les caractéristiques du personnage mythique tel que le définit Michel Tournier : « C'est le propre des personnages mythiques de déborder ainsi leur berceau natal et d'acquérir une dimension et des significations que leur auteur n'avait pas soupçonnées. »

POINT MÉTHODE

Gérer son temps le jour de l'épreuve

▶ **Lecture attentive du corpus** et des questions : 30 minutes.

▶ **Traitement de la/des question(s)** : 30 minutes.

▶ **Préparation du travail d'écriture** (plan du commentaire ou de la dissertation, définition du texte, recherche des idées et confection des boîtes à outils pour l'écriture d'invention) : 1 heure 15.

▶ **Rédaction du travail d'écriture** : 1 heure 30.

▶ **Relecture** : 15 minutes.

SUJET 27 | La réécriture, copie ou création ?

DISSERTATION

Pensez-vous que la réécriture ne soit qu'une forme de copie et d'imitation ou qu'elle constitue une véritable création ? Vous répondrez dans un développement organisé, en vous appuyant sur des exemples précis.

DÉMARRONS ENSEMBLE

- Le sujet porte sur la **définition** et la **nature de la réécriture** et propose une alternative *(ou)* : *copie*, *imitation* et *ne… que* sont **péjoratifs** et font allusion au plagiat, alors que le mot *création* est **positif** et désigne l'action de produire une œuvre qui n'existait pas et qui fait preuve d'invention.
- Vous devez **évaluer la pertinence de chaque définition** et, éventuellement, dépasser l'opposition en une synthèse (plan dialectique).
- La **problématique** est : *À quelles conditions un auteur qui réécrit fait-il œuvre originale ?* ou *Qu'est-ce qui fait que, dans une réécriture, ce qui est nouveau l'emporte sur ce qui est reprise du modèle ?*
- Analysez la **nécessité de l'imitation dans la littérature et l'art**, en montrant la difficulté à tout inventer (thèmes, personnages, situations… sont limités).
- Montrez qu'il y a **création** quand il y a appropriation réactualisée d'un patrimoine ; cherchez par quels moyens cette réactualisation peut se faire.

CORRIGÉ

PLAN DÉTAILLÉ

[INTRODUCTION RÉDIGÉE]

[AMORCE] « Tout est dit, et l'on vient trop tard, depuis plus de sept mille ans qu'il y a des hommes et qui pensent » écrit au début des *Caractères* La Bruyère apparemment désabusé. [PROBLÉMATIQUE] En effet, comment créer du nouveau au XVIIe siècle ou au XXe siècle, quand on vient après des siècles de littérature, de peinture et de musique ? Comment ne pas copier, imiter ? Comment être original ? [ANNONCE DU PLAN] Si l'on peut tomber d'accord avec le poète Aragon qui affirme « Tout le monde imite » [I], on peut lui rétorquer que « copie » et « imitation » ne signifient pas reproduction servile. Bien au contraire, l'imitation est un soutien qui permet, dans un deuxième temps, la création originale [II].

Réécritures de mythes : Orphée, Œdipe, Antigone, Électr… Phèdre, Prométh… Thésée, le Sphin… (mythes antique…) Don Juan, Casan… Faust… (mythes plus récents) ; César, Napoléon… Jeanne d'Arc (grands personna… historiques) ; Jack l'Éventreur (mythe modern…)

I Réécrire, c'est forcément imiter

1. L'imitation valorisée : exercice formateur, garantie de qualité

[PARAGRAPHE RÉDIGÉ] Loin de la mépriser, l'Antiquité réservait une large place à l'imitation, considérée comme un exercice rhétorique particulièrement efficace dans la formation intellectuelle et artistique : en se mettant sous la tutelle de modèles reconnus, l'apprenti artiste assurait à son œuvre une certaine valeur artistique. Ainsi la Pléiade préconisait « l'innutrition » qui consistait à se nourrir des modèles anciens, à les assimiler pour mieux les imiter. Le travail de l'artiste, du poète consiste d'abord à répéter ses gammes comme en musique. En peinture, on reproduit des motifs traditionnels : on s'exerce à celui de la Vierge et l'Enfant, à celui de la Nativité. La Bruyère, avant d'écrire ses propres *Caractères*, donne une traduction de l'œuvre grecque de Théophraste. L'imitation serait alors nécessaire au développement créatif.

« Tout grand art commence par le pastiche. » (Malraux)

2. Comment ne pas imiter ? Tout n'a-t-il pas déjà été dit ?

- Un nombre limité de thèmes et d'histoires [+ EXEMPLES].
- Un nombre limité de formes littéraires [+ EXEMPLES].
- Le poids inévitable de l'héritage culturel [+ EXEMPLES].
- L'œuvre d'un écrivain : une ample réécriture de soi-même.

« Une œuvre d'homme n'est rien d'autre que ce long cheminement pour retrouver, par les détours de l'art, les deux ou trois images simples et grandes sur lesquelles le cœur, une première fois, s'est ouvert. » (Albert Camus)

3. Copier volontairement : la parodie

- Parodier, c'est en partie copier [+ EXEMPLES].
- C'est aussi déformer [+ EXEMPLES].
- C'est aussi entrer dans un jeu de connivence avec le lecteur ou le spectateur (multiples réécritures de *La Joconde* de Léonard de Vinci → fiche 55).
- Leçon de culture, agrément du jeu : tels sont les buts de la parodie.

II Réécrire, c'est aussi créer

1. Réécrire, c'est adapter

- L'adaptation tient compte du contexte et modernise : Anouilh actualise les *Fables* de La Fontaine ; *Dom Juan* de Molière s'inscrit dans le mouvement libertin.

« L'écrivain original n'est pas celui qui n'imite personne [...]. » (Chateaubriand)

■ Elle s'ajuste au **public** (âge, préoccupations, goûts esthétiques...). Tournier écrit deux versions de *Vendredi*: *Vendredi ou les Limbes du Pacifique* pour adultes, puis *Vendredi ou la Vie sauvage* pour enfants.

■ Elle vise un **but** différent. [EXEMPLES RÉDIGÉS] L'*Antigone* de Sophocle traite des rapports hommes-dieux, celle d'Anouilh de l'absurdité du monde. La mise en garde de Montaigne contre les dangers de l'imagination (*Essais*, II, 12) est l'expression de son scepticisme: la reprise de cette réflexion par Pascal (*Pensées*, Sellier 78) vise à montrer la faiblesse de l'homme pour mieux le convertir.

■ Elle **amplifie** ou **resserre**. *Candide* (1759) est une amplification d'un conte de Voltaire écrit trois années plus tôt, *Les Voyages de Scarmentado* (1756).

■ Elle **parodie** par désir de se moquer d'un genre, d'un auteur (burlesque), pour créer la complicité avec le lecteur [+ EXEMPLES CI-DESSUS].

■ Elle **interprète** (dans le cas d'une pièce de théâtre): toute mise en scène est au fond une réécriture par adaptation et donne une nouvelle vision de la pièce écrite [+ EXEMPLES DE MISES EN SCÈNE].

Le cinéma a multiplié les adaptations de romans et de pièces, mais en s'adaptant aux goûts esthétiqu[es] du public mode[rne] sensible à l'imag[e].

Le **cinéma parodie** parfois une œuvre littéraire: Gérar[d] Oury, dans *la Folie des grande[urs]* (1971), fait une adaptation burlesque du drame de Hugo, *Ruy Blas* (1838).

2. Réécrire, c'est transposer

■ La réécriture passe **de la prose aux vers et inversement**: les deux «Crépuscule du soir» et les deux «Invitation au voyage» de Baudelaire; d'Ésope à La Fontaine.

■ Elle change de **genre**: du récit historique à la pièce de théâtre (*Cinna* de Corneille, réécrit d'un passage de Sénèque et de l'historien grec Dion Cassius).

■ Elle change de **registre**: Voltaire passe de l'ironie (article «Torture» du *Dictionnaire philosophique*) à l'indignation (lettre à d'Argental sur le chevalier de La Barre).

■ Elle change de **forme de discours**: Hugo passe du récit *(Le Dernier Jour d'un condamné)* à l'argumentation *(Discours à la chambre contre la peine de mort)*.

■ Elle marque l'**implication de l'auteur**: La Fontaine reprend à son compte les fables de ses prédécesseurs («La Laitière et le pot au lait» repris de Pilpay se termine sur une longue confidence à propos de son goût de la rêverie: «Chacun songe en veillant; il n'est rien de plus doux [...]»).

3. Réécrire, c'est s'approprier

- L'**originalité du style** est comme la signature d'un écrivain, sa « couleur » : l'auteur doit garder son style propre, ne pas calquer.
- L'auteur doit mettre son **vécu** dans sa réécriture (affectivité, expériences...).
- La réécriture se nourrit de la culture (connaissance des textes lus) ; or l'**appropriation réactualisée** d'un patrimoine culturel est création.

[CONCLUSION RÉDIGÉE]

Pour être « création », la réécriture ne doit pas être simple copie, reproduction selon des « recettes ». Harmonieux mélange de réminiscences et d'invention, elle nécessite un écart avec son modèle, une touche personnelle pour que le créateur puisse affirmer, comme La Fontaine : « Mon imitation n'est point un esclavage », et que l'imitation soit émulation, comme l'explique Pascal dans une métaphore pittoresque : « Qu'on ne dise pas que je n'ai rien dit de nouveau : la disposition des matières est nouvelle ; quand on joue à la paume, c'est une même balle dont jouent l'un et l'autre, mais l'un la place mieux. » Et, au fond, tout ne serait-il pas réécriture ? L'art est la transformation de ce qui existe. La réécriture serait alors un art.

Évitez les formules lourdes comme : *Pour conclure, on peut dire que...* ; *En conclusion, je dirais que...*

Évitez de mettre dans la conclusion des exemples ou des idées importantes que vous auriez oubliés dans le développement.

POINT MÉTHODE

Composer la conclusion de la dissertation

La conclusion s'articule en **deux temps**, dans un schéma inverse de celui de l'introduction.

- Faites la **synthèse des conclusions** auxquelles vous avez abouti.

Apportez une **réponse claire** à la question posée au départ pour fermer le débat, puis reprenez le **cheminement de la réflexion** et ses différentes étapes.

N. B. Ne reprenez pas textuellement le plan annoncé en introduction : variez la formulation. Ne redites pas tout ce que vous avez démontré : mettez l'accent sur l'essentiel de la réflexion.

- **Élargissez** pour replacer le sujet dans un cadre plus vaste.

Trouvez une **ouverture** vers un nouveau sujet proche de celui traité pour montrer que le débat s'inscrit dans une réflexion plus large. Vous pouvez faire référence à d'autres arts ou finir sur une citation qui fait autorité, en rapport avec le débat.

TABLE DES ILLUSTRATIONS

Suivi éditorial : Claire Dupuis
Iconographie : Hatier illustration
Illustration : jazzi
Frises : Domino
Schémas (dépliant) : Vincent Landrin
Maquette de principe : Frédéric Jély
Mise en page : SCEI ; Soft Office

Achevé d'imprimer en France par Loire Offset Titoulet à Saint-Étienne
Dépôt légal : 99541-5/01 - Décembre 2015